●まえがき

妖精事件の新事実をふまえ 幻想文学の立場から、〝妖精〟に向き合う

　およそ幻想文学に関心を寄せる諸賢において、事実と真実、表象と現実をめぐる線引きが、たえず揺らぐものだというのは自明のことだろう。なかでもユニークな一件として知られるコティングリー妖精事件が、新たな展開を見せており、井村君江／浜野志保編著『コティングリー妖精事件　イギリス妖精写真の新事実』（青弓社、2021）も発売された。

　経緯は以下。同書筆頭編者の井村君江氏がオークションで落札した神智学者エドワード・L・ガードナーの鞄のなかに、多数の関連写真および「アデレード文書」と呼ばれる手書きの書簡群が収められていた。それらの究明が地道に進められ、事件から101年目の2018年、名古屋大学と東京都写真美術館での展覧会が実現、好評を得た。そこで、井沼香保里・浜野志保の両氏らが、こうした新発見資料全体を採録・翻刻しつつ、2017年にイギリスやアイルランドでなされた講演会のレポートや、関連小説の作者へのインタビューを交えて外堀を固め、そのうえで、主として写真を中心とした視覚文化史、心霊主義・神智学研究を含めた20世紀精神史の視点から、事件をめぐる言説全体までをも位置づけ直したのが同書である。

　そこでは、『トールキン神話の世界』（人文書院、1994）で知られる赤井敏夫氏が20世紀前半のイギリス文化史のコンテクストのもとに事件の背景を論じ、占星術研究家の鏡リュウジ氏が「体験」としての妖精性について語っている。そして学魔こと高山宏氏は、17世紀初頭のロンドン王立協会がすでに提唱をなしていた「ファクト」という言葉の起源から、近代表象文化論全体のなかで、事件のコンテクストを論じている。

　同書においては、先行資料としてコナン・ドイル、ジョー・クーパーの仕事が頻繁に言及されている。どちらも井村氏が邦訳を出版しているが、なかでも基本書ともいうべきドイル『妖精の到来　コティングリー村の事件（旧題：妖精の出現　コティングリー妖精事件）』がナイトランド叢書の1冊という形で復刊、読者諸賢に基礎資料として提供された。

　そして本書『妖精が現れる！』は、新旧の研究史を出発点としながら、多用な論点が訴えるより広範な問題に対し、幻想文学の立場から、どのように向き合うことができるかを問うために編まれたものである。『コティングリー妖精事件』の隠れたキーパースンともいうべき矢田部健史氏をはじめ同書の関係者も参加しているが、タニス・リー、パトリシア・A・マキリップ、ジェフリー・フォード、マンリー・W・ウェルマン、フーゴ・ハル、高原英理、石神茉莉ら各氏の小説を掲載するなど、自律した文芸書としても読めるように工夫したつもりだ。お愉しみいただきたい。**（岡和田晃）**

コティングリー村訪問記

——ブラザートン・コレクション調査

●文＝井村君江

　ここで報告するコティングリー村訪問旅行は、二〇一八年六月五日から二十五日の十日間のことでした。

　イギリスは第二の故郷とも言える土地で、妖精の研究を重ね、一九七〇年代から幾度となくサバティカルや客員教授として滞在した際、コティングリー村を訪れてはいたのですが、それから三十年近く経っての訪問となりました。

　一九八四年に中世英文学者のジョン・ローラーと結婚し、私は日本の明星大学の教授、ローラーはキール大学の教授と別々に仕事をしており、大学の長期休暇だけ一緒にイギリスの家で過ごせた十年間の生活でした。ローラーが他界した一九九九年に日本に引き上げ、コーンウォールに息子家族を残してきてから、忙しさに紛れ、十年近く経ってしまいました。念願だったイギリス行きを、コティングリー村の調査旅行として実現出来、孫たちとの対面や友人たちとの再会を果たし、嬉しい日々でした。

　参加者は私の他に、フェアリー協会の五人、明星大学で「シェイクスピアこそ人生だ」展を手掛けたキュレーターの石川文女史、シシリー・メアリー・バーカー『花の妖精』（井村君江訳 主婦の友社 二〇一四年）の絵葉書を作成しているフラワーコーディネーターの谷津翠女史、井村ゼミでオスカー・ワイルドを卒論のテーマに選んだ川端昭子女史と息子息子で写真家の川端幸男諸氏。目的は「①ブラザートン・コレクション（コティングリー村）調査 ②グローブ座訪問（石川氏の用件） ③英国占星術協会の年次大会とレセプションパーティー出席（鏡リュウジ氏と面会） ④友人たち（学者や画商）との面談 ⑤息子淳一、孫たちとの面会」でした。④と⑤は井村個人の用事のため、友人たちと別行動でした。ここでは①ブラザートン・コレクション調査のことと、コティングリー村の変化を中心に記述しようと思います。


　「コティングリー妖精事件」がイギリスで起きてから、二〇一七年でちょうど百年目です。そして、本稿を書いている二〇二一年は、ガードナーが少女たちに妖精の写真を撮らせようと試みた最後の年から百年目にあたる年でした。妖精のことを研究していますと、どうしてもこの事件を考えざるを得ないのです。コナン・ドイルが妖精の存在を考察しまとめた著作『妖精の到来』（井村君江訳 アトリエサード 二〇二一年）を発表したことで、この事件は世界的な広がりを持ちました。

　私とコティングリー妖精事件の関わりは、調査の対象としてのみならず、ドイルに妖精の写真を二枚送った神智学者のエドワード・ガードナーの鞄を、縁あって私が持っていることです。事件からもう百年経つので、所有者を明らかにしておいた方がいいと思い展示を企画し、その存在と中身を紹介し発表したところ、思わぬ反響が世界中に起こりました。この展示で明らかにした鞄の内容については、『コティングリー妖精事件——妖精写真１００年目の新事実』（井村君

◆コティングリー村の最寄り駅・シプレー

◆アーサー・ライト家の屋敷

江・浜野志保編著　青弓社二〇二一年）に詳細を記述し、関連した情報も掲載しました。

　この雑誌では青弓社の本に収録しきれなかったコティングリー村の現在とイギリスの状況について、本稿とともにそれぞれの参加者の紀行文を、紹介掲載することにしました。イギリス旅行の他の参加者は、①と③は三人一緒に行動していますが、この同じイギリス体験を書いたそれぞれの紀行文が、違う人の目を通すと風景すらも異なり、いかに違って映るものか、その面白さを味わって欲しいと思います。

　さて、我々五人がコティングリーで泊まった宿は、村に近いホテルで、「メルキュール・ブラッドフォード・バンクフィールド・ホテル」といい、十九世紀に遡るゴシック様式の建物で、かつてはブラッドフォードの市長の邸宅だったそうです。ホテルから村への舗装された道を歩き終え、雑草の生えた土道になると、草地にはタンポポやれんげ草、垣根には野バラが美しく咲き、「私は庭園のバラより野バラが好きよ」と言っていた、絵描きで詩人のシシリー・メアリー・バーカーの言葉が頷けると皆で賛成しました。コティングリー村に入る前に、典型的なイングリシュ・パブ「サン・イン」を見つけ、典型的なフィッシュ・アンド・チップスを注文、ギネス酒で乾杯し、パブの話で盛り上がる楽しい昼食になりました。パブの「サン・イン」の玄関前に落ちていた松ぼっくりを拾い、苔や草花を押し花にして集めました。

　そこから歩いて五分、メイン・ストリート三十一番のアーサー・ライト家は、昔のままの形でありました。乱れ咲く花々を分けて進み、裏庭の小川（ベック）にいきますと、現在の持ち主である漫画家のルーク・ホースマン（Luke Horseman）氏が出てきて挨拶し、奥さんともども去年日本を旅行したことなども話してくれました。その後、石の階段を下りて小川（ベック）を案内してくれましたが、私は車椅子なので庭の樹木の下で待ちました。小鳥が囀りながら馴れ馴れしく周りに飛んできましたが、その日はちょうど六月二十四日ミッドサマー（夏至）で、妖精が力を発揮する日。木の上に薄くかかる月をみながら、皆が妖精と会えることを願っていました。私は四十数年前の昔、ベック（小川）の水に陽が当たってできた虹を見ていますし、傍にぼーっと浮かぶ不思議な存在も感じています。ここの自然環境は特別です。虹のかかる小川にそよぐ草木、美しい花々、小鳥、小川にかかる虹……少女が妖精

●裏庭を流れる小川（ベック）

★シェイクスピア「夏の夜の夢」にちなんだ街路表示前にて

と遊んでいても、不思議ではない雰囲気なのです。

案内から戻ってきた皆と合流し、帰路に着くも、もう少し収穫を求めて散策したいと思い、昔のケルトの森に行こうと、もう一度舗装された歩道から人のいない木戸を開けて、新興住宅地に入りました。その道々に「オーベロン・ロード」（Oberon Road）、「ティターニア・クロース」（Titania Close）、「ライサンダー通り」（Lysander Way）など、シェイクスピアの『夏の夜の夢』の妖精王や女王、恋人など登場人物の名前がついた札が立っており、この村はまだ妖精にこだわっているなと思いました。真っ直ぐ行けばベック（小川）に着くし、ケルトの遺跡に行けると確信して、みなを励まし森を目指して進んでいきました。

果たしてエルシーが映っていた、写真と同じケルト橋を見つけました。その橋を渡る

● ケルトの石塀

◆ケルト橋にて

● 丘への入り口にある木戸

と視界が広がり、正面に丘がそびえていました。また閉まった木戸が前にありましたが、若者たちはそれを乗り越え丘に登っていきました。乗り越えられない私と石川氏は、寒さに震えながら丘の下で待っていました。戻ってきた若者たちの報告ですが、登ってみると丘は村が一つ入る位の大きさで、すなわちケルトの石塀が、村の周りを囲んでいるというのでした。そこで議論の末、これは「ケルティック・フォート」（ケルトの塀）かもしれないと思いました。イギリスの調査記録を見たいものです。

改めて、コティングリー村に入りますと、以前訪問した時と比べ、お土産屋さんもなくなり、「少女と妖精」のポストカードを売っている店もなく静かになっていました。ケルトの橋や丘の遺跡を見ることはできたけれど、かつてあった謎めいたケルトの遺跡や森が消えてしまい、開拓されて新興住宅に変わっていたので寂しく思いました。

翌日はブラザートン・コレクションを訪ねました。ホテルで頼んだタクシーの運転手はリーズ大学図書館が分からず、学部違いの場所に連れて行かれ、三十分も遅刻してしまいました。日本からの予約を受付けてくれたスミス女史は、当日はお休みのため、

●リーズ大学 パーキンソンビル校舎

◆リーズ大学にて

予約し直すことができませんでした。

ブラザートン・コレクションで閲覧した資料は、絵画ノート、書簡数通、写真ネガ、印画紙、ガラス板など全部で約百点。調査時間は十時半から十二時迄の一時間半。紙と鉛筆は持ち込み可能でしたが、カメラなどは持ち込めず、写真が撮れなかったことをとても残念に思いました。さて、調査時のメモを以下に略述したいと思います。

（1）資料は全部、二少女エルシーとフランシスが、「少女と妖精」の写真を五枚作製した過程を示す材料です。まず数枚の絵画は、妖精をと思った少女が、初めに思い描いたであろう妖精の絵画です。天使に見える羽の生えた幼児、羽をつけた空飛ぶ男性、羽を広げた恐ろしい怪物、美しい女性の妖精など、皆一様に羽で空を飛び、裸姿です。それらはフランシスが南アフリカから持ってきた「メアリー王女のギフト・ブック」（Princess Mary's Gift Book）を手本にしていました。そのためか、フランス風のモダーンな洋服を着て、ポーズも、持つ楽器などもモダーンな女性の妖精でした。

（2）妖精は農家に出現するといわれたのを信じていたらしく、妖精の絵画を描く時には、必ずといっていいほど農家やその屋根を描いていましたが、中途で止めてしまっています。

（3）「妖精のあずまや」（ガードナー）または「妖精の日光浴」（ドイル卿）と言われる五枚目の写真の裏には、Sunshine（日射）とだけ書いてありました。五枚目に、作為はなく映しただけといいますが、複雑な画面になっています。エルシーとフランシスがそれぞれカメラのシャッターを押してしまったのかも知れません。

（4）小川（ベック）に沿った森やケルトの遺跡の写真は、場所の特定が難しいです。

（5）家族のスナップ写真も沢山ありますが、人物の特定は難しいです。

（6）毛糸で編んだベレー帽を被り、五人の妖精に囲まれた写真を発見しました。映っているのはエルシーかフランシスか、或いは他の人物なのか特定できません。

ブラザートン・コレクションには、エドワード・ガードナーの手紙も所蔵されているとのことですので、今後調査が進むことを期待したいと思います。

イギリス滞在は十日間でしたが、十人以上の人々とスケジュール通りに会えました。八日目の英国占星術協会の楽しいパーティーが終わり、我々日本人五人だけが、急いで玄関に出て空を見上げますと、今回の大会テーマであった「ダイアモンド・イン・ザ・スカイ」にあたかも因んだかのように夕空が一瞬見たことがないような紫色になりました。日本で夕暮れは「まっかっかっか、空の雲」ですが、イギリスでは「ディープ・パープル・イン・ザ・スカイ」、すなわち「深い紫」の空の下で鏡先生たちとお別れの挨拶が出来ました。空の紫色は一瞬にして消え、夕闇が広がりました。

この日はロンドンのヒルトン・ホテルに帰り、休む間もなく、翌日のミュージカルの切符を買いに行きました。運良く切符を手にした私と石川女史の二人は、翌日の夜に正装をして、『ウィキッド』を見に行くことができました。イギリス時代は、いつも八時に

●天文学学会 会場前にて

●バルコニーの夕焼け

なると劇場行きの服装に着替え、そわそわしていた昔が急に戻ってきたように思いました。ミュージカルは『ジーザス・クライスト・スーパースター』から『オリバー！』、『ミス・サイゴン』、『キャッツ』、『ライオン・キング』、『レ・ミゼラブル』など、日本での上演前に、殆どイギリスで観てしまっており、『ウィキッド』まで観劇することが出来たわけです。

ヴィクトリア・パレス・シアター（Victoria Palace Theatre）の係員が、日本のディズニーランドのキャストだったそうで、日本は好きだと言い、「今晩は」と日本語で挨拶してくれたのには驚きました。幕間にティー・ルームで飲んだイタリアの「プロセッコ」が忘れ難い味でした。終幕後に劇場が用意してくれた、もう一杯のグラスを横目で見ながらタクシーが迎えに来てしまい、心残りでした。『ウィキッド』は理解しずらい筋のミュージカルで、面白さは今一つでしたが、観劇の余韻は旅の思い出となりました。

● 屋内観劇場（パンフレットより）
Cover photos Pete Le May

翌日のイギリス滞在最後の日、息子の淳一がロンドンのヒルトン・ホテルからヒースロー空港まで荷物と共に送ってくれ、石川女史と日本に到着、イギリス訪問は無事に終わったのでした。一日早く帰国された谷津さんが、空港まで車で出迎えてくれて、宇都宮まで送ってくれました。

このように二〇一八年年はコティングリー村とリーズ大学に訪問出来たのですが、イギリス時代に訪ねた時との相違に驚きました。長年、コティングリー妖精事件について準備してきたことが、『コティングリー妖精事件――妖精写真百年目の新事実』として、ようやく一冊の本にまとまりました。妖精に興味をお持ちの方々は、ぜひお手に取っていただければ幸いです。ここから考えるべきことが多々あると思いますので、妖精研究の一助となることを切に望みます。

◆ ウィンチェスターパレスの壁にて

ナイトランド・クォータリー増刊

妖精が現れる!

コティングリー事件から現代の妖精物語へ

──目次──

怪奇幻想文学としてのコティングリー妖精事件

●文＝岡和田晃

●モダン・アートとしての妖精写真

あなたがコティングリー妖精事件について知ったのは、いつだろうか?

私の場合は、小学校の時分に図書館で読んだ山梨賢一『妖精の秘密』（学研ポケット・ムー・シリーズ、一九八四）だったように記憶している。いわゆる怪奇系児童書のような扱いだった。日本の妖怪についても触れられていたが、インパクトが強かったのは、エルシーとフランシスの妖精写真が挟まれていたこと。白黒写真に撮られた少女たちの隣に、絵本そのままの姿形で、堂々と妖精たちが映し出されているのだから、そのミスマッチ感ったらなかったのだ。いわば真贋以前に、モダン・アートとして受け止めたわけだ（小学生だったので、そんな術語は知らなかったけれども）。

妖精写真が撮影された一九一七年から、コナン・ドイルが『妖精の到来　コティングリー村の事件』（井村君江訳、アトリエサード、邦訳二〇二一）を発表した一九二二年頃は、ちょうど第一次世界大戦が終わり、モダニズム小説の勃興期となる。ジェイムズ・ジョイス『ユリシーズ』を書き（連載 1918 ～ 20）、W・B・イェイツが〝霊媒体質〟のG・H・リーズと結婚して『幻視録』（1937）の原型を書き始め、フランスではアンドレ・ブルトンがシュルレアリスムの端緒となる自動筆記を行い（1919）、ドイツでは表現主義の時代で、ロベルト・ヴィーネ監督の『カリガリ博士』（1920）が封切られる。アメリカではH・P・ラヴクラフトが「ウィアード・テールズ」で「ダゴン」を発表（1919）、宇宙的恐怖《コズミック・ホラー》という新境地を拓こうとしていた。「ナイトランド・クォータリー」（NLQ）で訳載し、論じられている小説群も、頻繁にモダニズム時代に立ち返り自らの位置を問い直している。

こうした時代精神《ツァイトガイスト》を手っ取り早く伝えられるので、大学で幻想文学を教えるようになると、しばしばコティングリー妖精事件について紹介するようにしている。事件をファンタジーとして再解釈したチャールズ・スターリッジ監督の映画『フェアリー・テイル』（1997）から四半世紀。ネットに出ている情報の多くも孫引きレベルで新味がない。そのためにか、事件を知っているという学生には、ほとんど出逢ったことがないが、これ幸いに「これは本物と思うか?」と訊くと、三割ほどの学生が「本物ではないか」と言ってくる。

ＣＧ技術が高度な発展を見せているのは言うまでもなく、ＳＮＳで出回るような「ポスト真実」的なフェイク画像も巧妙化の一途をたどっている。対して、エルシーやフランシスの隣に映っている〝三次元的な〟少女たちに比べ、妖精たちの像は、あまりにものっぺりとしていて二次元的だ。模写を切り抜いて撮影したというのだから、当然のことだろう。ただ、素朴にしてプリミティヴであるがゆえ、かえってそれらしく見えてしまう……ということはないだろうか。例えば、妖精の人形を作って一緒に撮影した写真だと――偽物だと見抜かれたかどうかはさておき――これほどの衝撃はなかったかもしれない。三次元的な、人間のミニチュアのように見えてしまい、人間と妖精が同じ次元の存在のように提示されているのだから。それでいて「日本」の千里眼事件のような悲惨な結末は迎えない。

●『妖精の到来』の愉しみ方

コナン・ドイルの著作群のなかでも、『妖精の到来』は"鬼っ子"として扱われることが多い。第一次世界大戦で息子を亡くして哀しみに暮れていたとはいえ、かの名探偵シャーロック・ホームズの作者自身が、迷信にころりと騙されてしまった……その証左のようにも見えてしまうからだろう。ホームズ・シリーズは基本的に、事件の謎は論理的に解き明かされる。恐怖に怯える依頼人が現実の白人至上主義団体クー・クラックス・クランに殺されてしまう話はあっても、ダートムアの沼地に巣食う魔犬の正体は、超自然的な存在としては提示されないのだ。対して『妖精の到来』では、心霊主義《スピリチュアリズム》や神智学《セオソフィー》のように超常的な領域を扱うディシプリンは自明の前提として語られているのだから、面喰らってしまうのは無理もない。

ただ、二十一世紀の私たちが忌避するほどには、当時において心霊主義や神智学は胡散臭いものではなく、むしろ、上流階級のたしなみ、社交界のツールとしてそれらの知見が用いられることもままあった。何より『妖精の到来』は事件について、できるだけ多くの証言を集め、極力客観的かつ合理的に捉えようとしている、ドイルらしい生真面目な姿勢が伝わってくる(ただ、過去に別の訳者によって邦訳された版には、"ビリーバー向け"に特化したものもないではなく、そちらで読むと印象はだいぶ変わってしまうかもしれないが)。

ドイル曰く、世界には人間とは別の振動《ヴァイブレーション》を有する存在がいる。その波長を感知できるのが霊視能力者《クレアヴォイアント》であり、少女たちでもあったわけだが、性的に成熟を遂げていくにつれ、振動を捉える力は失われていく。なら科学技術の力で、そのメカニズムを「超能力眼鏡」等に移し替えれば、第五元素たるエーテルを感知できるようになるかもしれない……これは完全に、各種モダン・ホラー小説に登場するオカルト探偵の発想である。

ホームズ・オマージュのアリス&クロード・アスキュー『エイルマー・ヴァンスの心霊事件簿』(田村美佐子訳、アトリエサード、邦訳二〇一五)はもちろん、科学技術面への関心がより高いウィリアム・ホープ・ホジスンの幽霊狩人カーナッキ、叛逆の精神であればシーベリー・クインの超常探偵ジュール・ド・グランダン……あるいはNLQでしばしば紹介してきたウィリアム・ミークルのカーナッキ・オマージュ、NLQのVol.10で紹介したグリン・オーウェン・バーラスのカッサンドラ・ベイン、『ラプラスの魔』(一九八七)に始まる〈ゴーストハンター〉シリーズ……。

神智学的な発想は、自然哲学やカトリシズムをベースとしつつ、"異教"の発想をもとりこんだ明確な体系性があり、この意味でアレイスター・クロウリー流の近代魔術とも照応する。『妖精の到来』では、根源的《エレメンタル》な地・水・火・風の四大元素の形象をまとった精霊、すなわち「大存在《グレート・ビーイング》」または「大いなる存在《グレート・ワンズ》」の「想念体《ソート・フォーム》」たる「小さな生き物《リトル・クリーチャー》」とは似て非なるものとして、「小さな人々《リトル・ピープル》」としての妖精が位置づけられている。こうした妖精たちは、しばしば植物の世話をしているが、それは「植物の意識《プラント・コンシャスネス》」と精霊は別種のものだということを意味する。

そのうえで、『妖精の到来』では、ノーム、ゴブリン、金色のフェアリー、水の精霊《ウォーター・ニンフ》または水の妖精《ウォーター・エルフ》、樹木の妖精《ウッド・エルフ》といった妖精たちの「霊視」による観察が記録されており、さながら妖精のカタログである。後の「妖精学」の大成に少なからず影響を与えたのは言うまでもなく、日本での「心霊主義」研究においても、こうしたカタログは注目され、浅野和三郎も『妖精の到来』のこ

の部分に線を引いてチェックしていたことが、現在もなお研究者たちの注目を引いている（鏡リュウジ「妖精写真「ごっこ」の真実」、『コティングリー妖精事件　イギリス妖精写真の新事実』所収、青弓社、二〇二一）。

●妖精文学の歴史と現在

ところで、こうした「ノンフィクション」としての「妖精写真」や「妖精カタログ」は、いかに幻想文学の歴史や現在と響き合うものなのだろうか。広義の「英国」文学・文化を確認しても、一六～一七世紀のエドマンド・スペンサー『神仙女王』、シェイクスピア『夏の夜の夢』や『テンペスト』といった古典から、ジョン・キーツ「つれなき美女」(1819)といったロマン主義文学、それらから着想を得たジョン・ウィリアム・ウォーターハウスらラファエル前派の絵画、二〇世紀に入ってもイーディス・ネスビット『砂の妖精』(1902、石井桃子訳、福音館文庫、邦訳二〇〇二)、ウォルター・デ・ラ・メア『ダン・アダン・デリー～妖精たちの輪舞曲』(1922、井村君江訳、アトリエサード、邦訳二〇二二)といった妖精文学は連綿と書き継がれており、一大山脈をなしている。

こうした妖精文学は、現代の魔術的リアリズムの技巧を用いた小説でも、盛んに参照・再話がなされている。なかでもアンジェラ・カーターは、民話としての妖精文学の形成と変容に着目し、貧しい民衆が生み出したはずのものが中産階級の読みものに加工される過程で、猥雑・残酷な表現が取り去られ、脱魔術化が施されたことを批判している。そうした問題意識から、「ポストモダンの歴史小説、あるいは歴史記述的《ヒストリオグラフィック》メタフィクション」と称される『夜ごとのサーカス』(1984、加藤光也訳、国書刊行会、邦訳二〇〇〇)は書かれた。「妖精像のパロディである主人公フェザーズと、妖精をとらえようとする知識人のパロディである新聞記者ウォルサー」が、コティングリー妖精事件を含む言説としての妖精文学の「ゆらぎ」を体験し、「英国」近代の社会規範のあり方を根底から問い直そうとしたのだ（吉田由紀「アンジェラ・カーター『夜ごとのサーカス』（一九八四）――フェアリー・テイル言説の再話」、高橋和久・丹治愛編著『二〇世紀「英国」小説の展開』所収、松柏社、二〇二〇）。

狭義の現代ダークファンタジー／ホラーの領域においても、妖精文学が意識されている例は少なくない。なかでも優れているのは、エレン・ダトロウとテッド・ウィンドリングが編纂したアンソロジー『妖精の環：黄昏の領域からの物語（The Faery Reel: Tales from the Twilight Realm）』(Firebird, 2nd ed, 2006)だろう。本NLQ増刊号では、ダトロウの親身な協力を得て、同アンソロジーの収録作からパトリシア・A・マキリップ「ウンディーネ」（岡和田晃訳）、タニス・リー「エルフの眷属」（長澤唯史訳）、ジェフリー・フォード「イーリン・オク一代記」（待兼音二郎訳）の版権を取得し、翻訳紹介が実現した。

他にもケリー・リンクの「妖精のハンドバッグ」（柴田元幸訳『マジック・フォー・ビギナーズ』所収、ハヤカワepi文庫、邦訳二〇一二）は数々の賞に輝き、〈魔法都市ライアヴェック〉シリーズ（1985～、井辻朱美ほか訳、社会思想社現代教養文庫では二分冊、邦訳一九八九）の編者の一人であるエマ（エンマ）・ブルが、ロック・ミュージシャンの話に妖精譚を要り混ぜた「ダ・ラ・ティエラ（Da La Tierra）」を寄せているのも見どころだ。チャールズ・デ・リント「鵞鳥丘の少年たち（The Boys of Goose Hill）」やニール・ゲイマン「妖精の環（Faery Reel）」といった詩が入っているのも面白い。

ニューヨークを舞台にした軽いタッチの〝ちょっといい話〟であるデリア・シャーマン（Delia Sherman）作「小魔術（CANTRIP）」、ゴブリンやホブのいる一九世紀ロンドンでのドタバタ冒険活劇のスティーヴ・バーマン（Steve Berman）作「魔法の価格（The Price of Glamour）」、クリスティーナ・ロセッティの「小鬼の市」に触発されたというジュヴナイル・ホラーのホリー・ブラック（Holly Black）作「夜のマーケット（The Night Market）」といった具合に、本邦未紹介の作家たちの作品にも佳作が多い。

ジャンル・ホラー作家のなかでも、コティングリー妖精事件に並々ならぬこだわりを見せているのが、アリソン・リトルウッド（Alison Littlewood）の、その名もずばり『コティングリー（Cottingley）』（New Con Press, 2017）という中編小説。これは全編が書簡体で、コナン・ドイルや神智学者ガードナーに宛てた手紙によって構成されている。差出人は、ローレンス・H・フェアクラウという老人。孫娘ハリエットと義理の娘シャーロットとの暮らしに妖精の恐怖が入り込んでいく模様を、手紙で効果的に演出しており、『妖精の到来』のパスティーシュとしての完成度も高い。骸骨（skelton）や獣のような妖精（Beastling）の入れ込み方も面白い。映画『フェアリー・テイル』へのアンチテーゼとも読める。

アリソン・リトルウッドは他にも、田舎で取り替え子だと疑われる少女を描いた『隠れた人々（The Hidden People）』（Jo Fletcher Books, 2016）を書くほどに、繰り返しこのテーマを扱っているが、二〇二一年には満を持して、大手のTitan社から、A・J・エルウッド（A.J. Elwood）名義での長編『コティングリーの郭公（The Cottingley Cuckoo）』を上梓した。これは『コティングリー』を原型にしつつ、それこそスティーヴン・キング以降の〝頁を繰る手が止まらない《ページ・ターニング》〟モダンホラー、現代によみがえったゴシック小説の大枠を有した作品だ。

老人ホームで働く主人公のローズは、母が死んだことによって大学で英文学の学位を取るのを諦めたが、好奇心まで失ったわけではない。そこに腹の底がわからないファヴェル婦人と、コティングリーの妖精についての奇妙な手紙が絡んでくる。老人ホームのゴシック的な昏さ、そして監視体制と、妖精の暮らす世界が対比されている。そこに、アイラ・レヴィンの『ローズマリーの赤ちゃん』（1968）めいた妊娠と、取り替え子のモチーフが絡んでくる（参考：Ally Wilkes, [Review] The Cottingley Cuckoo, *Horrified*, 2021）。本には著名レビュアーの賛辞が踊り、かつての自作を膨らませながら、筆名を変えて大手から出したことでもわかるとおり、おそらくは映画化も見込んだ売る気まんまんの小説であるが、これまでの幻想文学史や事件にまつわる言説を的確に取り込んでいるのは好感がもて、英語圏では本年度有数の話題作となっているのは間違いない。こうして妖精文学の伝統は、ホラー／ダークファンタジーを経由することで、また新たな展開を見せてゆくのだ。

※本文における算用数字は、原書の初出等を示します。

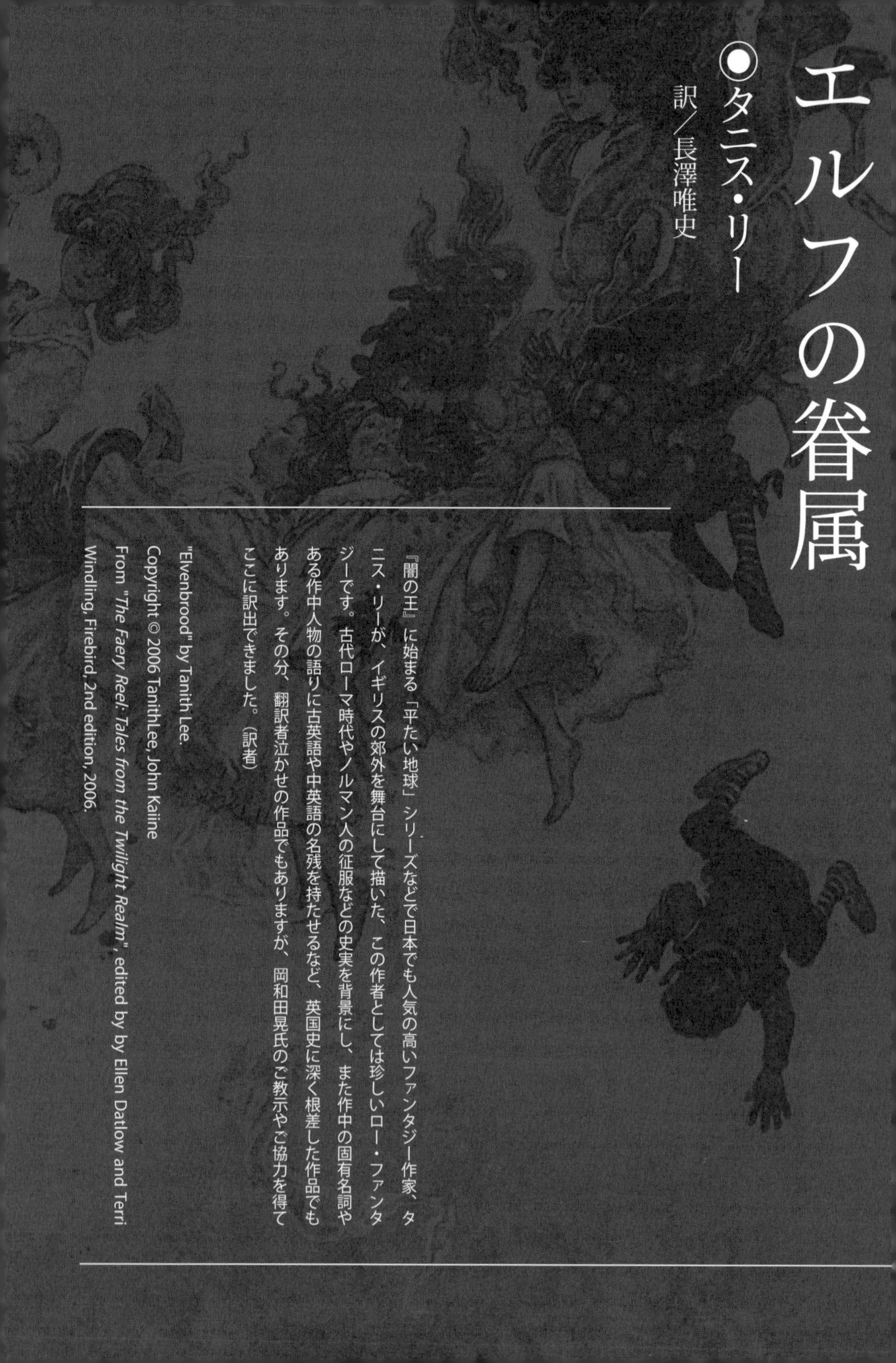

エルフの眷属

◉タニス・リー
訳／長澤唯史

『闇の王』に始まる「平たい地球」シリーズなどで日本でも人気の高いファンタジー作家、タニス・リーが、イギリスの郊外を舞台にして描いた、この作者としては珍しいロー・ファンタジーです。古代ローマ時代やノルマン人の征服などの史実を背景にし、また作中の固有名詞やある作中人物の語りに古英語や中英語の名残を持たせるなど、英国史に深く根差した作品でもあります。その分、翻訳者泣かせの作品でもありますが、岡和田晃氏のご教示やご協力を得てここに訳出できました。（訳者）

いと麗しき
貴き方々は
あの丘に住まう
あの中空の丘に
――「不滅の時間」フィオナ・マクラウド（ウィリアム・シャープ）

ブライドストーンに引っ越すにあたって、スージーはできるだけ前向きになろうとつとめていた。そう、まさにカギとなることばだな、前向きって。みんなそうしなきゃならなかった。だからジャックも彼女を支えようと頑張ったんだ。彼女もぼくらもみんなそうして、辛い時をなんとか乗り切ってきた。

彼は十七歳を半年過ぎたところだった。もうあなたも大人なんだから、これからは私のことをスージーとよんでね、と彼女はいった。でも家の外、たとえば大学ではまだ、必要な場合には本来の呼び名、つまり「母さん」と呼んでいた。ルースの方はまだ「母さん」と呼んでも問題なかったけど、こちらはこちらでそう呼ぶのをやめていた。ルースは十四歳、薄いブロンドの髪で、この年頃の女の子にありがちな不可解さにみちていた。

「スージーはたいした人よ」とルースは、まじめくさり威張った調子でいった。「ちゃんと名前で呼んであげるべき。もう私たちのお母さんじゃないわ。」

「でも母さんは母さんだろ」とジャックは指摘した。

そこにスージーが、相変わらずの前向きさ《ポジティヴ》で部屋に入ってきた。そこでかれらも仕方なく前向きに、新居の掃除と荷ほどきに取りかかった。

そこはあらゆる意味で新居だった。開発が進むこの村のあちこちにできた住宅地の一角で、大きな窓と玄関扉がある長屋づくりの一軒だ。家のなかの造りもみな同じ。階下にはやや大きめの部屋が一間に、台所とトイレ、二階には小さな寝室が三つとバスルームがある。窓からは、畑や生垣、林などが一望できる。申し分のない家だ、身を寄せあって暮らしていた、ロンドン郊外の小さなアパートよりはずっと快適だ、そう、あれは父さん――マイケル――が首になったときのこと。

首を切られたのは、父さんが酒を飲みすぎたせいだった。いや、今は父さんなんて呼びたくない、マイケルが飲み過ぎたせいだ。ジャックはほんの数年前のことをありありと思いだしていた。ルースはまだ九歳で無邪気だった。スージーはそこまで自信に満ちあふれてたわけじゃなかったけど、それでもすごく幸せで、父さんはちゃんとりっぱに務めをはたしていた。マイケルは働きすぎたのよ、とスージーはすべてが下り坂に向かっていたころ、よくいっていた。父さんは家族を養うためにがんばってる、だからみんなで父さんを支えないと、って。でも結局マイケルは首になり、ジャックとルースが育ったチェスター・ロードの家も失うことになった。そしてアパートでの暮らしがはじまった。いったんそうなると父さん、いやマイケルは、日がな一日ひたすら酒を飲みつづけた。そしてスージーとルースとジャックに向って、おまえたちにはもううんざりだ、ただのお荷物どもめ、と毒づくようになり、スージーには暴力をふるいはじめた。ある晩、ついにジャックは、押しとどめるために、酒瓶をマイケルの頭にたたきつけた。その間、ジャックはずっと泣いていた。ルースもスージーも泣いていた。マイケルはその場に座り込み、茫然としたようすで床を眺めていた。やがて立ち上がると、額から鼻へと流れおちる血をぬぐいもせず、家を出ていった。そして二度と戻ってこなかった。

それが一年半前のことだ。そして今、彼らはここにやってきた。本当にあの頃は何もかも最低だった、とジャックは思った。その後、母さんが宝くじを当てた。もちろん一等なんかじゃないけど、この小さな家のささやかな頭金には十分な額だったし、さらに手元に残った金額は、仕事がみつかるまでの生活には十分だ(とスージーがあまりに自信たっぷりに語るので、融資担当者もうまく丸め込まれてしまった)。すると何もかもうまく回るもので、ルースは地元の学校に転校できたし、ジャックの通う大学も電車で三十分程度だった。

家族がバラバラになるまえに宝くじが当たってればよかったのに、とジャックは思わずにはいられなかった。でもスージーは、そんなふうに物ごとを見ちゃいけないといった、すばらしく運がよかったんだからと。まあたしかにそのとおりだ。

でも、なんでブライドストーンだったんだろう。

ジャックは駅に着いたときから、この土地の眺めがなんとなく落ち着かなかった。ここを選んだのはスージーだ。昔はケント＝サセックス地方有数の風光明媚な土地だったようだし、今でもその片鱗は残っている——おお懐かしの鍛冶屋、おお懐かしのパブ、といったところ——教会はノルマン人によるイングランドの征服——一〇六六年のことだ——の直後に建てられ、ローマ時代の砦やノルマン人の城の廃墟も近所にある。でも村もすっかり大きくなった。一九五〇年代以降、村は新しい家屋や団地やくだらない店ができて、ブヨブヨと太りつづけてる。そのへんの店で売ってるのは——ジャックは思った——まともな神経の持ち主だったら、そもそも金を出して買おうなんて思わない代物ばかりだ。

そして、この村にも社会的な分断はあった。金持ちは丘の上の細い通り沿いにある板張りの屋敷か、村のすぐ外側の現代風の邸宅に住んでいて、そこの庭ときたらまるで公園みたいだ。でかい犬を飼い、馬に乗り、ヤッピーみたいなしゃべり方をする。そして新興住宅地の家を買った人間を、「平民ども」と思いっきり見下している。

スージーは、昔は女優だった。テレビにも出てたけど、もうだれも覚えちゃいないだろう。でも平民なんかじゃない——ありきたりの人間なんかじゃないんだ。

「ホントに素敵な眺めね!」とスージーは、階段の踊り場の窓から景色をはじめて眺めたとき、歌うようにいったものだ。

うん、ホントに眺めはいいな、とジャックもしぶしぶ認めた。彼は来年から写真を専攻することになっているが、今はまだ大学基礎コースの学生だった。この緑と金色がひろがる畑や、雲のような暗い森や、その向こうに延々とつづく広大な土地は、すばらしい写真になるだろう——

そうだよ、なんでこの景色が気に入らないんだ？

おかしなことに、かれはなぜかその風景から目をそらし、窓の外を眺めるのも避けていた。まったく、なんでだろう。

一方、ルースはその眺めが大好きだった。こぢんまりとした庭も、スージーが買ってきた鋳鉄製に見せかけた青いイスとテーブルも、手入れの行き届いていないバラの茂みやライラックの木も、どれもお気に入りだった。日が暮れてからもずっと外にいて、ジャックとスージーが家の中でテレビをみていても、彼女だけは小さいころのように一人で歌を歌ったりしていた。たぶんそのほうがルースには楽しいんだろう。垣根の向こうにある畑からは、夏らしいざわめきが聞こえてくる。

夜になって、この田舎の景色の中に白い月が浮かび、フクロウが不気味な鳴き声をあげると、ジャックはなぜか夜中の一時頃に階下に降りて、ジュースを飲んだり冷めたチキンを食べたりするのではなく、家の玄関や裏口の鍵を確認してまわるのだった。

「スージー、この鍵、大丈夫かな」

「最初からついてたのよ、この鍵」

「うん――でも念のために、もっと頑丈なのに替えたらどうかな」

「あなた、まるで」とクスクス笑いながら、「ライオンでも押し入ってくると思ってるみたい」

「あのいまいましい犬ども、ライオンぐらいはありそうだ。あいつらなら、ものの二秒であのガラスをぶち破るよ」

「わたしは犬、好きよ。うちでも飼いたいねって、ルースとも話してる。ねえジャック、心配してくれるのはうれしいわ。でも、ここはロンドンじゃないんだから。ずっと安全なのよ」

ルースは取りすましていった。「ロンドンにいたころには、戸締りなんて気にしてなかったのにね。帰ってきても一晩中玄関の鍵を開けっぱなし、なんてこともあったわ」

あれはチェスター・ロードに住んでいた頃だった。だからだろうか、スージーは話題をかえた。

いったいなんで、ここにいると落ちつかないのか不思議だった。日曜日にはよく、みんなで散歩に出かけていた。その間スージーとルースは、鳥とか野の花についてずっとおしゃべりしている。でもジャックは肩越しに振りかえってばかりだった。ある時、生垣の向こうで何かが後をつけてくるのが聞こえた――ジャックが身がまえると、二羽のカラスが飛び立っていった。

でもジャックが気になるのは、野生の動物とか風景とかここの人たちではない――違うなにかだ――

なんだろう……たぶんこれまでずっと町で暮らしてたから、ちょっと神経質になってるのかもしれない、スージーとルースも最近落ち着かないようだし。きっとそれだけだろう。

引っ越してきて四週目のある日の午後、学校から帰ってきたルースが家に駆けこんできて、興奮した様子で息せき切って話しはじめた。「大通りで、なんか変な人に会った」

ジャックとスージーは、ギョッとして顔をあげた。

「ルース、どういうこと」とスージーは心配そうに聞きながら、台所のテーブルの縁をギュッと掴んでいた。

ジャックは気難しい指導教員の出した宿題とやらのために早めに帰宅していたが、話の続きを待った。

ルースはいった「そんな大げさじゃないけど、頭がイカれてるというか、ぶっ飛んでるというか」

「クスリで、ってこと?」ジャックは聞いた。

ルースは爆笑した。まだこんな笑い方ができるのか、まるで銀の鈴みたいな笑い声だ……マイケルがそういってた。いや、父さんが、だ。「狂ってるってわけじゃないの。危険な感じでもなかった。ただ近寄ってきてこういったの、気をつけなさい、お嬢さん——まるで子ども扱いよね——この先、気をつけなさい、って」

「その人と話をしたの、ルース? いつもいってるけど——」

「もちろん、自分からそんなことしないわよ。ただ歩いてたら、向こうが後ろから声かけてきたんだから。その髪に気をつけなさい、ですって。それからローマ人が残した石がどうとか、騎士が城を去ってどうとかいってたのよ——でもちょうどパン屋さんの前だったから、中に入って頼まれてた食パンを買って——」

「食パンのことはどうでもいいから。その人、どんな様子だった?」

「痩せてて、年寄りだった。髪が長くて。まるでモコモコの牧羊犬みたい。着てるものも古臭くて。そうね、ヴィクトリア朝の人が仮装パーティーに行く、みたいな——だいぶすり切れて古ぼけてたけど——でも、ああいう人ってふつうは臭いじゃない——ゴミ箱とか生ゴミみたいな臭いがするでしょ——でも、その人は違ってた。まるで」——ルースはちょっと考えて、「草みたいな匂いだった」

「草?」

「芝生とか、そんな感じ。それに緑色の瞳だったわ、私と同じ」

スージーとジャックは茶色の瞳で、気づかわしげに目配せを交わした。

「ルース、明日は」とスージーは強い口調でいった「わたしが学校まで送っていくわね。午後も迎えに行くから」

「えー、母さんったら」とルースはうめくように声をあげた。

ジャックは、早めの夕食代わりのお茶を六時にすませたあと、出かけることにした。窓ガラスの並んだ住宅地から丘を下り、ときどき牛が草を食んでいるのを見かける古趣豊かな門の前を通りすぎると、その先には麦畑が広がっていた。さらに細い通りをいくつか抜けると、村の大通りだった。

その通りには戦没者記念碑の建つ公有緑地があった。その向かい側には教会があり、ノルマン風の角ばった塔がある。その緑地をはさんだ反対側には、オークやブナの木に囲まれたパブがあった。このパブには奇妙な名がついていた……ジャックが茂った葉の隙間から覗くと、客の姿が目に入った。みな洒落た格好で質素なベンチに座り、ワインや本物のエールを飲んでいる。

パブの看板には緑の丘が描かれ、三日月の下で人々が躍っていた。そこには「王侯淑女」と刻まれていた。

客の一人がジャックに気づき、しかめっ面をした。ああ、とジャックはその男の考えていることがわかった。あの平民のガキどもときたら、未成年でも平気で酒を飲みやがる。

ジャックは踵《きびす》を返してぶらぶらと歩きだした。緑地を横切って教会の方にむかった。

彼はルースに話しかけた男を探していたのだ。でもこんな、ブライドストーンみたいないけすかない場所では、そんな変わり者の居場所なんてとっくの昔になくなってたんじゃないのか。それともまだここでは、村で道化を養ってたりするのか？　村の哀れな厄除けとして――

いったいなんで、髪に気をつけろ、なんていったんだろう。警告、それとも脅し？　ジャックはとにかくその男に会って、その理由を問いただしたかった。そしてもし脅しだとしたら、いいか、お前みたいな浮浪者がおれの妹を脅すんじゃない、といってやる。

しばらくしてからジャックは教会を離れ、通りを行ったり来たり、細い路地を通り抜けたりして歩き回った。どこかからモーツァルトが流れてきた。枝が道路にはみ出さないようにきれいに刈り込まれた庭では、犬が気どった声で吠えていた。

緑地に戻ったころには、陽は傾きかけていた。日没は八時半くらいだろう。せいぜいあと一時間だ。その後は真っ暗闇になるし、散歩に行くといい残してきただけなので、スージーも心配するだろう。

ジャックは教会にもイライラした。墓地の墓石は古めかしく傾いていて、一七〇一年とか一五九〇年とかの年号がみえる。もう時代区分も分からないくらい昔だ。

それにしても、そのいかれたやつがいった、ローマ人が残した石とかノルマン人の騎士とか、いったいどういう意味なんだ――ジャックはローマ人が――ノルマン人もだが、そんなものを残してるなんて聞いたこともなかった。空気がだんだん冷えてきて、花の香りがそよ風にのって漂ってくる。思っていたよりも陽が落ちるのが早かった。

ジャックが家の玄関に辿り着くと、スージーが勢いよくドアを開けた。

「ジャック――ジャック、ああよかった――」

「どうしたの、何かあったの、母さん？」

「ルースがいなくなったの！」

ジャックはその場に立ちすくみ、体中の血が砂に変わるように感じた。まるであのアパートで暮らしていた時、マイケルが――隣の部屋で酔っぱらって上ずった声を一段と張り上げて、スージーが家族を放り出し、昔ことばかり懐かしんでいるとなじり――つづいて殴る音が聞こえたときのように。

「間違いないの、スージー？」

「もちろんよ、当たり前じゃない、バカなこといわないで！」

マイケルと違って、スージーはめったに乱暴な口はきかなかった。もうすっかりどうしていいか分からないにちがいない。彼はその様子をみてとるといった。「わかったよ、探し回ったんだよね。いつ気がついたの？」

「あの子、二階の部屋でCDをかけてたの、大音量で――あんたたちが大好きな、あのやかましいやつよ――」

「U2だね」

「それで、同じ曲が何度も何度も流れてたから、もうちょっと音を小さくしてっていおうと、二階に上がっていったの――そしたら、ジャック、あの子がいなかったのよ。窓が全開になってて、それだけ――あの窓から外に出るなんて、ありえないわよ。だって、そんなことする理由もないし。とにかく、トイレにもいないし、下の階にも降りてきてないのよ――私はずっとアイロンかけながらラジオを聞いてたわ――でも、居間のドアを通っていったのなら、目に入るはずよ――」

「他の部屋は探してみた？　あと、庭は？」

「全部探したわよ――あのおんぼろの洗濯機のなかまで覗いたんだから――」スージーは弱々しく、甲高い笑い声をあげた。「大騒ぎしすぎだと思ってるんでしょ？　そうよね、わかったわ。たぶんあの子はその辺にいて――」。スージーは突然振り向いて、玄関を抜けて、まるで暴走する小柄な象のように、階段を駆け上った。ジャックもあとを追った。二階にはルースの影も形もなかった。

二人は寝室の開いた窓から首を突きだして、下の小さなテラスを覗きこんだ。たしかにそんなに高さはなかった。

空気が心地よい香りを運んできた。花や干し草や清々しく成長する生命――そして夜の匂い。

「母さん、いいかな、たとえば――」

「あ、あの子よ――いったいあんなところで、何してるのかしら、ルース！　ルースったら！」

麦やら何やらが実る畑の向こう側、背の高い茎の間に、小柄でほっそりした姿がみえた。その姿は白くくっきりと浮かび上がっていたが、近所の家の灯りで照らし出されているのだろうか。ルースの薄いブロンドの髪が――

その髪に気をつけなさい――

スージーはもう階下に駆け下りて、裏口のドアから外に飛び出していた。庭に出たところでジャックが追いついた。スージーは裏の垣根のところに立って、まるで怯えた子どものように泣いていた。

「あの子、消えちゃった」

「あの辺の茎の陰にでも隠れてるんだよ」

「いいえ、ここまで来たときには、ちゃんと畑の方に姿がみえてたの。それが、気がついたら――もういなくなってた――」

夜になってさらに冷え込み、もう寒いくらいだった。月もでていない。

「ぼくが探してくるから」とジャックは垣根をひょいと飛び越えた。

「気をつけて――」

ジャックはうなるように声をあげ、麦の茎の間を走り抜けたが、小麦だか何だかの茎は棘だらけで、両側から襲いかかるように打ちかかってきた。その茎を手でかき分けて進みながら、うんざりした気分で考えていた――もう二度とパンとかシリアルなんか、食べるもんか。

四分の一マイル（約四百メートル）ばかり進んだところで、スージーが呼ぶ声がきこえた。その頃には茎のすきまから暗い森の影がぼんやりを浮かび上がり、ヒリヒリとするような不気味さを感じていた。

ジャックは戸惑って、立ち止まった。

後ろから母親の声がかすかに届いてきたが、その声はホッとして元気を取り戻していた。「ジャック、もう大丈夫よ――あの子はここにいるわ――」そしてルースの声も聞こえた。「ジャッキーーー！」

そのとき彼の前に、森の影を背景に、まったく動きを欠いた、白い肌に薄いブロンドの髪をまとった生き物が現れた。微笑みながら静かに、だがどこかおもしろがっているように、猫のような細い緑色の瞳で、彼をみつめていた。だが、それもほんの一瞬だった。そして――溶けるように消えた。影の中、夜の闇に――それとも、地面の中に？

ジャックは身震いした。そこには何もいなかったはずだ――興奮して幻覚でもみたんだろう。かれは踵を返し、家にむかって駆け出した。

「この子、ずっとうちの中にいたっていうのよ。いつもみたいに。わたしが自分のことを探してるなんて気づかなかったって。何でかしら、ずっとすれ違ってたのかしらね」

ジャックは顔をしかめた。「そんなはずないよ。あんなに探し回ったじゃない。こんな狭い家で見逃すなんてあるわけない」

「でも、そういうのよ。こっちがそんなはずはないっていっても、口をとがらせて、しまいには涙目になっちゃってね。嘘なんかついてないって。でもね、懐中電灯を持って見回ってたら、テラスのテーブルの上に足あとがついてたのよ。窓から外に出て、日よけの庇の上にでも降りたんでしょ――考えただけでもぞっとするわ。もし足を踏み外しでもしたら」

「わかったよ。ぼくも話をした方がいいかな？」

「朝になったらね。もう今はクタクタ」

いったい、ルースはどうやって外から戻ったんだろう、と考えた。彼が畑の中を走っていて、スージーが垣根のところに立ってる間に、こっそりと忍び込んだのか――そんなバカな。

バカバカしい、あの緑眼の男みたいだ。

ベッドに入ると、ジャックはまだ走っている夢をみた。何かが追いかけてくる。犬だ、と彼は思った。白い犬だ。目が覚めたら汗だくだったのは、窓を閉めて寝たからだろう。

それから、別の考えが浮かんだ。あの、自分たちがみたと思った白い影のような姿は、ぼくらをおびき出す囮だったのか。ルースがこっそりと家の中に戻れるように？

図書館のデスクに座っている女性はとても魅力的だったけど、同じくらいすごく感じが悪かった。「コンピューターの故障なの、ごめんなさいね」。本心ではこれっぽっちもそう思ってないのは一目瞭然だった。

ブライドストーンについて調べたいんです、と彼はいった。女性は眉をひそめた。「ご存じでしょう。鉄道で一駅のところですが」

「私はロンドン出身なので」と、その女性は高慢に言い放った。しかたないか、頼んでおいたデータはそう大した内容ではなかったし。城塞と、ローマ時代の遺構や古代の異教の女神たちを祀った祭壇の地図くらいだ。

ジャックがプリプリと憤《いきどお》りながら図書館の玄関を通り抜ける

と、背後から男の声が呼びかけてきた。

「ブライドストーンについて調べてるのかい」

振り返ると、中年に差し掛かった年頃の男が、しかめっ面で立っていた。まるで。ジャック程度の輩には質問することを許さない、とでもいう雰囲気だった。ジャックはこの年代の男性が苦手だった。ちょうどマイケルと同じくらいか。

「はい」とジャックはぶっきらぼうに答えた。

「なにか特別な理由でも？」

「そこに住んでるんです。それじゃダメですか」

ジャックはその時、その男がしかめっ面をしていたのは、太陽がまぶしくて目を細めていたからだと気がついた。

「ソルジャイ（Soldyay）という年寄りを訪ねるといい」とその男はいった。「本当はSoldierと綴るんだがね。まあ、それはどうでもいい。頭はイカレてるが害はないよ。ずっと前からあの男のことは知っているが、ブライドストーンの村の歴史やらなにやらについては、ほんとうに詳しい」

「ソルジャーですか？『イカレてる』ってどういう意味ですか？頭がおかしい？」

「まあ、そんなところだ。でも今いったように、危険はない。羊のようにおとなしいよ。そうじゃなかったら、あんな男に会えと勧めたりはしないよ。私はあの男のかかりつけの歯科医なんだ。年に一回の検診で会うくらいだが、それはそれはみごとな歯だ。本当に素晴らしい歯並びだよ。まるで若虎だ。もちろん虫歯なんて一本もない」

「瞳は緑色ですか？」

「眼もまた素晴らしくてね。子どもみたいにキラキラと輝いているんだ。緑かって？　うん、そうだったと思う。身なりなんかそりゃひどいありさまだけど、でもどことなくヒナギクのようにさわやかな雰囲気でね。とにかく、なにかあの村について知りたかったら、あの男に聞くのがいちばんだ。昔はブリッドスタン（Bridstane）といったらしい。ドゥームズデイ・ブック（ウィリアム一世の残した十一世紀の土地台帳）にも載っているよ。遺跡は見たかね？」

「いえ、まだ」

「そうたいしたものは残ってない。ボロボロに崩れ落ちた城壁とかね。ローマ時代の城塞なんてみる影もない、おまけに小高い山頂にあるから、お薦めとはいいがたいね」

「見捨てられたんですか、その砦とか城は？」

「ソルジャーはそういってる。だがあの男の話はそのあたりになると曖昧でね。何か、あの男しか知らない歴史があるみたいだ。うちの母が、あの男が初めて現れたときのことを覚えてたんだが、その時にはもう年寄りだった、といってたよ。年齢なんかさっぱりわからない。うちの受付では六十歳だといってるが、ありゃ絶対に嘘だね。もっとずっと年上だ。ふさわしい日に会ってみれば、私の言ってることがわかるよ」

「ふさわしい日って、いつですか？」

「朔日（太陰暦で月の始まる日。この夜の月が新月）だよ。ちょうど今日だ。自宅を訪ねていくといい。中には入れてくれないが、通りで話すくらいはできるだろう。鍛冶屋町の七番地だ。あの古い――」

「鍛治屋町ですね」とジャックは言った。「ありがとう、お名前は——？」

「トゥース（Tooth、もちろん歯のこと）だよ」とその歯科医はため息交じりに言った。「今思いついたことは、口にしないように」。

帰路の列車の中で、そもそも大学まで行く必要はなかったかな、とジャックは考えていた。大学のコンピューターなら使えるかもと思っていたが、そもそも基礎コースの学生が大学のコンピューターにアクセスするなんて、身の程知らずだった。そういえば、まだルースとも話をしてなかった。彼女はスージーの付きそいを逃れるため、朝早くこっそりと一人で登校してしまったのだ。だから、ルースが無事に学校に着いているか、スージーは学校に電話で確認しなきゃならなかった。ところがその直後に今度は電話がかかってきて、スージーは急に面接を受けることになったのだ。でも何の仕事に応募してるのかは教えてくれなかった。「ジャック、私は出かけなきゃならないの。悪いけどルースを学校まで迎えに行ってくれない？　母親よりも、ハンサムな兄さんが迎えにいくほうが、あの子も喜ぶでしょうし」

ルースを迎えにいく前に、ソルジャーなる男を探しだす時間はたっぷりあった。でもまず今は、昼飯が最優先だ。そう、そのはずだったんだ。だが冷蔵庫のドアを開けたとたん、目の前で色とりどりの爆発が起きた。

ジャックは叫び声をあげて、それからよろよろとキッチンテーブルまで後ずさると、ずぶ濡れのまま口をあんぐり開けて喘いだ。二本パックのコーラ、オレンジジュースが二パックに、クランベリージュースが一パック、白のスパークリングワインが一本、それらが全て、部屋と彼の上に降りかかったのだった。

この惨状の後片付けを、あとで帰ってくるスージーに任せるわけにはいかない。食料がどうなってるかのメモだけでも惨憺たるものだった。冷蔵庫の中の食材はほぼ全滅だ——ふやけたパンとか、びしょびしょのバターとか、オレンジジュースとコーラのソースに漬かったソーセージとか、こういうものがお好みならともかく。果物とかサラダは、水洗いすれば何とかなりそうだ。ベーコンも洗えば大丈夫かな？

ジャックが冷蔵庫をふたたび覗き込むと、ひとり後れを取っていた牛乳パックもあとに続くことにしたようで、彼の眼の前で爆発した。

牛乳で眼が塞がれ、ジャックは罵り声をあげた。こぼれた牛乳というのはイヤな臭いを放つものだ。もう台所を掃除するだけではすまず、もう一度シャワーを浴びて服を着替えなくてはならなかった。

再び家を出たのは三時頃だった。急いで村を走り抜け、鍛治屋横丁にたどり着いた。

通りには丸石が敷き詰められていた。そこに並ぶ家は、長方形の、くすんだ茶色の古ぼけた細長い建物で、パズルのように互いに組み合わされていた。たいていは手入れもされていなかったが、その中でも七番地が最悪だった。玄関のペンキはボロボロに剥がれ落ち、黄色く薄汚れた網戸のむこうの窓も真っ黒に汚れていた。呼び鈴もなかった。ジャックはドアを打ち壊すような勢いで、ノッカーを叩いた。

とても返事があるとは思えなかった。

ところが、まるで葉が落ちるように静かにドアが開き、ソルジャー氏が通りに出てきて彼の前に立った。

ソルジャー氏の瞳は緑だった。だが、細くはなかった。そして、あの歯科医のトゥース氏のいっていたように、途方もなく澄んだ目で、白目もエナメルのようになめらかだった。それ以外は――年寄りで、くしゃくしゃに丸めた紙のようにしわだらけだ。白髪交じりの髪は肩まで伸び放題で、顔にも垂れ下がっていた。衣服はヴィクトリア朝風というよりは七〇年代風だな、とジャックは思った。おまけに寝るときはこの服のまま、ごみ袋にくるまっているんじゃないか、と思わせるくらいだった。

「ぼくの妹と話をしましたよね」

「私がか?」よく響く声だった。ブライドストーンの金持ち連中のように高学歴のヤッピーみたいな話し方ではなく、まるで俳優のようだった。もしかして、この姿も演技なのかもしれない。

「はい、そうです。ブロンドの髪の子で。昨日のことです」

「ああ」とソルジャー氏は微笑んだ。彼の歯は歯科医のいったとおりだった。「あの子はきみの妹さんだったのか」

「なんで妹を怖がらせるようなことをしたんですか?」

「私がわざと怖がらせたと?」

「いえ、そうじゃないけど――」

「たしかに、そういう意図も少しはあった。つまり、気をつけてほしかったのだよ。ときどき」、そこでソルジャー氏はためらい、少し言い訳がましく言った。「ときどき、私の話が支離滅裂に聞こえるのはわかっている」

「酔っぱらってるんですか?」

ソルジャー氏は、ジャックの口調に怒りを感じて驚いたようだった。「いや、そんなことはない。そもそもそんな金もないしね。私がいいたいのは、ときどき我を忘れてしまう、ということだ」

「警察に目をつけられたりしていないんですか? 病院で治療をうけたりしなくていいんですか?」

「そんな必要はないよ。めったに人を困らせることはないから」

「妹は困ってましたよ」

ソルジャー氏はいった「困らせたのは私ではないと思う。もしかしたら、もう遅すぎたのかもしれない。そうでなければいいのだが」

ジャックは唸り声をあげて、握り拳を上げた。

ソルジャー氏はそれには反応せずに、静かにいった。「あの子を欲しがっている連中がいる。あの子に興味を持っているのだよ」

「誰ですか、どうしてそんなこと分かるんですか」

「私も同じだったからだ。かれらは私にも興味を持ったのだ」

「いったい、誰なんですか」

ソルジャー氏はいきなり地面にひざをついた。かれは指を舐めて濡らし、道路の丸石にある単語を書いた。

ジャックはその言葉をみつめた。エルフの眷属。

「エルフ――」

「しっ！」とソルジャー氏は立ち上がっていった。その声はなぜか、どこか誇らしげだった。「その名を口にしてはいけない。かれらは〈王侯淑女〉や、〈気高きもの〉と呼ばれることもある。アイルランドではたしか、〈よき者ども〉とか〈小さな人々〉と。あるいは〈貴き人々〉ともいう」

ジャックは目を見張った。「――妖精？――」

「ああ、そういう呼び名もあったな。うん、そういうものだ。昔話や伝説にも出てくるように、妖精たちは人間の子どもをさらうのだ。神隠しというのはやつらのしわざさ。そういう連中がここにいるのだよ」

ジャックは後ずさった。「あなたはどうかしてる」

「私もさらわれた口なのだ。だが、いいかね、私の方から彼らについていったのだよ。彼らは相手をその気にさせるのだ。それには抵抗できない。彼らは丘のように古く、朝のように美しい。若々しさはまるで子どもか、せいぜい青年のようだ。だから彼らは人間の子どもが好きなのだよ。かの国では、人間もずっと若く不死でいられる。彼らが住むのは丘の下だ。そこはまるで楽園だ」

「楽園って、どんなふうに」とジャックは訊かずにはいられなかった。

「想像しうるかぎりの最上の素晴らしい場所だ。いや、それ以上だ」

太陽がジャックの頭に照りつけていた。エルフの眷属という言葉はすでに乾いて消えていた。眩暈がした。この老人を掴んで揺さぶってやりたい――いや――本当は、もう、この男のいうことを信じはじめいてる気がする。自分はいったいどうしたんだ。

「それなら」と、ジャックはできる限り大人っぽく冷静にふるまいながら、いった。「こいつらは、ルースを連れ去りたいというわけですね、あなたが子どもの時にそうしたように。でもあなたは行かなかった」

「いや、私はついて行った」

「何ですって――ついて行った？」

「いいか、よく聞きなさい。何らかの理由によって、彼らには子どもを連れ去る権利が与えられているのだ。あのときの私や、きみの妹のような子どもを。あの古いローマの砦に石がある。ローマ人がカエサルの時代に置いたものだ。光の女神ブリドに捧げられ、ローマ帝国が去った後もそのまま残された。それ以来、この地は彼らの聖地なのだよ。だがその石はこの村を守ってもいるのだ。その守護がなくなると――」

ジャックはゴクリとつばを飲んだ。

老人は静かに語った。「かつてあの城には、ノルマン人の将軍が住んでいた。その男は末の娘と息子を〈貴き人々〉に差し出したのだ。自分自身の富や幸運と引き換えにするために。その男は望みのものを手に入れた。だが臣下の騎士たちがそれを知ると、その将軍は教会に突き出された。そして魔法使いとして火炙りになった。その後、城は呪われた場所として打ち捨てられたのだ。どんな幸運もいつかは尽きる」

「幸運……」とジャックはぼんやりとつぶやいた。「金――」

「それからずっと後になって、その将軍の子どもの一人が戻ってきた。〈貴き人々〉が与えた運が尽きたために、戻さざるをえなくなったのだ。もちろん彼らもその子どもも、戻ることなど望んではいなかった。この世界の空気を吸うやいなや、その子どもは丘と同じくらい歳を取ってしまったが、それでも死ななかった。不死の力がその子を守ったのだが、若さにまでは及ばなかったようだ。その子はまだ生きており、おそらく永遠に生きつづけねばならぬ」

その男の顔は、まるで石の彫刻のようだった。ジャックは一歩後ずさった。

ちょうどその時、教会の鐘が四時を告げた。いつもは鳴らないはずだ——だが今はその鐘が鳴り響き、ジャックは理由もなく恐怖に襲われた。そしてすぐ、その理由に思い当たった。ルースだ。よろめくように横丁を抜け、学校にむかって駆け出した。

彼女はいなかった。木々に囲まれた校庭でようやくつかまえた教師は、ルースが走って出ていくのをみたといった。友だちのひとりが、誰かの家で生まれた仔馬を見にいこうと誘ったのだが、今日は家に帰らないと、といっていたそうだ。

ジャックは急いで家に向かった。

走りながら、さまざまな思考が頭の中で鳴り響いていた。ノルマン人——ローマ人——村の名の由来となった、守護の女神ブリドの祭壇の石——だからルースは畑にいこうと必死になって窓から飛び出したのか——夕暮れのなかで歌を歌っていたルース——あれは一人で歌ってたのか、それとも誰かに呼びかけてたのか？小麦畑のあいつは楽しそうに、根気強く——そして貪欲につけ狙っていたのか。そしてスージーが宝くじに当たったのは、本当に運がよかっただけなのか。

家に駆けこむと、スージーが座って靴を脱ぎ、瓶からミネラルウォーターを飲んでいるところだった。

「ジャック、仕事はダメだったけど、もっといいニュースがあるの——町でケン・エンジェルに会ったのよ——ほら、私が一緒に仕事してたテレビの人よ。ここにロケの下見に来てたんですって。それでケンがいうには——えっと、なんだっけ——そうそう、その番組に私も出てほしいんですって。台詞はせいぜい二、三行しかないけど——でも……そんなに驚かないでよ、わたしだってまだ演技くらいできるんだから」

「ルースはいる？」とジャックはいった。

スージーの紅潮した顔から一気に血の気が引いた。彼女の手からミネラルウォーターの瓶が床に落ち、カーペットに水がこぼれた。「どういうこと？　もちろんいないわよ——あなたが学校に迎えにいったのよね」

ジャックは、ルースがすでに姿を消していたと説明すると、母親の顔は恐怖のために無表情になった。

何が原因かは分からないけど——少なくとも、スージーのせいじゃない、とかれは思った。スージーがやつらと会って取引なんかするはずがない——

彼女は電話に飛びつき、ガチャガチャと音を立てた。「なんで通じないの、よりによって今じゃなくても――携帯はどこ――」

といって、バッグの中身を水浸しの床にぶちまけた。そして携帯電話のボタンを激しく押した。

「警察に電話?」

「まちがってピザの宅配にかかっちゃった――ねえ、どうしよう?」

ジャックの頭の中にある考えがひらめいた――ロンドンの狐が頭に浮かんでいた。早朝の通りを歩いたり、お屋敷の庭に入り込んで寝てたり――開けた土地を人間がどんどんと自分たちのものにしてしまったから、こんどはキツネが人間の場所に入りこんで暮らしはじめたんだ。

彼らも同じなのか? 人間の近くにいたかったのか、すぐあそこの森の中とかで――機会をうかがい、緑地でのクリケットの試合とか、自分たちの名前の付いたパブとか、鉄道とか、そんなものに興味をそそられたりしながら。ずっと待っていたのか。ほしいものが手に入るまで――

まったくバカげた話だ。

ジャックは立ちすくんだまま、自分自身と争っていた。気がついたら、スージーはもう携帯で話していなかった。彼女は感情を失ったようにいった。「電話が通じなくなっちゃった」。そしてさらに、「ジャック、どこへ行くの?」

自分はいったいスージーに何が言える? 何も言えないじゃないか。

彼は台所に駆け込み、裏口のドアを開けて、また走り出した。背後からスージーが取り乱して、怒った声で叫んでいるのが聞こえた。でも彼は速度を緩めなかった。

もう裏の垣根を飛び越えるのにも慣れっこだ。裸足の足の裏が道を叩く音が聞こえる。畑はまるで乾いた白い炎の壁のようだった。彼は、まるで炎に引き寄せられる蛾のように、そこに飛び込んでいった。

彼らはそこにいた。

そうだ、いつも彼らの気配を感じてたんだ、目には見えないけれど、いつもそこにいた。原初的な第六感のようなものが、彼の中で働いたんだ――いや、じつは最初から感じていたのかもしれない。

ジャックは走るのをやめ、小麦畑の中をかき分けて進んだ。あちこちで束になって生えている茎の向うから、こちらをみている眼を感じた。緑の瞳と、畑の色に溶け込む髪。そして人間の前に姿を現すときには、全身が光り輝く。

自分の頭がおかしいなんて考えるのはやめだ、これは現実だ、とわかっていた。

畑の向こうに濃い緑色の森が広がり、緑金色の太陽の光がきらめいていた。

急いで大股で歩きながら、周囲にすばやく目を配ってみた。鳥たちは鋭く鳴き声をあげて警告し、リスたちは頭上を忙しく駆けまわっていた。まるでみな、隠れて姿を見せぬもののしもべのようだ。

熱く淀んだ空気に、あざけるような笑い声が満ちているのを感じる。ときおり彼は妹の名を呼んでみたが、ただ声だけがうつろに響いた。

無駄かもしれないが、でも何かせずにはいられなかった。胃の中にむかむかするような重苦しさがつのってきた。できるだけスージーの事は考えないようにとつとめていた。無駄かもしれないけど、ここでやめるわけにはいかない。彼はぼんやりと考えていた。人間がここに住むようになってから、これまで一体どれくらいの人が、自分と同じように、無駄と知りながら誰かの名前を呼んだり、この丘陵の風景のなかをとぼとぼと歩きつづけたんだろう、と。

太陽は西に傾いていた。あの破裂したコーラが今あったら飲みたかった――もちろん、あれもやつらの仕業だ――それに、電話が通じなくなったのも？　何か、ポルターガイストみたいな、電気的な超常現象のせいなのか。

ジャックは立ち止まった。彼は突然、暗い木の根や、苔や、シダなどで覆われた場所を踏み超えて、太陽に照らされた森の中の広い道に出ていた。

誰かが自分をみて笑っている、という感覚は薄れた。すると、とりたてて取り柄のない男が木の下に立っているのが目に入った。

「よかった、きみか」

「歯科医のトゥースさんじゃないですか」と、ジャックは戸惑いながらいった。

「こういう時には、そのお決まりのジョークも役に立つものだな。でも、もしよかったらアランと呼んでくれないかな」

「A・トゥース（A. Tooth）さんですか」とジャックは呆けたように言った。突然子どもっぽいくすくす笑いが止まらなくなり、自分でも驚いた。それから、その場で前かがみになって吐いた。

吐き気がおさまると、アラン・トゥースが栓の開いていない水のボトルを手渡してくれた。それをごくごくと飲み干すと、少し気分が楽になった。そしていった。「いったいどうして、こんなところで待っていたんですか」

「どうやら誰もがこの道を通るらしくてね。以前は〈貴き人々の路〉と呼ばれていたようだ――畑や木の下に昔の小道が埋まっているんだが、コツさえつかめばすぐに跡を辿れるよ。私は素人だけど考古学もちょっとかじっていてね。じつはソルジャーと出会ったのもここだったんだ。きみのことは――ああ、きみと話をした後だけど――お茶の時間に、突然ひらめいてね。そこで急ぎではない予約をいくつかキャンセルして、今日の夕方ソルジャーを訪ね、そこで事情を知ったというわけさ」

「でも、本当に…そうなんでしょうか？」

「うん、そう思う。めったにあることではないがね。ほぼ半世紀ぶりだ。前回の時は警察がここも捜索した。これは誘拐だと、よくある汚らわしい人間の仕業だ、という訳さ。でも、そうじゃなかった、と私は思っている。母から話を聞いたんだが。前回は十二才の男の子だったそうだ。とてもきれいな髪の毛の子でね。やつらは自分たちによく似た子どもを選ぶ」

「あの人――ソルジャー（戦士の寓意も込められている）――が、それは取引だといってました」

「いや、どちらかといえば願いごとみたいなものだ。前回の男の子の場合は、母親が誰かれ構わず、子どもなんていなければよかった、もううんざりだ、もっといい人生を送りたい、といって回ってたそうだ。おかしなことに、その子が行方不明になっても、警察は母親を疑いもしなかった。それからその母親は、金持ちの男と出会って結婚した」

ジャックはめまいがして、手近な木に手をついた。

今ではもう、誰がルースを巻き込んだ取引をしたのか――あるいは、彼女にブリドの石の加護が及ばなくなるような願いごとをしたのか、疑いなかった。マイケルだ。スージーが家族を追い払いたいと願うなんて、金輪際ありえない。ずっと一緒に、幸せに暮らしてたんだから。でもマイケルはスージーを――子どもを憎んでいて、昔の生活に戻りたいと思っているという――まったく別の人間に仕立て上げて、そのスージーをひっぱたいたり殴ったりしていたんだ。あの頃のマイケルは、家族にむかって四六時中、お前らにはうんざりだ、といいつづけていた。そしてそのあげく、永久に去っていった。そんな逆恨みを抱えながら、彼は一発逆転をはかったにちがいない。そしてそのおこぼれが、ぼくらのところにも及んだ、というわけだ。その結果、そのマイケルの取引の支払場所へ、ぼくらはいつの間にか引き寄せられていたんだ。ジャックは不動産屋で三人が資料を見ていたときのことを思いだした。あの時スージーもルースも、ブライドストーンに目をとめた瞬間に、目が離せなくなってしまっていた。

「さあ」とアラン・トゥースは言った。「家まで送ってあげよう。お母さんにはきみが必要なはずだ」

「じゃあ、望みはないと――このまま捜索しても」

アランは顔を伏せた。もう、頼りがいのある大人の様子ではなかった。「そうじゃなきゃいいんだが。でもここは警察に任せた方がいい」

「でも、さっきは――」

「わかってる。でも記録によれば、これまで戻ってきたものは誰もいないんだ。そう――遺体でさえも」

「だが、何世紀もたってから、自力で戻ってきたものもいるのだ――このソルジャーのように」

森の中から声が聞こえた。ジャックもアランも驚いて飛びあがった。「今日は朔月だ」とソルジャーの声がした。「もっとも高い丘に登るのだ。決して注意を怠りなく、な」

彼は森のなかから姿を現したが、その顔は墓石に刻まれた騎士のように神々しかった。その口調も記憶のなかの遠い過去に戻ったようで、何から何まですっかり別人になっていた――たくましく、そして魅力的に。

丘を登るのはひと苦労だった。地面は石ころだらけで、ブナやニワトコの木が道をふさぎ、丘はからまりあった草で覆われていた。そのはるか向こうで、金色の太陽がいままさに地面に隠れようとしており、周囲から光が失われつつあった。

「見なさい」とソルジャーがいった。「あの娘がいる」

朔の月は丘の上にあったが、日没の光の中ではまだ微かにしかみえなかった。

行く手にみえる砦の廃墟は、まるで丘の上に転がるガラクタだった。

「ここに入口がある。彼らの領域への入口だ」とソルジャーがいった。

アランがつけ加えた。「そうだ、この丘の下のはずだ。ローマ人たちはここで厄介ごとにまきこまれて、ドルイド教徒を連れてくる羽目になったらしい――普通はそんなこと、まずありえないんだ。とても友好的な間柄とはいえなかったからね。そしてドルイドたちが、ブリドの石を据えるように勧めた。ローマ人の兵士たちは、どちらかといえばミトラの方がお好みだったらしいが、ここではそうもいかなかったのだろう」

アランは学者らしい落ち着きを取り戻していたが、ソルジャーの方はますます苦おしげだった。身構えているのだろうか？ジャックはもう成り行きに身を任せていた。そもそもなぜここまでやって来たのかも、もはやよくわからなかった。だがそこでまた、そうしなければという衝動が強まった。

たぶんかの者たちは、自分たちの力をみせつけ、いかに自分たちが美しく賢いかを、誰かに見てもらいたいんだろう――

太陽が完全に沈んだときには、彼らは最後の上りにさしかかっていた。ジャックとアランは汗を滴らせているのに、ソルジャーは汗一つかいていない。アランの三倍は年を取っていそうにみえるのに。周囲は完全に闇のなかだった。岩や木から影が伸び、空すら影を落としていた。だが月は明るく輝き、まるでそこだけ暗闇が引き裂かれたようだった。

ギザギザに尖ったローマ時代の壁が目の前にあった。夜の闇のなかでみると、この廃墟はまともな形もなく出鱈目だった。入口のアーチの一部が目の前にそびえ、その向こうには草の生えた中庭が広がっていたが、そこだけはまるで、つい最近羊が食んだばかりのようだ。そして坂道の頂上に、形の定まらない石がみえた。

「あそこだ」とアランが息を切らしながらいった。「みつけた。あれが祭壇だ」

「彼らは必ずここにやってくる」とソルジャーが静かにいった。「獲物を手に入れると、祭壇の石に勝利のあかしを捧げにくる。それが神の思し召しなのだ。ほら、もうすでに来ている」

ジャックが目を凝らすと。腕や首筋の毛が逆立った。

不定形の影のなかに、何かほの白いものが輝いている――

そして、彼の眼にもそれが見えた。〈貴き人々〉だ――

エルフの眷属。

あえて数えはしなかったが、十四人いるようだ――妹の年齢の一歳につき一人。みな、本当に美しかった。真珠のような肌に、髪は月に照らされた雲のようだ。男も女もいるが、着ているものはみな同じで、形はおぼろげだが、ほっそりとした体にまとわりつくような、だが同時に流れるような……宝石を身にまとった姿は、これまでみたことも想像したこともないもので、体の内側から光を放っていた。短剣や長剣を佩《は》いているが、それは鉄ではない何か別の、銀色に輝く金属でできていた。ジャックは、催眠術にでもかけられたように彼らに見入りながらも、その中にルースの姿を発見した。ほかの者と同じように、髪に花を飾っていた。

ジャックは彼女に向って叫ぼうとした。彼女もみんなと一緒に、微笑んだり声をあげて笑ったりしていた。その笑い声は銀の鈴のように柔らかく鳴り響き、また銀の短剣のように鋭く突き刺さった――

身じろぎもできない体に閉じ込められ、彼の心は叫び声をあげていた――だが体は動かない。アランも動けないようだった。

その〈貴き人々〉は丘の上で厳かに踊っていた。ルースも彼らと一緒に踊っていた。そして一斉に祭壇に向かって頭を下げたが、その様子にはとても手の込んだ軽蔑の気持ちがこもっていた。

アランが絞り出すような声でいった。「あれがみえるか?」

祭壇の向うに、別のものが現れていた。それは空虚へとひらかれた穴だったが、そのトンネルの奥では、美しい光が脈打つように明滅している――

「あれは門だ――丘の下へとつづく道への――」

なんとか体を動かそうと、心臓は悲鳴を上げていたが、その場にくぎ付けになったように動けない――

すると、ジャックのそのあがきが、彼以外のものを動かした。ソルジャーだった。

「吾はここだ。ここにおるぞ。そなたらの愛したこどもである吾も、そなたらを、何百年も愛しつづけた。しかしながら放逐の憂き目にあい、現世にて彷徨いつづけねばならず――そなたらの天の国とは異なり、まさにこの世は地獄であった――」ソルジャーはすばらしく優雅な身のこなしで、彼らのなかに分け入っていった。彼の身のこなしは――〈貴き人々〉と同じだった。もはやそこには、ゴミ箱から拾い出したような薄汚れた服を着た年寄りはいなかった。彼のことばは、ジャックが聞いたこともないものだった――ドイツ語訛りのフランス語のようなことばだった――が、なぜかジャックには、その一語一語がすべて理解できた。

「その子どもは連れていってはならぬ」とソルジャーは〈貴き人々〉にいった。その声の調子には、彼らと同じく威厳をともなった嘲りの調子がこもっていた。「そなたらは真にその子どもを必要とするのか? 無知で未熟でそなたらの栄光の何も知らぬものを? 否、それよりは吾をこそ連れていけ。この不快な世から再び連れ出してくれ。吾はそなたらを愛するものだ。それに吾は、すでにこの世で十分なことを学んだ。その本のような知識で、そなたらを千年のあいだ楽しませようぞ」

丘の上の生きものたちは動きを止めていた。そしてじっとソルジャーに目を注いでいた。

ルースが突然、傲慢な口調で叫んだ。「なによ、あんな、ただの愚かな年寄りなんか――」

〈貴き人々〉の一人が、軽く彼女の頬を殴った。その者は何もいわず、ソルジャーの方を振り返り、彼に近づいてその口に息を吹き込んだ。そのあいだ一言も発せられなかったにもかかわらず、ジャックにはその内容がすべてわかった――では、汝がいかなる姿であったか、思い出させてもらおう。見比べたうえで判断をくだすこととしようぞ。

とても説明のしようもないことが。ジャックの目の前で起こった。まるで貝殻が脱ぎ捨てられるように、ソルジャーの身体から年月と衰えが抜けおちた。そこに立っていたのは、槍のように真直ぐ体を伸ばして立つ少年だった。年の頃は十三歳ほど、染みひとつない金色の肌に、腰まで伸びた太陽のように輝く金色の髪。

そうだ、と声なき声がいった。この者の方がふさわしい。

笑い声をあげ、ソルジャーは肩越しに緑色の瞳を向け、身じろぎもせずに立ちすくむジャックとアランをみた。「さらばだ、土から生まれた者どもよ。さらばだ。この埃にまみれた世よ。いつまでも忘れるではないぞ。彼らが吾よりあの娘を愛していれば、かの娘を留めおくことは叶わなかったことを」

目がくらむような光が、その丘を覆った、木々や壁が燃え上がるように鮮やかに光り、そしてすぐに光は消えた。

かれらの姿も消えていた。丘の上の者どもも、少年に姿を変えた老人も。ただ一人、青ざめた姿で残されて、草の上に横たわる姿があった。

ジャックの金縛りがようやくとけた。「ルース!」

彼が触れると、ルースは眼を開いて、ちょっと腹を立てたようにジャックをみた。「なんで起こすのよ、ジャック。いったい今、何時なのよ」。それから、無邪気に驚いて、「あたし、なんでこんなところにいるの?」

ジャックは声が出なかった。するとアランが、きみはお母さんと喧嘩して、こんなところまで来てたんだよ、と適当な話をでっちあげてくれた。奇妙なことに、彼女はその話を聞いてすぐに信じただけではなく、その喧嘩なるものも思い出したようだ――それ以外には、とくに変わった様子もなかった。

後でアランとジャックは話しあった。そしてスージーだけでなく、ルースにも全てを伏せておくことにした。「無事に済んだのは、彼らがルースよりもソルジャーを愛したから、というだけじゃない。いいかい、ジャック、きみとスージーが彼女のことを、本当に愛していたからなんだ。あの息子を憎んでいた女が相手だったら――ソルジャーはそのこどもの代わりにはなれなかっただろう、いや、そもそも、そんな気にもならなかったかもしれない。彼はルースにも警告しただけだったんだろうが、そのおかげで彼女はその気になってしまったのかも――女の子にはありがちなことだ。それに、ソルジャーは正気に戻っているときには、すべてを止めようとしていたんだろうと思う。彼女が向こうに行ったら、幸せになってただろうかって? そうかもしれない。でも、そうはならなかったんだ。みんな、この世で生きていくしかないのさ」

ジャックとアランは、今ではよく話をする。というのは、スージーが家族を連れて町に引っ越したら、そこでアランと出会って二人は恋人同士になったからだ。スージーはケン・エンジェルのテレビドラマで役をもらって、今はリハーサルに余念がない。でもそれは、妖精とは何の関係もない話だ。

一年後、グロースター警察が、丸焦げになったチェロキー・ジープの中からマイケルの遺体を発見した。車は田舎道から外れた森の中でみつかった。警察によればマイケルは即死で、火が出たのはその後だとのことだった。それからマイケルは、スージーと別れてからなぜか金回りがよかったらしいことも判明した。だが、どこでどうやってその金を手に入れたのかは、誰にもわからなかった。全くの謎だった。

もちろんジャックとアランにはわかっていた。二人とも一言も口にしなかったが。マイケルが幸運を手にした方法も、そしてスージーもそのおこぼれにあずかっていたことも知っていた。さらに、車から火が出たときには、マイケルはまだ死んでいなかったはずだということも。ソルジャーの父親、あのノルマン人の将軍が一千年前にそうなったように、マイケルも生きたまま火炙りになったのだ。


note◆ タニス・リーは一九四七年、ロンドン生まれ。九歳の時に執筆活動を開始しました。一九七〇年から七一年にかけて、最初の三冊のジュブナイル小説を出版します。一九七五年にはDAW書店から最初の長編『バースグレイブ』を発表、その後専業作家となり生涯を通じて九十冊以上の長編と三百篇以上の短編を世に送り出しました。ラジオドラマの脚本も手掛け、イギリスのBBCラジオで四本のオリジナル作品が放送され、さらにイギリスのカルトSFドラマ『Blake's7』（1978 - 81）の二つのエピソードも執筆しています。

二度にわたり世界幻想文学大賞短篇部門賞を受賞（『ゴルゴン』（1983）、『彼女は三（死の女神）』（1984））したほか、一九八〇年には『死の王』でオーガスト・ダーレス賞（現・英国幻想文学大賞）を受賞しました。

一九八七年から交際していた作家ジョン・カイーネ（John Kaiine、現在は短編のエージェントでもあります）と一九九二年に結婚。「エルフの眷属」の舞台ともなっているイングランド南東部に居を構え、白黒とシャムの二匹の猫と暮らしましたが、二〇一五年五月二十四日に乳がんのため死去。享年六十七歳でした。

著者 Note（原文より）
私がこの物語のアイデアを思いついたのは十七歳のときでした。私の眼には、イングランドの自然の土地はすべて人間に奪われてしまったようにみえました。そして、キツネやカエルやフクロウのように、妖精の仲間も私たちのすぐそばで暮らすようになっているのではないかと――もしかして、近所の畑や庭にもいるかも……そうして、私の心の中にこのエルフの眷属たちが現れ、それからずっとそこに住み着いています。もう四十年にもなるのです。

妖精の行方

●文＝中野善夫

妖精というと、何か小さくてふわふわ飛ぶものから、人間と同じような姿形で生きているもの、あるいは人間より大きな何かだったしてどうも捉えどころがない。本書の特集であるコティングリー村の事件の写真に写っていたのは、小さくて羽根のある小さな生き物だった。本稿では、そういう生き物に限らず、広く異界の生き物を考えていきたい。妖精というのはfairyなのか、あるいはelfなのかという疑問もまた心の中に湧き上がって来るわけだが、そこも今は追究することなく、ゲルマン語系の言葉でelf、ロマンス語系の言葉でfairyというものを区別せず、やはり異界の生き物ということで済ませようと思う。ただ、ヨーロッパ、特にブリテン島周辺のことを頭に思い描くことにしながら、そんな異界の生き物たちはどこに行ってしまったのかということを、最近読んだ本（および、ずっと前に読んだ本）を思い出しながら考えてみたい。

人間以外の異界の生き物たち、羽根があって飛び回るもの、獣のような脚を持つもの、竜のような生き物だったり、人間と区別できない姿だったり、その姿や力はさまざまだろうが、何れにせよ超自然的な力を帯びているというか魔法の雰囲気を纏っているというか、そんなものたちは今はどこにいるのだろうか。昔はいたのだけど、今はいなくなってしまったのか。今でもどこかにいるのだが隠れるのがうまくなって決して人間と交わることがないのか、あるいは、人間の中に混じって生きているが気づいていないだけなのか、それとも人間と同化してしまったのか。

もう今の世界に見切りをつけていなくなってしまったという作品で何よりも印象に残っているのが、ロード・ダンセイニ『魔法使いの弟子』（荒俣宏訳・ハヤカワ文庫FT、邦訳一九八一）の結末である。この話題になると私はいつも『魔法使いの弟子』の話をしてしまう。この本の結末で魔法使いは魔法の生き物たちを引き連れて、〈月出ずる彼方の土地〉に通じる大門を通り彼方へと去ってしまった。ダンセイニの世界では、黄昏の向こうにいつも妖精の国があったのに。もう私たちは黄昏の光の中で彼方を見つめても妖精の国を見ることはできないのである。

しかし、そうはいっても妖精の国へ通じる道はダンセイニだけではない。一時期、私にとってそういう時期があって、もう私はあの世界へ通じる道を見失い、その光を見ることは叶わないのだと思っていたが、やがて気持ちも落ち着いてふたたび妖精の世界へと通じる本を読み始めた。

今も彼らはこの世界にいるが、人間に酷い目に遭わされたので信用せず隠れているという例を最近読んだ本から、マラー・ヴォルフのMondSilberLichtを紹介したい。二〇一七年の作品。帰宅途中の母が湾の上を渡る道路での交通事故で死亡し、会ったこともないスカイ島の親戚のところへ身を寄せる十七歳くらいの若い女性が主人公。そこの学校で出合った魅力的な青年にたちまち心惹かれるが、その相手は親しげだったり急に冷たくなったり、どうもよく判らない……というところから話は始まる。話は高校生の恋と冒険の物語という感じで進むのだが、それはまあどうでもよくて、その青年は実は海に住む種族が密かに人間界で暮らしてその世界を学んでいるところであり、主人公の母は以前そういう異界の若者と恋仲になり、二人のあいだにできた子供が主人公だったということが明かされる。しかし、そういう振舞いは許されざることで、再び主人公は母親と同じように掟を破って異界の青年と一緒になるのか、いやいやこの者は異界の父親を持つのだからもはや母親とはいえ違って完全な異種族同士の組み合わせとはいえないのでは？……とか何とか。このように、異界の種族は人間から隠れているけれども、人間界には近寄らないようにしながら様子を窺うことは怠らず、ときに事故的に交流が生じるというような設定になっている。

まだ異界の人たちはいるがあまり見かけないだけというのを描くのが上手いのはリサ・ゴールドスタインだと密かに思っている。『太陽と月のアラベスク』（中原尚哉訳・ハヤカワ文庫ＦＴ、邦訳一九九五）では、妖精界に囚われた息子と母親が大戦争に巻き込まれたり、二〇一一年発表の The Uncertain Places では異界に囚われた人間の苦悩と脱出が描かれていた。

もう一つ、人間界に吸収されていったという作品を。これはジェローム・K・ジェロームの一九一六年発表の作品 Malvina of Brittany である。フランスのブルターニュ地方の三千年くらい前の妖精たちが登場する。小柄ながら人間と同じ姿で人間と同じように生きている。タイトルのマルヴィーナはその妖精の一人だが、大昔の酷い振舞いのせいで罰せられ妖精界から追放されたという設定である。その後、独りで寂しく数千年を生きてきた。妖精だから数千歳の婆さんになったりはしない。人間の男の振舞いによって妖精も人間の女になってしまうという。仲間たちが姿を自分に見せないのは、永久に赦さないという厳しさではなく、もしかしたら一人また一人と妖精から人間になっていった歴史の結果ではないかということが仄めかされたりする。ジェローム・K・ジェロームといえば『ボートの三人男』（丸谷才一訳・中公文庫・新版、邦訳二〇一〇）他だが、その作家の実に優れたケルト系妖精物語となっている。ケルトの幻想と現代のユーモアが巧みに織り上げられているこの作品は、この七月に国書刊行会から刊行される『骸骨　ジェローム・K・ジェローム幻想奇譚』に「ブルターニュのマルヴィーナ」として収録されているのでぜひ読んでいただきたい。

とりとめがない感じになってしまったが、妖精たちの行方について、数冊の本を読みながら思いを巡らせてみた。行方を追うために幻想作品を読んでいるわけではないが、読んでいればおのずとその行方に触れることになる。これからもその行方をあちらこちらで垣間見ることになるのだろう。

『コティングリー妖精事件 イギリス妖精写真の新事実』が結んだ不思議なご縁

●文＝矢田部健史

『コティングリー妖精事件　イギリス妖精写真の新事実』（青弓社、二〇二一　以下、青弓社本）は多くの方々の後押しがなければ、こうして世に出ることはありませんでした。当初の予定よりも執筆者が増え、企画の趣旨も徐々に変化していったことにより、遅々として進まない編集作業を忍耐強く見守ってくださった監修者の井村君江先生、採算を度外視してでも、この本を世に送り出したいと当初、英断をくだされたレベルの亀井澄夫社長、そして、私が病気療養や家業を切り盛りしなくてはならなくなり、途中で離脱せざるを得ず、事後処理を引き受けられた千葉工業大学の浜野志保先生や版元変更になったあと担当として尽力された青弓社の矢野未知生氏、出版最後の交通整理をお手伝いされたアトリエサードの岩田恵氏を始めとする関係者の皆様に厚く御礼申し上げると共に、刊行が大幅に遅れ、多大なご迷惑をお掛けしたことを深くお詫び申し上げます。微力ながら、この本の編集の一端を担えたことをたいへん光栄に思っていますが、これほど豪華な執筆陣を迎えたコティングリー妖精事件のアンソロジー本は未だかつてなかったのではないでしょうか。原稿集めや校閲など、調整役として膨大なメールのやり取りを行い、コティングリー妖精事件について調査をしている世界各地の執筆者から送られてきた原稿にいち早く目を通し、最新の研究成果に触れることが出来たのは、私にとって大きな役得であり、これほどまでに知的好奇心を刺激された仕事は他にありません。井村先生の介助役として荒俣宏先生の『お化けの愛し方』（二〇一七年 ポプラ新書）の出版記念講演会（実際のトークテーマは平井呈一論でしたが）に駆けつけ、既発表原稿の転載を直談判するなど、今振り返ってみると編集作業自体がまるで冒険のようでした。

そもそも今回の企画を思い立ったきっかけは私が井村先生と初めてお会いした二〇〇六年のある日、コティングリー妖精事件の調査を行った神智学者エドワード・ガードナーの鞄を所有していると告げられたからでした。調査チームの一員であるフェアリー協会の吉田孝一理事が「なぜ今に、コティングリー事件に関連する展覧会か？」で詳述しているので蛇足になりますが、二〇一三年に福島県の金山町にある妖精美術館の倉庫から再発見されるまで、ガードナーの鞄の行方は杳として掴めなかったので、世界未公開の一次資料がこのまま埋もれてしまっては忍びないと、どうにか見つけ出して徹底的な調査を行い、書籍化や展覧会を実現することが私の十年来の夢でした。

荒俣宏先生の『サイエンス異人伝』（2015年 講談社）の出版記念講演会にて
富田実加子さん、片倉直弥さんと

鞄が見つかったのはいいものの、特殊な資料のため調査がなかなか進まず、コティングリー妖精事件を扱った『写真のボーダーランド――X線・心霊写真・念写』（青弓社）の著者で心霊写真の研究で有名な浜野志保先生のご協力が得られれば、きっと研究が大きく前進するに違いないと思っていたところ、それとはまったく別件で、学習院女子大学の根占献一先生のご紹介で英文学におけるエソテリシズム研究がご専門の田中千惠子先生と知り合い、下北沢にある本屋B&Bで行われた田中先生のご著書『「フランケンシュタイン」とヘルメス思想――自然魔術・崇高・ゴシック』（水声社）の出版記念イベントで、田中先生の大学院時代の指導教官で青弓社本にもご寄稿いただいた「学魔」こと高山宏先生、そして同門の浜野志保先生と偶然にも知り合うことが出来ました。ここぞとばかりにコティングリー妖精事件の未公開資料が宇都宮にあることをお伝えしたところ、その場で調査にご協力いただけることになり、井村先生の講座の受講生でコティングリー妖精事件をテーマに博士論文を執筆中の井沼香保里さんも調査に加わって、コティングリー事件から百周年を記念した展覧会を日本各地で実現し、書籍も出版すべく、調査はいよいよ本格化しました。

『コティングリー妖精事件
イギリス妖精写真の新事実』（青弓社）

　浜野先生が二〇一七年三月に大阪で開催された国際研究集会「近代と秘教的ネットワーク：神智学、芸術、文学、政治」において「妖精の詰まった鞄――エドワード・ガードナー、アーサー・コナン・ドイルとコティングリー妖精事件」と題した調査の中間報告を英語で行ったことにより、海外の研究者からも注目を浴び、集会に参加したハダースフィールド大学のレイチェル・カウギル先生からの紹介で、コティングリー妖精事件に関する本を執筆中のメリック・バロー先生にもご寄稿いただけることになり、浜野先生とバロー先生の調査によって、アデレードの報告書に登場するMr.ジェフリーがドイルの著書“The Case for Spirit Photography”に登場するウィリアム・ジェフリーと同一人物と考えて間違いないだろうとの結論が得られ、また、エアフルト大学のマルコ・パシ先生からのご紹介で、ウェブ雑誌“Psypioneer Journal”（惜しくも二〇一六年十二月に終刊）の主宰者である神智学研究の大御所レスリー・プライス先生とも繋がり、ご寄稿は辞退されたものの、公認アドバイザーを引き受けてくださって、所属しているThe College of Psychic Studies や The Theosophical Society in London などの機関に所蔵されているガードナー資料の情報を共有していただきました。

　そして、関西からは神智学に精通している神戸学院大学の赤井敏夫先生が遠路遥々宇都宮まで鞄の調査に訪れ、当初は青弓社本を日英対訳にする予定でしたので、既発表英語論文の再録と青弓社本のために急ぎ日本語に訳していただくなど、日本のみならず国際規模の研究へと発展するに至りました。おそらく、井村先生と高山先生、赤井先生が同じ本に名を連ねるのは『幻想文学』二十六号（特集 イギリス幻想文学必携）以来ではないかと思われます。

　初学者のために補足いたしますと、井村先生は日本における妖精研究の第一人者で、コティングリー妖精事件を日本に広く紹介し、今年、アトリエサードから『妖精の到来』と改題して新訂版が出版されたコナン・ドイル『妖精の出現』（一九九八年 あんず堂）やジョー・クーパーの『コティングリー妖精事件』（一九九九年 朝日新聞社）の翻訳者として、おそらく日本で最もコティングリー妖精事件に関する講演を行い、取材を受けている人物です。チャールズ・スターリッジ監督の映画『フェアリーテイル』が日本で公開されたのは一九九九年のことですが、井村先生はイギリス本国でジョー・クーパーと共に試写会に参加してスターリッジ監督とも交流があり、その日本語版パンフレットの執筆や原作本のモニカ・クリングの『フェアリーテイル』（一九九九年 WAVE出版）の解説も手がけました。

　井村先生とジョー・クーパーの出会いは一九九三年のロンドンで、妖精を特集した日本のテレビ番組の撮影がきっかけでした。ロケはコティングリー村で行われ、コーディネーターを担った息子さんである井村淳一さんのご紹介でした。執筆者の一人である鏡リュウジ先生から伺った話によれば、大学院生だった頃の鏡先生はお名前こそクレジットされていないものの、アルバイトとして番組制作会社の制作プラン会議に様々な話題を提供するなど、アドバイスを行っており、その際、妖精を特集した番組ということで井村先生のお名前を出されたそうで、いわば鏡先生が井村先生とジョー・クーパーが出会うきっかけを作った影の立役者であり、雑誌やイベントで幾度も対談を重ねている井村先生と鏡先生が書下ろしの共著を出されるのは、『アニマの香り―鏡リュウジ対話集』（雲母書房）を除いて、意外や意外、今回が初めてかもしれません。

　井村先生は執筆依頼が殺到する中、大学での講義や日英往復生活で多忙を極め、無理を重ねた（もしかするとコティングリー妖精事件の研究をし過ぎた）せいで、一九九九年に日本で脳梗塞を発症しました。懸命なリハビリの結果、奇跡的な回復を果たすも左半身不随となり、当時は筑摩書房から『アーサー王物語』（全五巻）や『妖精学大全』（東京書籍）など、複数の出版企画が同時進行していましたし、二〇〇二年に退官するまで東京都日野市にある明星大学で教鞭を執り、福田富一宇都宮市長（当時）の要請で帰郷するも、引っ越しが続いて、家財道具やコレクションなどが分散しながら移動を繰り返している状況でした。二〇〇三年には井村先生が所有する一万点以上の資料を宇都宮市に寄贈するなど、井村先生の置かれた環境は激変していたため、二〇〇一年にガードナーの鞄を落札するもコティングリー妖精事件の研究は一九九九年で一端休止せざるを得なかったわけで、闘病生活の影響も大きく、もし一九九九年に倒れなければ、そのままリーズ大学のブラザートン・コレクションの研究や、ガードナーの鞄の研究調査も別の形で進んでいたのかもしれません。

　とはいえ、先生の撒いた種が実を結び、今回の調査で活躍された井沼香保里さんはリーズ大学でブラザートン・コレクションの調査を行い、二〇一七年には調査がきっかけでバロー先生の指導下でハダースフィールド大学の客員研究員となって、「妖精の実在を証明するための推論の道筋―コナン・ドイルと20世紀初頭の科学」（The Way of Reasoning to Prove the Existence of Fairies: Doyle & Science in the Early 20th Century）と題した発表を現地（しかもコティングリー村のあるヨークシャー）で行うなど、日本のコティングリー妖精事件研究が新たな次元に突入していることに私は感動を覚えます。

　そして、井沼さんと同じく井村先生の講座の受講生で、学年や専攻は違えど、同じ立教大学出身の富田実加子さんが仕事の関係で、二〇一七年当時、コティングリーにもアクセスが良いチェスターに住んでおり、せっかくなのでイギリス本国におけるコティングリー妖精事件百周年の動向について色々取材してくださるようにお願いした結果、London Fortean Society の講演会（https://soundcloud.com/conwayhall/glamour-and-mystery-100-years）の記録を始めとする日英両語で書かれた数々の素晴らしいレポートが送られてきて、その熱中ぶりは、ご自身が渡英した意味はコティングリー妖精事件の物語に出会うためだったと発言するほどで、次世代のコティングリー妖精事件研究者が育ちつつある日本の現状を頼もしく思うと同時に、コティングリー妖精事件から百年以上が経過しても尚、これほどまでに人々の注目を集め続け、遠く海を越えて多くの日本人たちの心を揺り動かすほどの強い影響力を持っていることに改めて驚嘆するばかりです。富田さんは二〇二〇年にブログで『「コティングリー妖精事件」―「妖精の家」を訪ねる』と題した臨場感あふれる優れた滞在記を発表されていますので、こちらも多くの方の目に触れることを願っております。

月一回宇都宮に集まって鞄の調査を進める中、井沼香保里さんからフランシス・グリフィスの娘であるクリスティン・リンチさんが二〇〇九年に回想録"Reflections on the Cottingley Fairies"を出版していることを教えられ、少しずつ翻訳しているとのことでしたので、大急ぎで全訳してもらい、青弓社本に付録として掲載することを思いつき、残念ながら紙面の都合で割愛せざるを得ませんでしたが、許可を得るべくイギリスのAmazonで早速注文して奥付に記載されていたメールアドレスに拙い英語で恐る恐る連絡したところ、なんとご本人からその日のうちに返信があって、翻訳を快く許可してくださいました。それからというもの、どんな疑問にもメールで懇切丁寧にお答えくださり、USBをお送りいただくなど、コティングリー妖精事件研究の進展のためならばと、ご遺族ならではの貴重な情報を惜しみなく共有され、そのおかげで、資料によって事件発生時の表記に揺れがあるフランシス・グリフィスの年齢が九歳で間違いないことが確認され、フランシスとエルシーの共通の先祖が家系図から辿れることなど、実に多くのことが判明しました。ガードナーの鞄に含まれていた写真に写っている人物や場所の特定にもご協力いただき、クリスティンさんからアイルランド在住のベストセラー作家であるヘイゼル・ゲイナーさんが著したコティングリー妖精事件に関する小説『コティングリーの秘密』に協力されていることもお伺いしました。数々のご尽力に対し、ただただ心から感謝申し上げます。ちょうど相前後して、富田さんから同書が話題になっていることをメールで教えられ、富田さんからのご提案で、ヘイゼル・ゲイナーさんへの特別インタビューを敢行し、青弓社本に収録することが出来ました。これがきっかけとなって、富田さんは『コティングリーの秘密』を鋭意翻訳中とのことで、近い将来、日本語で読める日が来るかもしれません。

第73回西荻ブックマーク「井村君江の妖精の森」での井村先生と筆者
(提供：添田健一氏/撮影：吉田孝一氏)

もし、こうしてクリスティンさんがお母様の回想録を出版されなければ、事件の当事者であるフランシスの生の声がその存在すら知られることなく今も埋もれたままだったことでしょう。その努力に心から敬服いたします。フランシスがビングリーのグラマースクールで踊った曲「K、K、ケイティ」など、第一次世界大戦の頃のイギリスの流行歌をYouTubeで流しつつ原文と睨めっこしながらの回想録の校正作業は実に楽しいものでした。二〇一五年にレベルから出版されたクリスティナ・ロセッティの『ゴブリン・マーケット』(井村君江監修・濱田さち訳)の編集をお手伝いした私としては、妖精を目撃した少女フランシスがその後、リジーという名の女性に(原形は「妖精の騎士」という古いバラッド)の様子を見に行くように言われ、実際にそうする場面から、妖精の市場で禁断の果実を食べて瀕死になった妹ローラを助けるべく身を挺してゴブリンに交渉しに行く姉のリジーのことをつい連想してしまったし、また、エドワード・ガードナーが「パブロワのような妖精」と形容した妖精を撮影したフランシスがシュルーズベリーのホテルでバレリーナのアンナ・パブロワ（マリー・タリオーニと共に現代における妖精イメージの源流となった彼女が実は日本におけるバレエ普及の立て役者でもありました）と遭遇した件を読むにつけ、フランシスの生涯は私のような妖精ファンタジー・ファンたちの空想を掻き立てる要素が多分にあることを再認識させられました。

　世間一般にコティングリー妖精事件は少女たちが妖精写真を偽造してコナン・ドイルを騙した騒動として少女たちが悪者扱いされる傾向がありますが、もちろんエルシーとフランシスにそのような意図はなく、回想録の中でフランシスが「私はアーサー・コナン・ドイル卿とエドワード・ガードナーさんに怒りを覚えています。彼らは決して妖精の生命について説明を求めませんでした」と述べているように、意外にもコナン・ドイル自身は一度も現地に赴かなかったし、その著作を読んでも心霊の実在を立証せんとする疑似科学的な説明に終始して妖精を軽視するきらいがあり、調査にやって来たガードナーにしても、この事件を契機として神智学者としての地位を確立し、コナン・ドイルと初対面を果たしたにもかかわらず、鞄に入っていた妖精写真の割合は心霊写真に比べて遥かに少なく、霊能者のホドソンに至っては少女たちやその家族から明らかに迷惑がられています。『ストランド』誌に妖精写真が掲載されるに当たり、ドイルは本名を伏せるなどの配慮を一応行ったものの、結局は少女たちが取材被害に晒される危険性よりも調査の方が優先されており、当事者が置き去りにされている点において、この事件には報道倫理の重要性を投げかける今日的意義もあるのではないかと考えられます。晩年のフランシスとエルシーはそれぞれ別個に事件に関する著作を準備していたのに、ジョー・クーパーの暴露によってフランシスが回想録の執筆を中断し、エルシーも出版を取りやめてしまったことで、当事者による証言の機会が永遠に失われてしまったことが本当に残念でなりません。

　うつのみや妖精ミュージアムでスタートした展覧会初日には『スター・ウォーズ　新たなる希望』でXウィングのパイロット（レッド12、通称「ドリフター」）を演じ、コティングリー妖精事件に関心のあるジョン・チャップマンさんにもイギリスからご来場いただき、新聞や雑誌の取材も入るなど、実に幸先の良いスタートでした。日本での展覧会の評判が伝わったのか、ジョー・クーパーの娘さんに当たるジェーン・クーパーさんからもお問い合せがあり、ジョー・クーパーの『コティン

イギリスの俳優ジョン・チャップマンさん

グリー妖精事件』が妖精に造詣の深い美智子上皇后陛下にご献上されていたということも判明いたしました。

　コティングリー妖精事件百周年とミュージアム開館十周年という記念すべき年に「コティングリー妖精事件」展の企画実現のため、行政上の調整役を担われたうつのみや妖精ミュージアムの田口順一副所長（当時）、そして、広告のデザインや、開幕直前まで会場のレイアウトを調整され、展覧会に関する事務全般を担われたうつのみや妖精ミュージアム職員の武石和世さん（当時）、うつのみや妖精ミュージアムで行われたガードナーの資料調査にご協力くださった高橋りか学芸員を始めとする歴代の学芸員や職員の皆様のご尽力に感謝いたします。前日まで浜野先生

と井沼さんがキャプションを修正されていたのをまるで昨日のことのように思い出します。この展覧会が評判を呼んで、浜野先生がコティングリー妖精事件について月刊オカルト情報誌の『ムー』から原稿依頼を受け、それとは前後するものの、井村先生が『ゴシック&ロリータバイブル』のライターのBABIさんからコティングリー妖精事件について取材を受けたことがきっかけで、狂言プロデューサーの和泉節子さんとシシリー・メアリー・バーカーの『花の妖精』をテーマにしたゴスロリ・ファッションショーの審査員を引き受けるなど、コティングリー妖精事件を通じて色んなご縁が広がった一年でした。

翌二〇一八年の一月五日から十八日にかけて名古屋大学プロジェクトギャラリー「clas」で行われた巡回展は遠方ということもあり、実家に帰省するついでに設営してくださるとのありがたいお言葉に甘え、大半の作業を浜野先生に丸投げする結果となりました。貴重なお正月休みを返上して展示を実現して下さった浜野先生とお母様の伊神千恵様に心から御礼申し上げます。

2018年1月に名古屋大学で開催された「コティングリー妖精事件と神智学者ガードナー」展のポスター

会期まで一ヶ月も無いため、名古屋の展示と恵比寿の展示は同時並行で進められ、浜野先生のご紹介で東京都写真美術館の遠藤みゆき学芸員には宇都宮までお越しいただいて写真資料の保存や照明についての技術的なアドバイス、そして恵比寿映像祭（二〇一八年のテーマは『インヴィジブル』でした）での展示や関連行事について密にご連絡をいただき、おかげ様で二月十七日に美術館二階ロビーで行われたラウンジトーク、井村先生と浜野先生の対談は立ち見客が出るほどの盛況ぶりでした。私の友人で宇都宮会場と恵比寿会場にお越し下さった映画プロデューサーの阿部正大さんと女優の西塔紅美さんがまさかコティングリー妖精事件に関心を持っていたとは思わず、『フェアリーテイル』の日本公開に伴って来日したスターリッジ監督の舞台挨拶を生で聴き、コナン・ドイル役を演じた名優ピーター・オトゥール（井村先生の夫である中世英文学者のジョン・ローラー先生の友人だったとのこと）の衣装係をしていたスター・ウォーズ俳優のアラン・フライングさん（帝国軍の将校役）のインタビューに成功し、フランシスのお墓参りや二〇一七年七月にコティングリーで開催されたフェスティバルに参加して、エルシー・ライトが住んでいた家の現在の住人と仲良くなり、小川《ベック》に行って大量の写真を撮影してくるとは予想だにしませんでした。

2018年2月に東京都写真美術館で開催された恵比寿映像祭「インヴィジブル」のラウンジトークでの井村先生と浜野先生

また、阿部正大さんの招聘で二〇一八年に来日したイギリスの俳優アラン・スウェイデンさんも映画『フェアリーテイル』に出演しており、都内で行われたトークショー&サイン会終了後、友人の阿部愛さんに通訳していただき、貴重な撮影秘話を伺うことが出来ました。アランさんが俳優になったのは、お父さんが営むロンドンの雑貨屋で働いていた時に、たまたま買い物に来たピーター・オトゥール夫人に「俳優にならない?」と誘われたことがきっかけで、映画『スター・ウォーズ』旧三部作など、千三百本以上の映画に出演したとのこと。この作品でアランさんは妖精を写

左から映画『フェアリーテイル』でコティングリー村に押しかけた妖精ハンターの一人を演じたアラン・スウェイデンさん、筆者、映画『キャッツ』でエキゾチカ役を演じたフェミ・テイラーさんとマネージャーのクラウス・スキュッテ・カンパーさん

真に収めようとコティングリー村を訪れた一団の一人を演じています（阿部正大さんによれば、『サンダーバード』で有名なカナダの俳優で声優のシェーン・リマーさんも同じ場面で共演しているとのこと）。アランさんは「本人たちもフェイクだと告白したのに皆が信じたかったのが面白い」と述べ、生前のピーター・オトゥールも「長い間、妖精写真がフェイクだと誰も証明出来なかったのが凄い！」と話しており、インタビューの最後にアランさんは「あなたはこの話が大好きでFacebookでたくさんこの話について投稿していたね」とおっしゃってくださったのでとても感激しました。

そして、四月二十一日から五月十一日まで、京都の出町座では、うつのみや妖精ミュージアムが協力し、ポスターや劇中にコティングリーの妖精写真が使われているホラー映画『霊的ボリシェヴィキ』の関連企画として、併設ギャラリーにガードナーの鞄を始めとする資料の展示も開催されました。映画『リング』の脚本を手掛けたJホラーブームの火付け役である高橋洋監督が月刊オカルト情報誌『ムー』（二〇一八年二月号）の「ロシア革命と妖精事件を霊界が結ぶ！」と題した対談記事の中で「僕は昔から、いちばん怖い心霊写真はコティングリーだって、いかにも作りものなんだけど、いちばん気味の悪いのはこれなんだといいつづけてきました」と公言され、恵比寿映像祭の展示を観た後に「それにしても…不可思議な偶然に次々と遭遇する『霊的ボリシェヴィキ』だが、まさか公開と時を同じくして妖精写真展まで開かれるとは思わなんだ…。妖精事件とロシア革命は同じ年に起きてるんです！だが映画ではそれ以上に深くリンクしているのだ…」（二〇一八年二月九日）とTwitterで感想を述べ、劇中では「取り換え子《チェンジリング》」を暗示していると思われる箇所や、コナン・ドイルの『妖精の出現』の日本における最初期の読者である心霊主義者の浅野和三郎（彼は『怪談』で知られるラフカディオ・ハーンの教え子でもありました）をモデルにしたキャラクターも登場させています。奇しくも『共産党宣言』の出版と近代スピリチュアリズムの幕開けとなったハイズヴィル事件は同じく一八四八年に起きており、ロシア革命とコティングリー妖精事件もやはり同年の一九一七年に発生しているという史実から創作上の着想を得ているものと推察され、コナン・ドイルがロンドンで行われた降霊会の席でウラジミール・レーニンの霊との交流記録を書き残していたことを髣髴とさせます。

今回の調査の過程で、井村先生がガードナーの鞄の入手経路について回想されているように、当時日本におられた井村先生に代わってガードナーの鞄を落札したイギリス在住の美術商Mからガードナーの鞄が出品されたボナムズ・アンド・ブルックスのオークション・カタログや当時の手紙のコピーが送られたことにより、前の所有者がスコットランド在住であったこと以上の来歴は今もって不明なものの、オークション詳細が明らかになり、エルシー・ライトの父アーサー・ライトが所有していたミッジ・カメラとコナン・ドイルがエルシーに送ったカメオ・カメラが"British Journal of Photography"の元編集長ジェフリー・W・クロウリーによってクリスティーズ（このオークション・カタログは絶版でアメリカ東海岸の古本屋にしか在庫がなく、調査のためにわざわざ取り寄せた）のオークションに出品された後、国立科学メディア博物館からの要請で出品を取り下げられ、最終的にそれらが寄贈されたことや、フランシス・グリフィスがドイルから送られたカメオ・カメラはクリスティンさんに受け継がれ、二〇〇九年に放映されたBBCの番組"Antique Roadshow"（https://www.youtube.com/watch?v=8WX1BhkxSYQ）でご本人が紹介していたことも判明しました。

　残念ながら今回の調査でも解決しなかった問題として、井村先生がイギリスでジョー・クーパーから譲られた晩年のフランシスとエルシーの証言が録音されたカセットテープは発見に至らず、また、アデレードの報告書に登場する霊媒師のグラント夫人は当時から有名ではなかったようで、手がかりを掴むことは出来ませんでした。それに回想録に引用されていたガードナーが受け取った手紙の中に登場する「セティニックス」（setinics）という言葉の意味はどれだけ調べても分からず仕舞いでした（Facebookで英語圏の友人達に質問してみたところ、ジョン・チャップマンさんから「この文字を並び替えると五百八十八個の単語が作成出来るので、あなたの編集作業を忙しく保ってくれるでしょう」とのアドバイスには思わず笑ってしまいました）。

Bonhams & Brooks "Printed Books, Maps and Manuscripts（2001年3月13日火曜日、午前10:30と午後2:00）のオークション・カタログ

　そして、メリック・バロー先生が「コティングリー妖精写真の航跡を辿って　エドワード・ガードナーの鞄とガラス乾板の冒険」の末尾で「２００１年にオークションに出品されたガードナーの鞄は、日本を代表する英文学者・妖精学者の一人である井村君江教授によって５２００ポンドで落札され、現在はうつのみや妖精ミュージアムに寄託されている。何の因果か、２００１年のオークション以降、ガラス乾板自体は所在不明となり、英語でいうところの「妖精に持ち去られた（taken by the fairies）」状態になっている。この状態が一時的なものに過ぎないことを望む」と書かれているように、エルシー・ライトの父アーサーがエドワード・ガードナーに送ったオリジナルのガラス乾板と思われる目録記載のガラス乾板は残念ながら発見には至りませんでした。倒れた直後の井村先生に代わって事務作業を引き受けられ、イギリスの美術商Ｍから神智学者エドワード・ガードナーの鞄とその資料一式を受け取り、金山町妖精美術館に運搬されるなど、日本におけるコティングリー妖精事件資料の受容に大きく貢献された当時の井村先生の助手であった真言僧の吉田洋眞氏は既に亡くなられたため、二〇〇一年に落札された後、二〇一三年に再発見されるまでの十二年間は謎に包まれたままです。もしご存命であれば、ぜひともご寄稿いただきたかったと思います。日本における神智学（その思想的源流が仏教であることと無縁ではないと思われますが）の受容に際し、明治以来、仏教者の果たした役割は大きく、二十一世紀に入っても尚、神智学資料の受容にやはり仏教者が貢献していたことに驚きを禁じ得ません。

　『妖精の出現』の版元であるあんず堂の安藤和男社長もお亡くなりになられ、もっと早く出版当時についての証言を得ておくべきであったと反省しています。ガードナーの息子で、コティングリー妖精事件にも関心を持っていたレスリー・ガードナーは一九八二年に亡くなっているため、ガードナーの鞄やアデレードの報告書について質問することは当然叶わず、フォークロア研究の立場からコティングリー妖精事件を批判したキャサリン・ブリッグズが亡くなったのは一九八〇年のことですが、同じく批判の急先鋒であったスチュアート・サンダーソンが亡くなったのは二〇一六年、テレビ番組でこの事件を取

『メアリー王女のギフトブック』
princess mary's girt book

材したアーサー・C・クラークは二〇〇八年、写真家のジェフリー・クロウリーは二〇一〇年に、ジョー・クーパーは二〇一一年、エルシーが模写した挿絵本が『メアリー王女のギフトブック』であることを突き止めたフレッド・ゲディングズは二〇一三年に亡くなっており、もう少し早ければ、このうちの何人かはインタビューが間に合ったかもしれないと思うと、後悔は尽きません。

末尾になりましたが、鏡リュウジ先生の英文原稿のネイティブチェックを行い、数々のアドバイスをくださったイギリス占星術界の大御所ジェフリー・コーネリアス博士とマギー・ハイド先生、気鋭の神代文字研究者のエイヴリ・モローさんに厚く御礼申し上げます。

英語原稿の文字起こしに苦戦するなど、紆余曲折ありましたが、常に私を励まし、勇気づけ、私の文章のチェックをしてくれた星海社の片倉直弥君、そしてハードワークでパンク状態の私に代わって青弓社本に関わる数々の事務業務を代行してくれた井村先生の助手の梁鎮輝君（宇都宮大学）にも感謝申し上げます。

残念ながら、ご協力いただいたすべての方のお名前をここに挙げることは出来ませんが、この場を借りて、心から感謝を述べたいと思います。おかげ様でどうにか出版にこぎつけることが出来ました。本当にありがとうございました。青弓社本をお楽しみいただけたならこれに勝る喜びはありません。

フランシス・グリフィスの娘さんと、グリフィス家に伝わる貴重な写真の数々

フランシス・グリフィスの娘さんであるクリスティン・リンチさんの近影（上）とご家族の写真。『コティングリー妖精事件 イギリス妖精写真の新事実』（青弓社）を始めとする百周年事業に全面協力してくださり、フランシスの回想録 “Reflections on the Cottingley Fairies”（井沼香保里氏による日本語訳は完成しており、発行が待たれている）に収録されているグリフィス家に伝わる数々の貴重な写真をご提供いただいた。拙稿にもあるとおり、この百周年事業に当たって集められた原稿だけでなく、コティングリー妖精事件にまつわる調査は、未だ進行中である。コティングリー妖精事件の新資料の公開は、近い将来、もう一冊準備される日がやって来る。そう「妖精がやって来る日」は、再び訪れるのだ。（矢田部）

フランシス自身が語るコティングリー妖精事件

●文＝片倉直弥

コティングリー妖精事件の中心となった二人の少女のうちの一人、フランシス・グリフィス自身が書き留めていた事件の回想録がある。それが書籍として公刊されたのが"Reflections on the Cottingley Fairies"だ。

この本は、フランシスの没後に残された彼女の草稿を、娘であるクリスティーン・リンチがまとめて二〇〇九年に出版したものである。筆者は本書を二〇一七年に定価で入手したが、残念ながら二〇二二年現在では入手困難な稀覯本となってしまっている。そのため、この場を借りて内容を軽く紹介したい。

本書は二部構成で、まず前半に本題であるフランシスの回想があり、後半にはクリスティーンが親族として見聞した、フランシスやエルシーのその後を記したエッセイが収録されている。

あらかじめ言っておくと、フランシスの回想録には、われわれがこの事件について知っている常識を覆すような衝撃的な新事実の類は収められていない。

考えてみればそれもそのはずで、妖精写真の「捏造」を暴露したジョー・クーパーは、妖精写真を撮影したフランシスとエルシー・ライトに綿密な取材を重ねていたのだった。そのため、この本は大筋では、クーパーが著書『コティングリー妖精事件』などで公表した事実を裏付けるものとなっている。

しかし、それでもフランシスの回想録は一読に値しよう。なぜなら、二人の少女の他愛ない遊びが妖精写真として結実し、世界を揺るがした一連の過程が、紛れもない当事者の言葉で語られているのだから。彼女がみずみずしい筆致で描く当時の出来事を読んでいると、一九一七年のコティングリー村の少女が感じたものを追体験しているような気持ちになってくる。フランシスにとっての真実の物語を、この本を通じてわれわれは再確認できるのではないだろうか。そこに、色褪せない本書の魅力がある。

中でも特に興味深いのは、今なお残る未解決の謎「妖精の日光浴」についての記述である。

「妖精の日光浴」とは、撮影された五枚の妖精写真のうち、特に問題含みの一枚のことだ。一九八〇年代に入ってからフランシスとエルシーは、撮影された妖精写真が作り物であることを打ち明けた。しかしフランシスは四枚の写真については捏造を認めたものの、五枚目の「妖精の日光浴」に関しては本物の妖精が写ったものであると主張し続けたのである（なお、フランシスは妖精写真の捏造は認めつつも妖精そのものの実在は否定していない）。

この本でフランシスは「妖精の日光浴」について、「他の妖精写真とは異なり、この写真を撮ったときは作り物の妖精や撮影用のハットピンは用意していなかった。自分がふと鳥の巣のような繭を撮影し、現像したときに不思議にも妖精が現れたのだ」と言及している。これまでの彼女の発言をなぞるものだが、今まで明らかになっていなかった詳細までが明かされている。

フランシスの回想録はこのような、衝撃的ではないが目新しいディテールに満ちている。例えば彼女がコティングリーで一番初めに出会った不思議な存在「変色する身長十八インチの小人」について、他の妖精とは違ってエルシーにもずっと秘密にしていたというエピソードがある。これなどは、フランシスの内面や二人の少女の関係性について示唆的に思われる。

また、フランシスの回想を読んで改めて気づかされるのは、コティングリー妖精事件が二十世紀初頭の時代背景と密接に絡まり合って生じた出来事であったということだ。写真技術や神智学など、当時のさまざまな文化がこの事件の複雑さや豊かさに寄与しているのは周知の事実だが、フランシスの文章からは、第一次世界大戦や植民地主義といった更に大きな世界の枠組みも、フランシスの感性に――つまりはコティングリー妖精事件に――大きな影を落としていることがうかがえる。

フランシスは幼少時に家族とともにイギリスを離れ、南アフリカのケープタウンに移住しており、最初の妖精写真が撮影された年である一九一七年の四月に物心ついてから初めてイギリス本土に戻った。それも軍人である父の仕事の事情で、世界大戦の余波を受けての転居である。このとき上陸したプリマスは戦時中の灯火管制で闇の中だったというエピソードを筆頭に、当時のフランシスの生活に大戦が及ぼしていた影響が、今日われわれが想像する以上に大きかったのだと知ることができる。彼女の回想を読むと、コティングリー妖精事件が一九一七年の日常の中で起きた出来事で、当時の状況を無視しては語れないことを実感する。

また、故国イギリスについて本や語りだけで想像を膨らませてきた植民地育ちのフランシスが、いかに新鮮なまなざしでイギリス本土を、そしてコティングリーの自然を見ていたかも特筆に値しよう。この妖精事件はいかにもイギリス的ではあるが、外部からの来訪者であるフランシスなくして妖精写真はありえなかった。考えてみれば、土着の文化に対する外来者の憧憬という、きわめて二十世紀的な構図をこの事件に見ることも可能だろう。

このように、細部の再検証によってコティングリー妖精事件について新たな視座が開けてくる可能性を示してくれるのが本書である。

また、フランシスの娘クリスティーンのエッセイも、その後の一族の動向や人間関係を伝えており、フランシスの回想に劣らず興味深い。

クリスティーンによると、フランシスとエルシーの仲は緊張を孕んだ複雑なものだったらしい。妖精が見えなかったエルシーは妖精について語るフランシスに嫉妬しており、またフランシスの関心が妖精そのものにあったのに対し、エルシーの場合は妖精写真がもたらす名声が目的だった。それを象徴するように、フランシスはエルシーが演出した、いかにもそれらしい妖精写真の出来に満足していなかったというエピソードが紹介されている。

その他に、コティングリー妖精事件がメディアに再発見される前の、あまり触れられない謎めいた沈黙の期間についても、娘ならではの記述がある。いわく、結婚したフランシスは子供たちにコティングリーの話をしようとはせず、ただ一九四六年に一度だけ、コナン・ドイルが一連の経緯をまとめた著書『妖精の到来』にフランシスの写真が載っていることを尋ねると、今回だけと断ったうえで彼女の体験を聞かせてくれたという。

ここまで見てきたように、フランシスの告白はコティングリー妖精事件の謎を氷解させはしない。それは、さまざまな人間の思惑が絡み合ったこの複雑な事件が、たとえ中心人物の解釈であろうと、一つのストーリーに回収されないポリフォニック（多声的）なものであることを示している。

ウンディーネ

◉パトリシア・A・マキリップ
訳／岡和田晃

ジョン・W・ウォーターハウス『ヒュラースとニンフたち』(1896)

ひりつくような孤独の感覚を伝える大傑作『妖女サイベルの呼び声』をはじめ、パトリシア・A・マキリップの世界観は、日本におけるハイ・ファンタジーの、主要な潮流の一つを形作ったのは間違いありません。邦訳は長編が目立ちますが、本書は、「妖精」をテーマにしたエレン・ダトロウとテッド・ウィンドリングのアンソロジーのために書き下ろされた逸品です。

マキリップはパソコンをあまり使わないらしく、そういったスタンスも本作を読まれれば納得いくかもしれません。版権取得にはダトロウ氏、ハワード・モーハイム氏の親身な協力を得ました。

（以下、原著の著者紹介を翻訳しました）

パトリシア・A・マキリップは、オレゴン州セイレム生まれ。サンノゼ州立大学で英文学の修士号を取得し、以来、ファンタジーを中心に創作を続けています。一九七五年、『妖女サイベルの呼び声』（1975、佐藤高子訳、ハヤカワ文庫FT、邦訳一九七九）で第一回世界幻想文学大賞を受賞。〈イルスの竪琴〉三部作（1976～79、脇明子訳、ハヤカワ文庫FT、邦訳一九七九～八一）、『チェンジリング・シー』（1988、柘植めぐみ訳、小学館ルルル文庫、邦訳二〇〇八）、ネビュラ賞の候補作となった『冬の薔薇』（1996、原島文世訳、創元推理文庫、邦訳二〇〇九）、ミソピーイク賞を受けた『豊かで価値あるもの（Something Rich and Strange）』（1994）、二度目の世界幻想文学大賞を受けた『影のオンブリア』（2002、井辻朱美訳、ハヤカワ文庫FT、邦訳二〇〇五）、『セーレの森で（In the Forests of Serre）』（2003）と『茨文字の魔法（Alphabet of Thorn）』（2004、原島文世訳、創元推理文庫、邦訳二〇〇九）等の長編に加え、多数の短編小説があります。夫である詩人のデイヴ・ルンデとともにオレゴン州に在住（二〇〇六年当時）。

わたしの姉妹はみな、そのやりかたで定命者《モータル》をわがものにした。わたしには、数え切れないほどの姉妹がおり、かのじょらはみな、数え切れないほどの夫を有している。簡単なことよ、とかのじょらはいった。飽きたら捨てればいいだけだから、と。ときおり、捨てられた夫は自分の世界へともどり、魚鈎《ガフ》に引っかかったような呆けた顔《ガフド》でぼうっと座ったまま、ただよう泡沫のごとくにゆっくりとしゃべる言葉をうしなってゆく。あるいは、単にわたしたちの世界《じかん》で死んでしまうこともある。かれらはもう、定命者のようには浮かびあがらない。かれらは沈んでいき、海藻や岩の合間に横たわって、ときが経つとともに肌は真珠のようになり、髪にはちいさな蝸牛がむらがるのだ。

簡単なこと。最初、姉妹がやりかたをおしえてくれた。わたしたちの深く、冷たく、オパールのような色合いの、葦の隙間から光がさしこめる水のなかでは、まるで気づかないほど時間はゆるやかにすぎさっていく。ものごとは、めったにかわることはない。葦の合間をとびまわる、たいへんおおきく宝石のような羽根をもつ蜻蛉でさえ、わたしよりも長いあいだ、そこに居つづけている。人間をつかまえるため、わたしはじぶんの時間の外へ浮かびあがり、かれらをじぶんの時間へと引きずりこまねばならない。それには慣れが必要なので、多くの人間はたえられずに死んでしまう。

「でも、心配はいらないの」と、姉妹はあっけらかんとわたしにいった。「すぐにコツがつかめるわ。最初に人間を生きて連れてこられたら、パーティをひらいてあげる」

わたしは水中で日の当たる場所を選び、陽の光に目がくらむまで、水中を上へ上へと泳いでいきながら、そのあいだ、こころのうちに定命者を思い浮かべねばならなかった。わたしが知っている定命者とは、大半が姉妹の夫や――人間や馬に化けて睡蓮の合間をおどり、とびはねていたときに、わたしの口うるさい水の馬《ウォーター・ケルピー》のいとこたちとぐうぜん恋におちてしまった――髪は苔むし蛙の瞳をした女性たちだった。けれども姉妹は、わたしたちの時間からかれらの時間へと移動するうちに、わたしの飢えは――そして寂しさは――いや増すだろうと断言した。旅路の果てで人間の顔を目の当たりにできれば御の字よ、と。そこが、もはやわたしがいるのと同じ水とは期待できないものの、帰り道を見つけるのは、まるで難しくはないと、かのじょたちはうけあったのだ。ただ願いを込めて泳げばいい、ということだった。

かのじょらは水中で、あだっぽくわたしのまわりへと集まって、物憂げかつ優美に、長い髪をくしけずりながら、別れの歌をうたった。この歌により、わたしは時間をこえて移動することができた。あたかも水や光のなかのように、かのじょらの声のうちを泳いでいるようにかんじられた。見知らぬ水面のふるえを目にしたときも、わたしはいまだ、水の妖精《ウォーター・フェアリー》の遠き声、あまりにも愛らしく、忘れえぬ声を耳にすることができた。

その瞬間、わたしはふりかえって、声の道をたどりなおすべきだったろう。だが、わたしは風変わりな浅瀬への到着をかんじていた。顔と膝が岩に当たり、わたしは水の上に出なければならなかった。わたしは岩礁でバランスをたもとうと、ぎこちなく立ち上がり、前が見えるように髪をかきわけながら顔を出した。わたしはひと息ついて、まずは臭いをかいだ。

「ううっ」と、わたしは金切り声をあげた。「げえっ、あれは何なの？」

目にかかった髪の毛をほどきおえると、またもや悲鳴をあげた。死んだ魚。まわりが死んだ魚でいっぱいだったのだ。おおきな魚。腐敗の度合いもさまざまな何百匹もの魚が、岩礁のなかで寄せては返す波にもてあそばれ、不快な臭いをはなっていた。それらは、悪臭のなか、息を切らしながらすすんでいったわたしにぶつかった。魚の目は、蠅にたかられていない部分は死の覆いがかかっていた。わたしは三度目の叫びをあげたくなったが、そのためには息を吸わねばならなかった。わたしは生魚のように息をきらし、あいた口で短く小刻みな息継ぎをして、できるだけすみやかにこの岩礁の外へでようとした。岩は苔ですべりやすくなっていた。つまずき、死んだ魚のなかに落下してしまうのではないかと気が気ではなく、わたしは怖しさに激しくふるえ、身動きがとれなかった。着ていたものはまるで役に立たなかった。ロングドレスはたるみ、膝にまきついて、足もとに引っかかった。歩をすすめるたびに、魚にたかっていた蠅がむれをなし、ぶんぶん唸りながらわたしの目に飛び込んできた。

それから、なかば目が見えず、憤懣やるかたないまま魚のようにあえいで、岩礁から抜け出すと、定命者がわたしをつかんだ。

「そんなところで何してる?」と、かれは叫んだ。

おどろいたかれの胸の鼓動と、そのかわいたシャツがわたしで急にしめっていくのをともにかんじた。わたしは恐る恐る、片目をあけた。わたしはいま、ぬかるみのなかに立っている。足の指のあいだに泥がにじんでいるのをかんじ、そのせいで気乗りはしなかったものの、少なくともバランスをたもつことはできた。わたしがものにした定命者はとてもかわいらしく、片眉の上にくせのない黄金の髪がはえており、瞳はわたしたちの頭上にあって激しくもえさかる青白い陽の光というよりも、むしろ澄明な空のようにやさしい青だった。彼の着ているシャツには、蛙が蓮の葉の上にすわり、巨大な舌をのばしてちいさな空飛ぶ馬を捕まえている絵がかかれていた。わたしが蛙でいっぱいの岩礁をわたってきたのでなかったら、会話のきっかけになったろうに。

わたしは何か返事をせねばならなかった。それでいった。「迷子になったの」

「そのドレスで?」

わたしは自分の服を見やった。姉妹が苔や河草で編んでくれたもので、何百ものちいさな泡で飾られている。この世界では、真珠《パール》を散りばめてきらきら輝いている布か何かのように見えるものだ。

「おかしいかしら?」わたしは、ドレスの裾にまとわりつくねばねばした魚の鱗を足で取り払いながらといただした。

かれはわたしをじっと見つめ、魚みたいにおおきく目をみひらいた。ついで、かれは目をすぼめた。「きみは……飛び降りでもしたの？　パーティの後で？　橋か、なんかから。で、おぼれるかわりに、あそこ……あのなかにはいって……」かれは、このおぞましい岩礁にむけて手をふった。死んだ魚の密集した地点から水が排出されて、ごぼごぼと音をたてていた。「あれは何なんだい？　どっかの野郎にやられたのか？」

刹那、わたしは間をあけて、慎重にうなずいた。どっかの野郎が、そう。わたしは髪をかきあげ、多少とも身なりをととのえようとした。嫌な臭いがただよってきた。泣くに泣けなかった——水中で生まれたのに、どうして涙腺にわずらわされよう？　けれども、わたしは定命者が泣くのを見たことがあり、理由はわかっていた。いやらしい蟲《むし》がわたしの足首を刺しているあいだ、わたしは初めての人間とここで泥濘にしずんでいたのだ。

深い自己憐憫にひたりながら、わたしはまるでなすすべがなく、ぐじゅぐじゅと鼻をすすった。「そう。それで、わたしはどうやったら帰れるのかがわからないの」

「泣かないで……」

「この魚たちに何をしたの？」

「ぼくが？」かれは、しんじられないといった様子でいった。「釣り糸をたらしにきただけだよ。鮭が溯上《ラン》しているとき、ここで釣りをするのは最高なんだ。ハイウェイまで、この臭いがただよってきた。こんなの見たことがないよ」

「魚は走《ラン》れないわ」と、わたしはいらいらしていった。かれはどうも、わたしより魚の方に興味があるようだったから。

「そういういいかたをするんだ」と、かれはいらだちをおさえながら説明してくれた。「鮭が産卵のために、生まれた水域にもどろうと川を泳ぐことを溯行というんだよ」

「さんらん？」

「そう……卵を産んで、受精させるんだ。繁殖だよ。そのとき、魚たちは死ぬことになっているんだ」わたしはうなずいた。わたしがくらしていたところでも、定命者にはよく起こる事態だった。「こんなぐあいにはならないよ」と、かれはつづけた。「もとの水域へともどる、半ばにも至らないうちに死ぬなんて。で、この水を見て！　もっと深くて流れが早いはずだ。こんな浅瀬だから、魚は鰓呼吸ができなかったか何かで死んじゃったみたいだ。なにもかもおかしい」

かれはまだ、わたしの肩越しに死んだ魚を見つめていた。それでも、いわんとすることはわかった。わたしはかれを、あの悲惨な岩礁へと引きずり込むことはできそうになかった。わたしはいまいちど、かれの気を引くために鼻をすすった。かれの目はわたしの方へとむきなおり、むき出しになっている腕に指で軽くふれた。「ああ……かわいそうな子だ。本当にひどいな。どこに住んでいるんだい？　家まで送っていってあげるよ」

必要になるときがくるわよと姉妹が警告してくれていたように、わたしは策を練らねばならなかった。「もっと上流へいきたいわ」と、わたしはいって、自分のかしこさにうれしくなった。かれを、水の深い部分へと誘導し、そこで彼を引っかけて、この世界からわたしの世界へと連れさろうとかんがえたのだ。

「でも、このままでは帰れないわ。魚の鱗や、臭いがついてしまっているから。どこか、洗い落とせる場所をしらないかしら？」

かれは、わたしと死んだ魚の間で頭をなやませていた。姉妹のだれにも見られていないようにと願いながら、わたしは必死で胸中をさとられないようにがまんした。ただ、わが身をかえりみれば、かれの優柔不断ぶりを責めることなどできやしない。

「わかったよ」と、かれは腰をかがめて、釣り道具を片付けた。「ぴったりの場所を知ってる」

かれはわたしをトラックに乗せ、家に連れていった。

さほど遠い場所ではなく、鬱蒼とした森のなかにある小屋だった。かれの犬が飛び出してきてわたしたちを出迎え、行儀よくしっぽを振っていた。わたしの臭いをかぐと、腕のなかに飛び込んできて、うれしそうに吠え、危うくわたしは押し倒されそうになった。

「しっ!」と、わたしの定命者がいった。「エンジェル、伏せ。かのじょは、友だちだよ」。エンジェルはおおきな金色の犬で、だらしないほど相好を崩していた。犬《かのじょ》は、わたしのドレスといっしょに、地面をころげまわりたくてたまらないようだった。「伏せ!ところで、ぼくの名はマイク。マイク・テイラーだ。きみの名は?」

「ウンディーネ」もちろん、ふるさとでは個々に名はもっているけど、定命者にとってわたしたちはみな、ウンディーネ。「えぇと……ここでどうすればいいの?」

「ウンディーネか。かわいい名前だね。さあ、おいで。浴室で身体をあらって。乾いた着替えを準備しておくから。そのあとで、家まで送ってあげる。わかったかい?」

けれども、わたしをじぶんの家に連れてきたとき、かれはわたしのことを気にしていなかった。小屋は日当たりがよく、雑然としていて、犬の毛でいっぱいだった。かれに手をふって、小さな部屋に入ったら、そこは浴槽と洗面器、磁器でできたきのこのようなものがあった。こんなものは見たことがない。幸いにも、かれは、自分で「蛇口」をひねってくれた。すると、どんどん水がふき出してきた。水は澄んでおり、あまりに透明だったので、つい手をのばして水にふれ、臭いをかいでしまった。

「ごめん、うちはシャワーがなくて、このバスタブだけなんだ。ときおり、ごみでパイプがつまっちゃうから」と、かれは意味不明なことをいった。「ごみをまず流してしまわないといけない。でも、お湯はたくさん出るよ。着替えをもってくるから、ちょっとまってて。その前に電話をかけないと」

わたしは、浴槽のいちばん上まで水をいれたが、横から滝のようにこぼれおちるまえに、なんとか流れをとめた。ドレスを脱いで浴槽にはいると、風呂場の床に水があふれた。わたしは全身をしずめ、あたたかなお湯のなかで身体をあちこちに動かし、髪の毛はふたたび、さらさらになって、裸の手足にまきついた。水から耳を出すと、マイクの声が、ときおりきこえる。魚について、かれは話していた。川岸にてであった、神秘的で蠱惑的な乙女のことではなく。

死んだ魚。

「林野庁に電話してみたよ」といって、むさくるしい服をかかえながら、かれはすがたをあらわした。「魚類野生生物局にもね。それに……」わたしが浴槽から立ちあがると、かれは不意に動きを止め、目からはぼんやりとした調子がなくなった。「あっ」と、かれはもらし、「ごめん」動かなかった。わたしはしずかに鼻歌をうたい、腕をあげて首まわりの髪の毛をかきあげた。服が床に落ちた。わたしはかれの手をつかんだ。靴をはいているのも忘れて、かれは水のなかに入ってきた。水しぶきが天井にまであがり、浴槽はほとんど空になってしまったが、ふたりとも気にしなかった。

しかし、かれを連れて行くには、排水溝にながすほか、手段はなかった。

ことが終わったあと、かれはわたしの腕のなかに横たわり、魔法にかけられたかのように、満足げな様子で話していた。体勢をくずさないよう蛇口の上にびしょぬれの靴をうまく安置させねばならず、わたしを押しつぶしかねない状態だったが。とりとめもない話をしながら、わたしはこの困った状況を脱する方法をかんがえていた。

「あまり稼げないんだ」と、かれはいった。「釣具店の仕事じゃあね。でも、この場所を維持するにはそんなにお金はかからないし、トラックも仕払いは済んでいるし、ここにはエンジェルとぼくしかいないし……ぼくは、できるときにはいつでも、ハンティングや釣りをしているんだ。アウトドアが好きなんだよね」

「水」と、わたしはつぶやいた。「わたしは水がだいすきなの」

「ああ……だから、魚の件は本当にムカつくんだ。政治がぜんぶ悪いんだと、魚類野生生物局がおしえてくれたんだよ。いつもは下流にながれてくるはずの水が、五〇マイル上流で流れを変えられたんだ……信じられるかい？　サスキル谷の農作物に水をやるためにね。今年の夏は日照りにみまわれた。作物が枯れるか、魚が死ぬか、あなた次第ってなもんだ。ま、魚はそれを選べないんだけどね」かれはそわそわしはじめた。もうそろそろ我にかえって、自分がズボンを下ろして靴をはいたまま、浴槽のなかに見知らぬ相手と横になっているのに気づくころだろう。

わたしはかれにキスをして、かれの緊張がほぐれるのをかんじた。かれはふたたび、夢見るような調子で話をはじめた。「すぐに帰らなくてもいいんだよね？　あとで、送ってあげるよ。焚火をしてハンバーガーをグリルしたり、月明かりの下で泳いだり……」

「月明かりの下で泳ぐの、いいわね」

「ああ、ただ、いずれにせよ、このあたりの川には、泳ぐのにじゅうぶんな水が残っているとは思えない」かれはまた、くよくよと悩みはじめたようだった。と、わたしの魅了の呪文を破るかのように、けたたましい吠え声がかれの注意をひき、身体がまたこわばった。蛇口に乗せていた靴を下ろし、体勢を立て直そうと、ぎこちなくまごついてわたしを押しやった。

「ごめんね、ベイビー。出ないと。たぶんサムだよ。エンジェルはいつも、こういうことをまっさきに嗅ぎつけるんだ」

かれは魚の話を再開するため、浴槽を出ていってしまい、わずかな水たまりにわたしはとりのこされた。

夜が明けるまで、わたしが目にした水はそれがぜんぶだった。まだ暗いうちに、別のかん高い声で目がさめた。自分がどこにいるのか思い出せない。なにか湿っぽいものが、わたしのほおを突っついて、暗闇のなかではあはあと荒い息をたてていた。マイクが明かりをつけると、エンジェルが眼前数インチのところにいて、わたしの顔をなめていた。

「げえっ」こんなはずじゃなかったと泣きたくなって、わたしはまた金切り声をあげた。

「起こしてごめんね、ベイビー。もう行くんだよ」。マイクはシャツを頭からかぶり、頼もしげな様子で、また外にとびだした。

「いっしょに来てくれるかい？」

「水はあるの？」

「もちろんだとも」

一時間後、わたしは死んだ魚のところへ戻り、マイクの服を来て、「だいじな自然を守れ」という「プラカード」を手にして、川岸に立つこととなっていた。まわりには、むずかしい顔をしたへんてこりんな人間たちが他にもたくさんいて、バッジをつけている者もいれば、〈ＫＸＯＸニュース・チーム〉と書かれたおおきなトラックから、肩にのせた片目の怪物を通して私たちを見ている者もいた。

マイクはわたしに、約束しつづけている。近いうち、そう、もうすぐ、わたしたちはでかけて、月明かりの下で泳ぐか、日当たりがよく、とても深い湖を見つけ、いっしょに泳いで、たがいの腕をからみあわせ、キスをして、息が泡のように後ろへただよい、定命者の愛の限界をこえて泳ぐつもり。すぐにでも。だけど、その魔法の場所へと向かう途中、トラックはとつぜん方向を変え、虹色に染まってどぶのような臭いのする川へと向かう。あるいは、湖を見つけても、岸辺には「ここで泳ぐのは危険です」という警告が書かれた看板が設置されている。そして、かれはサムやカイルやヴァネッサと何時間も電話で話し、明け方にわたしを起こして、プラカードをもってぐるっと行進することになる。まだ、希望をすてたわけじゃない。だって、他になにができるというの？

この人間といっしょにいるのは、すてきなことだけど、わたしが生まれた光がさしこめる水のなかへと泳いでこの男を連れて帰る前に、このままでは、水から出た魚みたいに、わたしの方が定命者の生《ライフタイム》のなかで座礁してしまう羽目になるのではないかしら。そう、心配になりはじめている。

note◆（原文より）

オレゴン州では、家のほぼすべての窓から水が見えます。湾のすぐ近くに住んでいるので、書斎の窓からは、遠くに森に覆われた小山がある湖のように見えます。湾は、潮が引くと干潟になり、靄が立ち込めれば境界のない霧がかかった神秘的な水域になり、嵐の後には、くっきりとした壮麗な虹が広範囲にあらわれ、あれこれ速さや向きの変わる風によって色合いが変遷するなど、常に変化しています。人魚やケルピーやウンディーネは、きっとそんな海に住んでいるのでしょう。

だからこそ、この物語のために人魚がわたしの頭の中に現れたのかもしれません。ウンディーネの故郷として描いた水中は、ラファエル前派の緻密きわまりないロマンティックな絵画から着想を得ました。ウンディーネが浮上して現れたのはオレゴン州の川で、産卵のため故郷に帰ろうとした大量の鮭の死骸が発見され、全国ニュースになった場所です。私のウンディーネも生まれ故郷の水中に戻ろうとしているものの、はたして鮭よりも幸運なのか、その疑問は解決されないままになっています。

妖精写真に関する映像を探して

●文＝深泰勉

コティングリー村の妖精写真に関する事件は、一九七〇年代にＴＶや雑誌、研究団体の様々な取材や検証を経て、一九八三年に撮影者の一人エルシー・ライトがあの写真がフェイクだったことを認めたことで一旦の終止符を打ちました。このあたりの経緯は様々な研究書で紹介されていますが、ここでは改めてテレビなどの映像に二人が登場した記録を中心に、動く映像としてのコティングリー妖精事件を追いかけてみます。

二人がメディアに再登場し始めるきっかけとなったのは、一九六六年にデイリー・エクスプレスの記者ピーター・チェンバースがエルシーの住所を見つけて取材した事でした。その時に彼は、エルシーの、自分の想像力が妖精写真を生んだかもしれない、といった言葉を引用しています。その言葉には、妖精写真が撮影された数年前に日本で行われた福来博士の千里眼実験などの「念写」や心霊写真といった有り得ない写真のイメージも重なったかもしれません。あの写真に写ったのは実在の妖精ではなく、少女の想像力が写真に写ったのかもしれないという夢も残した表現にもなりましたが、実物の妖精ではないトリック写真というニュアンスも持ちました。そしてその数年後にテレビが二人を追いかけ始めることになります。

最初の映像取材は一九七一年、ＢＢＣテレビジョンの看板番組『Nationwide』のエルシーへのインタビューでした。タイミングとしてはコティングリー事件の中心人物の一人、エドワード・L・ガードナーが一九六九年に亡くなった直後で、今なら遠慮なくあの写真がフェイクだと答えるのではないかという取材意図がありありと見えます。この時エルシーは十日に渡って取材を受けましたが、写真を偽造して世間を騙したことは否定しました。

その次は一九七六年秋に、ヨークシャーテレビでジャーナリストのオースティン・ミッチェルが妖精写真を撮影したとされる場所でエルシーとフランシスの二人にインタビューしています。この時は厚紙を切り抜いて作った妖精の絵を紐で固定して撮影したことを前提にした質問が中心だったようです。よく引き合いに出される「合理的な人間には妖精は見えません」は、オースティンが質問の前提として発した言葉ですが、二人はその前提を認めた上で、トリックではないと答えています。

その後、一九八二年からBritish Journal of Photography の研究家ジェフリー・クロウリーがコティングリー写真の原板を調査して偽物という結果を発表するなど、次第に外堀が埋められていき、一九八三年のＢＢＣ『Nationwide』のエルシーの告白へと繋がっていきます。それはエルシーが亡くなる五年前にあたります。実際に放送されたニュース映像そのものは確認できませんでしたが、ＢＢＣのアーカイブサイトでは、彼女が「当時、女性たちはすごく大きなピンホイールの帽子をかぶって、ご存知ですよね、大きなクラウンがついていて、ハットピンがこんなに長かったんです。」と説明し、その帽子の流行が無ければ、コティングリーの妖精はいなかったかもしれないと語った事を掲載しています。その後、エルシーはヨークシャー・ポストに妖精写真は偽物で、絵をハットピンで留めたものと認める手紙を出していますが、フランシスは、いくつかはフェイクだけど、いくつかは本物の妖精が写っていると主張を続けたとも書いています。

今、ＤＶＤで確認できる二人の生の言葉としては、一九八五年にヨークシャー・テレビジョンが制作した『Arthur C. Clarke's World of Strange Powers』の第六回「Fairies, Phantoms and Fantastic Photographs」がもっとも整理されたものと思われます。この頃のアーサー・C・クラークは、スリランカに住みながら、自らの名前を看板にしたオカルト番組のホストを数多く努めていました。これらの番組のパターンは、あちこちからテーマ毎に不思議な事件に関するニュースやＴＶの映像を集め、編集・再構成して解説し、冒頭と終わりにクラークが短いコメントをつけるという形式です。この回は念写のテッド・シリアスや各種の心霊写真と並んで、コティングリーの妖精写真を最も有名な写真として取り上げています。

妖精写真のコーナーは八分程。冒頭はコティングリーを訪れたフランシスと娘のクリスティンの映像から始まり、部屋で一人語るエルシーの映像を挟んで、ドイルのストランド・マガジンの記事や新聞等の見出しなど当時の反響を解説するところから始まります。その後は原板解析を行ったジェフリー・クロウリーが、撮影に使ったカメラのレンズではこんなにシャープな映像はとれず、レタッチされたはずと結論付けたことを解説する談話を映像で紹介しています。一九七六年のヨークシャーテレビのエルシーとフランシスへのインタビューもごく一部見ることができます。コーナーの後半はインタビューに熱心に答えるフランシスと、書斎のような部屋で妖精の絵とハットピンを持ってどうやって写真をとったかを一人説明する、どこか悲しげで疲れた表情のエルシーを交互にカットバックしながら終わります。クラークは、大人の主張と同じ様に無垢な子どもたちの主張にも慎重になるべき、というドライな言葉でこのコーナーをまとめていますが、最後のシーンは、写真はフェイクだけどあの庭には写真とは違う妖精がいたのよ、と力説するフランシスの切実な表情で締め括られているのが今見ると印象的です。この番組が放送された翌年の七月にはフランシスは亡くなるのですから。

『Arthur C. Clarke's World of Strange Powers』は残念ながら、それぞれの映像がどこから引用されているのかの記載がほぼ無く、エルシーの映像はその内容から『Nationwide』からの引用ではないかとも思われますが確認はできませんでした。それにフランシスの新撮インタビュー映像を加えて再構成したものと推測しますが確証はありません。それでもエルシーとフランシスの、告白後の生の言葉を聞きたい人にとっては貴重な映像です。ただ、これ以前の映像も含めて二人が話す様子をもっと長く収録できなかったものかとも思います。ＢＢＣとヨークシャー・テレビジョンのライブラリには放送に使われた映像は残っていたでしょうから。

これ以降も、コティングリーの妖精たちは様々なオカルト系ＴＶ番組や映画、ドラマのアイデアソースに取り上げられています。最近では二〇〇九年一月に放送されたＢＢＣのAntiques Road show : Series 31 Episode 17で、フランシスの娘のクリスティン・リンチがインタビューで五枚目の妖精写真は本物だとにこやかに語る模様が放送されています。母から引き継いだ話を熱心に語るクリスティンの雰囲気がフランシスにとても良く似ていて、初見の時にはフランシスの見知らぬ映像かと焦ってインタビューの日付を再確認したくらいです。インタビューの雰囲気はフレンドリーで、かつてのエルシーやフランシスへのインタビューもこうあってほしかったと思えるくらいに和やかなものでした。五枚の妖精写真の中で少なくとも四枚までが、その撮影方法も含めてフェイクとわかっているにも関わらず今も人気が高いのは、その写真が可愛い妖精と少女の写真であるから、ということもありますが、我々の視界では見えない妖精の世界が実在することが、霊界や死後の世界の存在の可能性という夢ともつながるから、という理由もあります。十九世紀末ロンドンでは交霊術実験が散々にイカサマを暴かれて下火になった後の次なるフロンティアでもあったはずです。第一次世界大戦で身内を失った喪失感を少しでも埋めるものが必要だった時代でもあったからです。そして二十一世紀に入って改めてコティングリーの妖精が人々を惹きつけるのは、今も一九二〇年頃と同様に妖精写真が求められる理由があるのでしょう。

異界を求めるという意味では、日本の江戸時代後期に平《ひら》田《た》篤胤《あつたね》が古神道成立＝神霊の存在の根拠として、実在する異世界＝天狗小僧寅吉が連れ去られた仙境を熱心に追いかけたことにも似ています。既に『霊能真柱《たまのみはしら》』を上梓し幽冥界の実在論を主張していたとは言え、私塾「気吹舎《いぶきのや》」に多くの門弟を抱えてる大国学者だった篤胤が、浅草観音堂前に現れ天狗に拐われて異界に行って帰ってきたという寅吉を囲って委細漏らさず取材した『仙境異聞』を執筆したのは、真贋よりもまず記録し異界が存在する証拠を固めようとする姿勢があります。もちろんこの事件以前にも、三次《みよし》で起こった妖怪との邂逅記録として、自らが校訂して平田版『稲生物怪録《いのうもののけろく》』を刊行していたわけで、異界の実在に触れるものは記録し宣伝してしまう彼の姿勢にぶれはありません。平田篤胤の異界を希求するという次元ではコナン・ドイルの行動と重なって見えてくるのです。寅吉の仙道の師匠であった神仙・杉山僧正の似顔絵を描かせて家宝としたという篤胤のこと、もし仙界の住人が写真という新技術で記録されていたなら、一も二もなく飛びついたでしょう。ただし、篤胤にとって大事なのは、神道と祖霊信仰解釈において異界がなければならず、最初のとば口となった異界が寅吉の仙境であったということで、その先にある幽冥界こそが本命だったという二重構造が、妖精郷を評価するドイルにもあったのではと考えています。求めるものは神界と霊界という大きな違いはあるのですが。

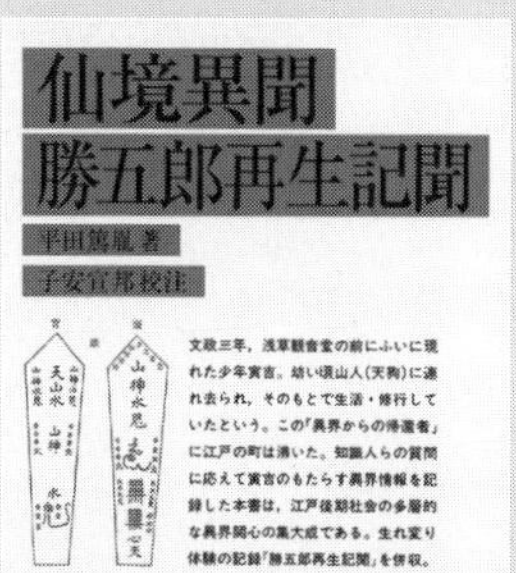

当時のイギリス心霊主義も妖精郷を必要としていたとは思いますが、エルシーの告白後にフランシスが熱心に語る様子を見てしまうと、彼女こそ妖精の実在が切実な事だった人物に思えてきます。そもそもコティングリーの庭で妖精を見たのは、彼女だったのですから。彼女の言葉こそが、妖精の命をつなぐものだったのは間違いありません。

さて、妖精写真を巡る映像として、コティングリーの妖精写真に触発されて作られたイギリス映画『大人のための残酷童話　妖精写真』（一九九七）についても触れておきます。コティングリー妖精事件をテーマにした映画では同年の『フェアリー・テイル　FAIRY TALE: A TRUE STORY』が有名ですが、こちらの映画にもアプローチとして興味深い点があるためです。原作は一九九二年にアメリカの小説家スティーヴ・シラジーが発表したデビュー作『妖精写真』（原題「Photographing Fairies」）。日本では早川書房から一九九四年に宇佐川晶子訳で出版されています。

原作では流行らない写真館の主に甘んじる男チャールズ・P・キャッスル（映画ではカッスル表記）が知られざるもう一つの妖精写真に出会った物語が、死刑囚となった彼の独白として描かれます。彼は肖像画家を目指してアメリカからロンドンに渡ったけれど、現代アートに馴染めず写真術に移った人物と設定されています。コナン・ドイルとちょっとしたトラブルを持っていた彼のところに、一枚の奇妙な写真が持ち込まれた事で物語が動き始めます。キャッスルが出会ったのは妖精写真。そこに写っているのは、今風に言えばハレーションかオーヴ＝埃やレンズ汚れを原因にした光の乱反射にも見えるもの、ですが、その写真の鑑定をした彼は、あろうことかその中に妖精の姿が「見えて」しまいます。コティングリーの写真をフェイクと知りながら自説のために利用しようとするコナン・ドイルの鼻を明かして自らが「本物の妖精写真を見つけた」名士となるべく妖精の現れる庭を訪れた彼は、食べると妖精が見えるようになる花の秘密を知り、自分も妖精を見られるようになりながら、小さな妖精郷に取り憑かれたように破滅に向かっていく物語です。

映画では人物配置やその役割を大きくいじっており、写真家カッスルを、ガードナーによる妖精写真の講演会に乗り込んで後のジェフリー・クロウリーばりに写真のイカサマを暴き立てる大立ち回りをする男として描きながら（その後に自分の写真館の宣伝をしてまわる姑息さも演出しますが）、実は愛する妻を結婚式直後に事故で無くし、心の空白に思い悩む側面を持たせることで、彼自身にも妖精を求める＝亡くしてしまった妻にもう一度会いたいという思いを持つという影をもたせます。それは息子や妻を失って彼らにもう一度会いたいと考えていたはずの当時のコナン・ドイルと同じ側面を持たせる事でもあり、最終的に妖精を求めることが彼の魂の救済につながる物語とすることで、何故妖精の実在が必要なのかという意味を描くという方向に大きくシフトさせています。

もう一つ、この作品の鍵になるのは、本職の写真家が自ら妖精写真を撮ろうとすること。カッスルは最初に手にいれた妖精写真の真贋を確認するために、大判に拡大して写真を焼き、写真のあちこちを吟味していくのですが、少女の瞳にも妖精の光が写り込んでいるのを見て実在を確信するといった映画的な描写が、もう一つの妖精写真の物語にリアリティを与えています。そして彼がロンドンからたった数時間の村で出会う妖精は、服もアクセサリーもつけちゃいない、羽根のあるヒトガタでありながら人間的に描かないことに徹してデザインしている事もこの作品を特殊な作品にしています（原作では妖精の一種として子鬼も出てきます。少女に潰されてしまいますが）。そしてカッスルはその庭の妖精を撮影するために高速の連続撮影を可能にしたカメラ数台でシステムを組み上げ、さらには原作同様に食べれば妖精が見える秘密の花も手に入れて、自らが妖精を見ながら撮影する事で不明瞭ながら妖精の影が写った写真撮影に成功します。映画ではその花の効果は明確に幻覚剤のように演出されています。ホラー映画好きならスチュアート・ゴードン監督のクトゥルー神話系ホラー『フロム・ビヨンド』で描かれる、我々の世界と重なって存在する邪神の世界

のような、といえば伝わるでしょうか。妖精や霊の世界は我々の日常と重なりつつ、何かのきっかけがないと見えない世界として描かれており、その世界につながる契機となる花は、彼にとっては今自分がいる現実を亡き妻のいる冥土につなげる希望の花でもありました。その描写はさながらＬＳＤによる幻視を思わせるため、ニューエイジ的オカルトのニュアンスも見て取れます。

登場する妖精のデザインは、羽根のついた光るヒトガタではありますが、コティングリーでフランシスがあの庭に写真とは別のものがいたと語った妖精像にもつながります。絵に書いたような美しい妖精もいますが、見目の良くない妖精も多数いて、全てが全裸で宙を舞う映像は美しくも異様です。この異様な妖精像をデザインしたのはオーストラリア出身の造形家、ロン・ミュエク。『ドリームチャイルド』でグリフォンを演じ、『ジム・ヘンソンのストーリーテラー』『ラビリンス／魔王の迷宮』でパペットやクリーチャーデザインを担当した後イギリスに移って、現在はハイパーリアリズムの造形家としてアーティスト活動を行っています。本作の妖精もパペットの可愛さと不気味なクリーチャーの境界線で造形されてロンの手腕が生かされた形となっていて見事です。気になる人はRon Mueck の名前で彼の作品を検索してみてください。ちょっと嫌な気分になるかもしれませんが。

本作の描写で気になる点としては、主人公のカッスルが当初懐疑主義的であった時にドイルやガードナーと出会った際の二人の描き方が好意的なものではないため、コティングリー事件好きの方にはひっかかるところがあるかもしれない事。しかし最後に彼は、身近な日常的幸福よりも異界を受け入れてドイル達の更に先に進んでしまう物語でもあります。もう一つの存在しなかった妖精写真の物語として魅力的に仕上がっています。俳優もスタッフもイギリスのＴＶ畑で活躍するメンバーを中心にしており、妻と娘たちが日常的に見ている妖精を肯定しようとしないテンプルトン牧師を演じたベン・キングズレー(『ガンジー』(一九八二)でアカデミー主演男優賞受賞)以外の大物役者は出ていない小規模な作品ではありますが、日本ではなかなか見る機会がないのが残念な佳品です。

最後に、最新の映画として『The Curious Case of the Cottingley Fairies』という映画の制作が動いているというニュースをお伝えしておきます。ドキュメンタリーを主戦場にする映画作家のブロック・デシェインが製作・監督を務める作品です。撮影は既に終了しているようですが、ドキュメンタリーと銘打ちながら二〇一九年にはコロラドのレイクウッドスタジオでエルシーが妖精を撮影するシーンの撮影が行われるなど、第一次大戦終了直後にこの写真がもたらしたものを再現する方向のようです。当初は二〇二〇年公開予定でしたが、残念ながら今年公開を目指して製作中のままになっています。現状はFacebookのオフィシャル・ページ(https://www.facebook.com/CottingleyFairies/)にある断片的な情報しかありませんが、何故か出演者にＩＬＭの重鎮にしてＳＦＸアーティストのデニス・ミューレンの名前があると聞けば、その映像に期待せざるを得ません。もちろん彼がＳＦＸのスタッフとクレジットされているわけではありませんし、ＩＬＭが特撮担当するわけでもない小バジェットの映画のようですが、どんな映像をみせてくれるのか完成を楽しみに待っています。

現代人の背中を押す、「妖精を見た」少女の物語
――The Cottingley Secret

●文＝富田実加子

「人には見えないものが自分にだけ見える」という状況に、誰でも一度は憧れたことがあるのではないだろうか？

私は紛れもなくその一人であり、小学生の頃、エミール・シェラザード氏の『妖精さんタロット占い』にはまり、黄昏時に自宅の庭に出ては、目を凝らして植栽の影に妖精が見えないかと、期待を膨らませていたものである。結局私には何も見えなかったのだが、その時からかファンタジーなどで登場する「見える人」への憧れは強くなっていった。

その「見える人」の視点から実体験を丁寧に描き出し、現代を舞台としたフィクションと織り交ぜながら美しいストーリーに昇華させたのが、「コティングリー妖精事件」を題材とした The Cottingley Secret という小説である。「コティングリー妖精事件」を調査している最中に、ちょうど事件から百周年である二〇一七年にこの本が出版されることを知り、発売と同時に購入し読み始めた。

著者は、米国や英国、アイルランドで数々の文学賞の受賞歴を誇り The New York Times 紙のベストセラー作家に選ばれる実力派、ヘイゼル・ゲイナー氏。ヨークシャー州出身の彼女は子供の頃から「コティングリー妖精事件」に興味を抱いており、いつかはこの事件について書いてみたいと思いつつも、様々な偶然が重なりこのタイミングで実現することになったという。

【あらすじ】

オリヴィア・カヴァナフはアイルランドの小さな港町にある祖父の古書店を相続し、そこでイギリス中が妖精熱に浮かされた、かの有名な「コティングリー妖精事件」の真実が綴られた資料の数々に出会う。渦中の少女の一人、フランシス・グリフィスによる手記を辿りながら、オリヴィアはその物語と自身の歴史との関わりを知り始める。

主人公オリヴィアが生きる二〇一七年のパートと、フランシスの手記による一九一七年のパートが交互に描かれているのだが、まず驚くのは「コティングリー妖精事件」にまつわるフランシスの手記の緻密さである。それもそのはず、ゲイナー氏の過去作品、The Girl Who Came Home: A Novel of the Titanic や The Girl from the Savoy は紛れもない歴史小説であり、史実を現代の言葉で再現するのは彼女のお得意技なのだ。ゲイナー氏は、今回の The Cottingley Secret においても、フランシスの回想録のパートの忠実さにはこだわったと、後のインタビューの機会で語ってくれた。執筆にあたり綿密な情報収集を行ったようで、まずはフランシスの手記を入手し読み込み、フランシスの娘クリスティン・リンチ氏と面会、さらには関連資料を多数保管するリーズ大学のブラザートン図書館に二日間もこもって当時の書簡全てを読み込んだという。だからこそ、事実を忠実に描き出すだけでなく、当時のフランシスの想いをのせて、まるで読者がフランシスに乗り移ったかのように臨場感を持って再現することができたのだ。ブラザートン図書館の書簡を読んだ私にとっても、違和感なしに、まるで書簡の続きを読んでいるかのような気分になれたのは、きっとそのせいであろう。

さらに、今回の作品での試みとして批評家たちからも称賛されている点は、一九一七年の「コティングリー妖精事件」の事実と、二〇一七年に生きる主人公のフィクションの物語を上手く調和させたことである。主人公オリヴィアはロンドン在住の三十五歳の女性で、亡き祖父の古書店を整理するため一時的にアイルランドへやって来たことをきっかけに、自分の古書店を経営する夢と、結婚や仕事の現実との狭間で心が揺れ動くことになる。夢と現実で悩むアラサー女性ならではの心のモヤモヤ感の描写はもちろん素晴らしいが、それだけでなく、その悩める大人のあらゆる事情を、コティングリーの妖精の物語が絡めとっていく構成は非常に見事である。フランシスのエピソードが進行していくほど、まるで妖精の魔法の力が現代に行き渡っていくかのように、次第にオリヴィアたちは自分たちらしさを取り戻していき、心の赴くままに自由な生き方を選んでいく。多忙な日常に疲弊した現代人の背中を押してくれるような、なんともハッピーな物語に仕上がっているのだ。最後には、なぜオリヴィアが「コティングリー妖精事件」に心を捕らわれるのか、きちんと伏線回収もなされている。

全体的に平易な英語で表現されているため、学校の推薦図書にもなっている本作。「コティングリー妖精事件」に関わる部分は史実に則しているため、研究者が読んでも納得のいく内容であろうし、子供はもちろん、妖精に興味のない人でも抵抗感なく没入できるだろう。邦訳版はまだ企画されていないようだが、「コティングリー妖精事件」は過去に日本のテレビ番組でも特集されたことがあるので、日本においても興味を持つ人は多いはず。近いうちにぜひ邦訳版も刊行されることを期待したい。

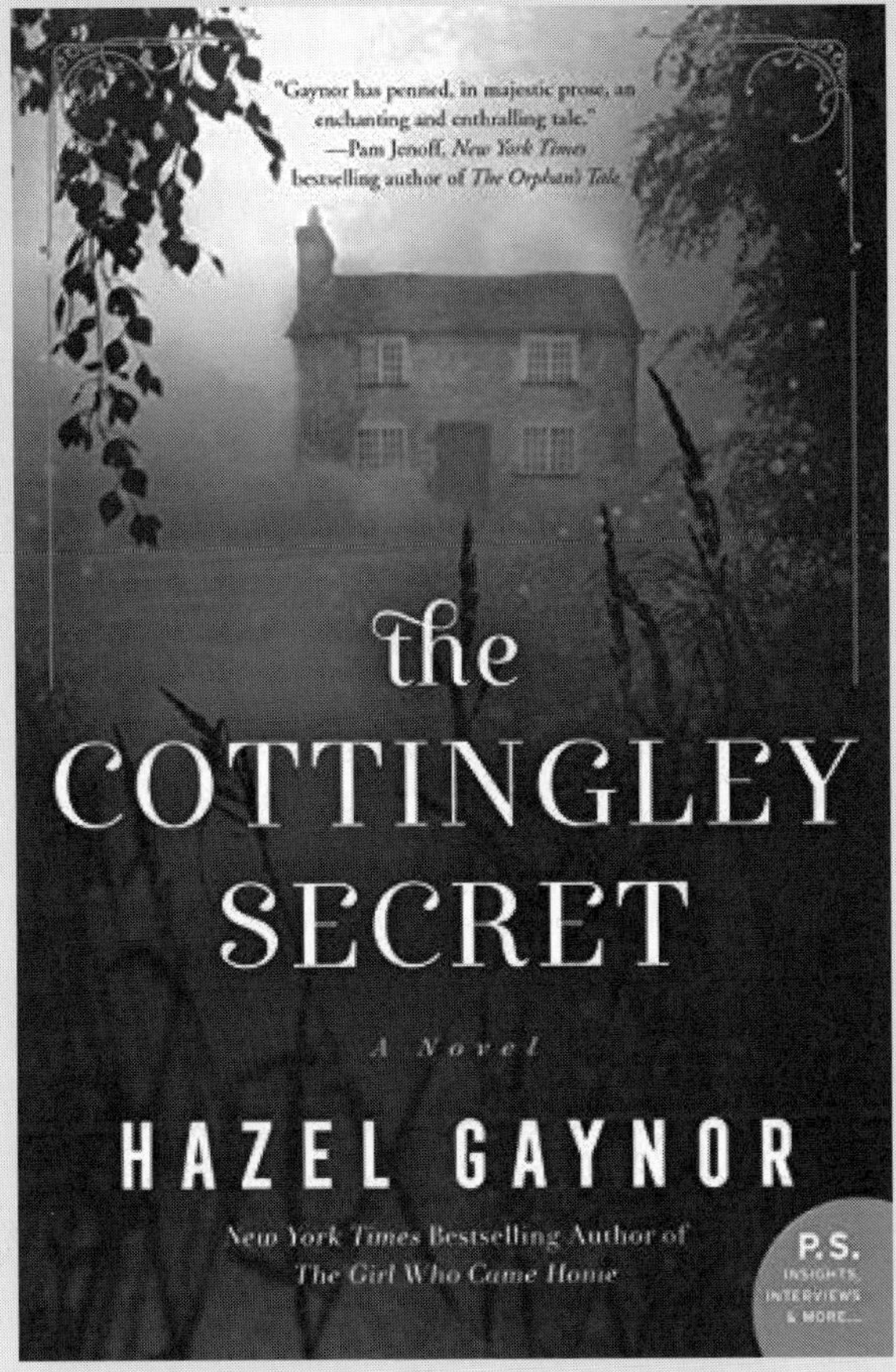

ハードカバー版（上）と、ペーパーバック版（下）

鈍色の研究

◉フーゴ・ハル

訳／奥谷道草

コティングリー妖精事件の真相を、かの世界一有名な諮問探偵が究明に乗り出したとしたら？

ありそうでなかった、そんな夢のコラボレーションが実現していました！

著者のフーゴ・ハル氏は、ダダイストのフーゴ・バルによく似た名をもつ国籍不明の怪紳士。「ナイトランド・クォータリー」Vol.21では、「失物之城ピレネーの魔城・異聞」が翻訳掲載されました。風の噂では、ドイツ年間ゲーム大賞受賞作『シャーロック・ホームズ10の怪事件』（グレイディ、ゴールドバーグ、エドワーズ著）の日本語版（二見書房、邦訳一九八五）に関わり、日本シャーロック・ホームズ大賞を受賞。クトゥルー神話にも親炙し、最近では「ヨグ・ソトースの飛沫」を『ゲームブック　クトゥルー短篇集2　暗黒詩篇』（FT書房、二〇二〇）に寄せています。また、「Role&Roll」でも長らく各種パズルを連載と、八面六臂の活躍を見せています。

訳者の奥谷道草氏も、「失物之城」に引き続いての登場。本業（？）は、「散歩の達人」二〇二一年七月号での第二特集「東京台湾散歩」を担当した散歩ライターなのですが、今回は、ホームズの「正典《カノン》」から外れた「語られざる事件」を私たちに伝えてくれます。（晃）

"A Study in Dull" by Hugo Hall
Translated from *The Untold Tales* by Michikusa Okutani

イラストレーション原案：シドニー・パジェット

ベイカー街221Bの居間で、シャーロック・ホームズの謎解きが始まった。

「それでは君は、あの妖精写真は贋作だと断言するのだね」

ワトスン博士が憮然とした顔つきで暖炉の前に立つホームズに目をむける。

椅子に腰掛ける博士の膝には本が一冊乗っている。ホームズは『妖精の到来』とあるその本の表紙を一瞥すると、さとすようにワトスンに語りかけた。

「妖精の一件が世に広まったのは、ストランド・マガジンに写真が掲載された事に始まる。あれは大衆向けの娯楽雑誌だ。妖精の実在を真摯に公表する場として、いささか違和感はないかね？タイムズ紙や権威ある科学専門誌なり、しかるべき場に公開して判断を仰ぐべきだ」

「著者のドイル氏は、ストランド・マガジンで多くの作品を発表しているこの雑誌の重鎮だ。企画を持ち込みやすかったのだろう。それに妖精の実在を大衆に広く知らしめるという意味では、悪い選択ではないと思うよ。最初に掲載したのがクリスマスの時期なのも巧みさ。世のしがらみから離れて、聖なる神に思いをはせる時期だからね。未知の存在の話にも耳を傾けやすくなるというものさ」

ワトスン博士はそう答え、得意げに真新しい本の一部を朗読する。

「『もしわれわれとは別の生命体の理法が存在し彼らも地球上でわれわれと同じ恩恵を共有しているのだと理解したなら、こうした絶えることのない謎を解くことができるであろう。これらは少なくとも、森の静けさやムーア地帯の手つかずの自然に、さらなる魅力を加えるような興味深い思索なのである』どうだい、僕は妖精の実在を探る意義はまさにここにあると思う」

「関係者の郷土愛と妖精への熱意は本物だ。その点だけは買うよ」

ホームズのにぶい反応にお構いなく、博士は話し続ける。

「約百年前、我らがイギリス帝国から始まった産業革命は、またたくまに世界を席巻し、各地の文明文化は飛躍的発展を遂げていった……。それにともない科学、地理、芸術、様々な分野で驚異的発見や発明がもたらされ、我々は今もその最中にいる。理性を持って新しい世界の扉を開け、対峙していくのは、二十世紀を生きる我々文明人の取るべき道さ。たとえその扉の向こうで待ち受けているものが常識とかけ離れていたとしても恐れることはない。かつて君も言ったじゃないか、『不可能を消去して、最後に残ったものが如何に奇妙なことであっても、それが真実となる』けだし名言だよ」

博士は雑誌をめくり、ページいっぱいに掲載された妖精と戯れる少女の写真を掲げる。

「見たまえ！　架空の存在と思われていた妖精が、写真術によって、ついに現実の光の下に引き出されたのだ。写真そのものに加工された跡のないことは複数の専門家が証言している。そもそも撮影したのは少女たちで、高度な写真技術は持ち合わせていない。妖精の実在を疑う余地はないじゃないか。なのに君は……」

ホームズが博士へ拍手を送る。

「ブラボー、ワトスン君、名演説だ。ではまずお訊きしよう。君はカメラが風景や人物を写し取る原理を理解して再現できるかね」

「それは、感光板とレンズがだね……」

「すっかり生活に溶けんできた電話の原理は？　なぜ遠距離の相手と会話できるのだね。自動車が馬を必要とせずに走る原理は？」

「私は医者だ。専門外の事はうまく説明できないが、そういった事は科学的論理的にだね……」

ホームズは天井を見上げて大仰に答える。

「は！　科学的だって？　科学の目の敵《かたき》にされている魔法も立派な論理体系を持っているぞ。偉大なる物理学者ニュートンは錬金術にも精通していた。我々を含めてたいがいの人は、科学のもたらした恩恵にあずかってはいるものの、原理までは知らないし、知る気もしない。もしもある分野でこっそり魔術が使われていても、気づかないことだろう……。

現代ほど自然を加工した、理解の範疇を超えた数々の力に囲まれ暮らしているマジカルな時代はない。中世とどれだけ違いがあるのか？

そして今回の一件は、科学のもたらした現実と魔術の狭間に起きた、現代らしい怪事件だと言えるね。コティングリーの妖精の写真に関わった多くの人達は、誰もが肝心のことを見落としている。疑問視している意見も含めてだ」

「そんなことはありえんよホームズ」

「僕はかつてこうも言ったはずだ『明白な事実ほど、誤られやすいものはないよ』と」

ホームズは『妖精の到来』を受け取ると、妖精の写真のページを開いて博士の顔の前に差し出した。

「よく見てみたまえ、この写真には技術的な問題をうんぬん言う以前に、あきらかにおかしな点がある」

困惑して首を傾げるワトスン博士に、ホームズは静かに告げた。

「妖精達は、なぜ衣装を身につけているのかね？」

＊　＊　＊

「それのどこが問題なんだホームズ？」

「これが絵画であれば一向にかまわない。だが写真に映った現実が問われるとなれば別だ」

ホームズはそういうと立ったまま本をめくりはじめ、お目当てのページを探り当てる。

「ドイル氏は写真の紹介文に『これは妖精たちが、生活のなかで使う種々の道具や日用品を、何から何までそろえているということを示してはいないだろうか。衣服などはまったく実際的である』と記しているね。そうだろうか？

写真の中で妖精達の着ている衣装は、それほど実際的なものなのか？　生やした羽根のことを考慮すれば、背中の部分がかなり邪魔なはずだよ。そもそも自然の中で暮らす、人間社会の圏外にいる妖精が、衣類を身につけて身体を隠す必要があるのだろうか？

僕はドイル氏とその仲間が、妖精が服をまとっている意味を、軽くみているように思える」

ふたたび本をめくり、

「氏が信奉する神智学によれば、妖精が人間の形をするのはつかの間のことで、それとわかる有機的な組織は持ってないというじゃないか。氏の共同研究者で神智学の専門家ガードナー氏による解説だ。本の後半に集録された研究ノートに納められている」

ワトスン博士がおもしろそうに、

「知らぬ間に本を読み込んでいるじゃないか、ホームズ。しかし君の指摘する箇所には、妖精の姿が、目撃する人間の想念の影響を受けて、人の形をとっている可能性も述べられている」

「思念の影響を受けるとしても、細かな服装にいたるまで影響が及んでいるというのかい？」

何か言いかけようとする博士をホームズはさえぎり、

「君が先程朗読した一節に、ドイル氏が『われわれとは別の生命体の理法が存在し彼らも地球上でわれわれと同じ恩恵を共有している』と述べている箇所があるね。重ねて考えてみたまえ。別の理法を持つ生命体の、つかの間の姿である妖精が、人間そっくりの衣装を身につける時間も必然性もないよ」

「……衣装に見えるものは、周囲に漂うガスのようなものかもしれない」

ワトスンがなおも食い下がる。

ホームズは言葉をつぐみ、机の上から天眼鏡を持ち出してきた。それで写真の掲載されたページを、一ページずつ仔細に検《あらた》めて告げる。

「では妖精たちの衣服をよく見てみよう……。

まず少女に花をさしだしている妖精はきわめて現代的なドレス姿だ、体に沿ってすらりとしたシンプルなスタイルは、ポール・ポワレ氏のデザインを彷彿させる。コルセットなどの補強はなし……。

次に四人の妖精が戯れている写真……こちらもコルセットはないが、胸の下で締め、裾に向かってゆるやかに広がったシュミーズ・ドレス、ナポレオン時代のエンパイヤ・スタイルか……。

一方ノームはあきらかに襞襟を着けている……これは、人間の世界で十六〜十七世紀のヨーロッパで流行ったものにそっくりだ。タイツにとんがり帽子までつけて、道化師のようだね。

少女の前に浮遊する妖精はタイツ姿でバレリーナの出で立ちに見える。最後の半透明の妖精はやはりシュミーズ・ドレスのように思えるが、判別がつかない……。

ワトスン君、周囲に漂うガスのような曖昧なものではないようだぞ、ふふ。

写真の妖精の装いが、人間とはまるで異っていたり、一糸まとわぬ姿で光り輝いてでもいたら、僕も信憑性について、もう少し真剣に吟味したことだろう……」

ワトスン博士が不満げに腕組みして、深く椅子に座り込んだ。

ホームズが話し続ける。

「衣類は、人間が発明した特有の道具といえる。防寒や身体の保護から始まり、性別、年齢、地位、など複雑な要素が織り込まれていった。そもそも他のほ乳類のように全身毛で覆われていないからこそ必要になったわけで、衣類は生理的にも重要な、造られた皮膚なのだ。

地上には人類以外、衣類を身につけている生物は存在しない。だから絵画や絵本では動物に服を着せるだけで擬人化までできてしまう……。

伝説上の妖精がしばしば服をまとっているのは、人間と同等の理性ある存在であることを強調する意味合いもあるのだろう。

話はずれるが、アフリカの黒人が、奴隷として売買され、人間以下の悲惨な扱いを受けたのも、気候風土の影響で裸に近い状態で過ごしていた点も影響していたと僕は思う。ヨーロッパの人間から見れば、黒人はろくに衣服も身につけない動物に近い存在だから、相応に扱えばいいというわけだ」

「私から見れば思い上がった偏見だが、妖精の服装に気づかなかった私も同じ過ちを犯しかねないな」

ホームズの意見をしぶしぶ理解し始めたワトスン博士が自嘲気味に答える。ホームズはうなずいてさらに話を続けた。

「神やそれに類する聖なる存在は、実際に目にすることができない。だから我々人類は畏敬と敬愛の念を込めて姿を想像し、彫刻や絵画で表してきた。それは人間が自分たちが受け入れやすいよう解釈した姿であり、神や妖精が服を着ていても何ら問題はない。だが写真となると事情は異なる。

絵画と写真は似通っているが、絵画が想像力の賜物なら、写真は機械的に写し取られた現実の断片だ。この妖精の写真が絵画であったならば何の問題もない。だが、〝人間のような衣装を着た妖精〟は、人間の想像力の範疇にあり、絵画や物語の中にしか存在しえない。それゆえこの妖精が本物とは思えない」

「そもそも妖精などは存在しないと?」

「僕が東洋のサムライ姿で写真に写っていたらどう思う？　君はニセのサムライだとすぐ看破できるね。しかしサムライの存在自体が否定されたわけではない。それと同じだよ」

ホームズは言い終えると、写真のページを開いた本を暖炉の上に立てかけ、博士の向かいの椅子に腰掛けた。

「ワトスン君、この件は新たに誕生した写真という芸術表現の特異性を示す好例だね」

＊　＊　＊

思わず議論に熱の入った二人は、ひと息つくことにした。卓に向かい合い、ハドソン夫人が淹れたコーヒーに口をつけながらワトスン博士が自問するようにつぶやく。

「服を着ていない妖精の姿というのも、想像つかないな……」

「我々がついこの間まで生きてきたヴィクトリア朝時代を思い出して欲しい。あの時代の行きすぎた道徳観念は記憶に新しいだろ？　獣風の脚をした椅子やピアノが卑猥に見えると特製の下着を穿かせたブルジョワがいたという話だってあるじゃないか。今でこそ行きすぎたと思える強迫観念に近い倫理観だ。それは今でも英国人の心に、拭いきられぬまま残されている。我々も例外ではない。あの写真の〝作者〟が、無意識のうちに礼儀正しく服を着せた理由のひとつだ」

「その口ぶりから察するに、君は犯人の目星がついているようだね」

ホームズはコーヒーに口を付け、かすかに口元を緩める。

「あの写真には、何かしら牧歌的というか、のんびりした雰囲気がただよっていて、人を陥れて困らせるような悪意を感じない。そのあたりがまた、多くの人があれを本物だと信じさせる要素になっている」

「そうだね。類い希な知性と豊かな想像力を有するドイル氏ほどの人物でも見抜けずに追随してしまう程だもの」

「類い希な知性と豊かな想像力が、かえって徒になることもあるのだ。ワトスン君、解決してきた事件から詐欺の要素のあるものをいくつか思い出してみたまえ。詐欺の場合、騙されることがないと思っている相手ほど被害者となる。ドイル氏とは比ぶべくもないが、最近もフーゴ氏の件があったじゃないか」

「ああ、そうだった。フーゴ氏なる作家からの犯人捜査の依頼だ。なんでも夫人を名乗る女から、急な電話が入った。仕事のミスで穴埋めしなければならない金が出来た、秘密裏に至急用意してほしいと助けを求める内容で、受け取りに来た見知らぬ男に言われるまま金を渡したという。その直後に当の夫人が帰ってきて詐欺と気づいたという。スコットランドヤードに依頼すべきだと断った件だね、一昨日の話だ」

思い出しながらワトスンがうなずく。

「最近登場した電話を使った新たな詐欺だったね。フーゴ氏によれば、電話の声は少し違っていたものの、自分は騙されないと自負があって、違って聞こえるのは通話状態のせいだと、すんなり信じてしまった……。

夫人はそもそもそんな依頼をするようなタイプでもない。その点も、それだけ普段とは違う大事件なのだと解釈。ほかにも不審な点が多々あるにもかかわらず、作家の豊かな想像力でもって矛盾点をつじつまの合うように自分で補正してしまったのだ。自ら犯罪に加担してしまったようなもので詐欺はこれが恐ろしい。

ドイル氏の文章にもその傾向が見られる。おそらく我々が忠告したところで、自分なりの抜け道を見つけて、妖精写真の正当性を主張し続けることだろうね。

氏は心霊主義にのめり込み、早世した息子や弟の霊との交流をめざしていた。そんな下地があった点も大きい。だが死者の霊から妖精の実在にまで〝ありえる未知の世界〟への探究を広げられたのは、やはり類い希な知性と豊かな想像力があってのことだ。

その探究心の源にあったのは、本来自分の帰属していた世界への回帰に近い感覚だったのかもしれない」

暖炉に置かれた本の妖精写真のページが、窓の外光を受けて鈍色に輝いている。ワトスン博士がぽつりという。

「写真とは、不思議な存在だね……。精密に描いた細密画でも、この現実感は与えられない」

「そうだ、現実感＝リアリティーの拡張だ。電話もそうだ。はるか離れた相手と会話ができるようになるなんて考えたことがあるかい？

やがてリアリティーは現実と分離され、ニセの現実感をねつ造できる程の時代がくるかもしれない。そうなった時、現実との境はどこにあるのだろう。自分自身が現実に存在するのか自問を迫る、そんな時代が訪れるのかもしれない。

現実と虚構を併せ持つ妖精写真の一件は、そんな事すら考えさせられる」

博士が立ち上がり、本を仕舞おうと手を伸ばす。摑もうとした指先がすべり、本が身をよじるようにして暖炉に落下したのは次の瞬間だった。あわてて博士が火の中を覗き込む。

暖炉からわき起こった煙が、せつな踊りながら飛翔する妖精の姿に見えた……。

……そして、そのまま金色に輝く妖精に実体化し、部屋の中を優雅に舞い始めた。やがてコーヒーカップを手にしたまま、凍り付いたように止まっているホームズに近づき、顔にぶつかったかと思うと……。

＊　＊　＊

……ピン、と金属が跳ねるような音がして、視界が鈍色の金属の壁に覆われた。被っていたヘッドセットをはずし、目をしばたたかせて専用の座席から立ち上がる。

「いかがでした？　直後は、めまいを起こすことがあるからゆっくり歩いて」

近づいて手を貸す男性スタッフに、

「基本設定に問題があったよ」

思わずワトスン博士の口ぶりで答える。

「あの本が出されたのは一九二二年。その頃ホームズはすでに探偵を引退していた。探偵業を引退しておなじみのベーカー街２２１Ｂの住まいは引き払い、サセックスの海辺の一軒家で隠遁生活を送っていたんだ。だから、こういうシチュエーションはありえない」

男性スタッフが思案顔で答える。

「あなたは物語の世界に入り込み、作者の本について論議したわけでしょ？　エラーが生じても無理ないな……」

「確かに特殊なケースでしょうとも。しかしシャーロック・ホームズものは熱心なマニアが多いジャンルです。完璧を期さないと文句が殺到しかねないですよ。遊び心あるマニアも少なくない……おっと、自分もその末席に連なる一人か。そうそう、自分の詐欺体験が紛れ込んだのには苦笑したな＊」

『妖精の到来』復刻版をめぐる評論を依頼され、書く手掛かりを探しているうち、編集部の伝手で某社の高度なＶＲ装置の試作品を利用する機会に恵まれた。

作者をめぐる事柄を、作者の世界的有名作の登場人物に訊いてみるのもおもしろかろうと、百年前のホームズの世界に喜々として入りこみ、ワトスン博士との会話をこっそり窺ってみたのだが……。そもそもフーゴ・ハルという実在も疑わしい怪しい書き手が、妖精の真偽を探るなど、悪趣味な冗談か自己否定になりかねない。

さて、どうまとめたものか。時間も限られていることだし、とりあえず書き始めてみるしかない。結果は読者のみぞ知るだ。

――冒頭に戻る。


（＊）実話に基づいています。巧妙化するオレオレ詐欺に注意せよ。

イギリス、妖精、井村先生

●文／写真＝石川文

●プロローグ

五十五年前、十歳だった私は少女マンガ週刊誌「マーガレット」の巻末にあった特集ページの写真「妖精と少女」を見て「イギリスの森に行けばティンカーベルに会える!」と何度も何度もその写真を前に夢を見ていました。当時の私はイギリス出身のバーネット夫人の小説「秘密の花園」「小公女」やルイス・キャロルの「不思議の国のアリス」、ラム姉弟の「シェイクスピア物語」などが大好きで、ディズニー映画の「ピーター・パン」の日本語版が上映されて間もなくの頃でもあり、頭の中はいつも遠い外国の見知らぬ世界を飛んでいる女の子でした。しかしまもなくその写真は捏造であることを知ったのですが。

その時からあっという間に日が経った五十年後、私は明星大学の依頼で制作した「シェイクスピアこそ人生だ。」という展覧会を通じ、井村君江先生を知ることとなりました。宇都宮の〝妖精ミュージアム〟に先生を訪ねると、そこには「マーガレット」で見た五枚のあの妖精写真が展示されているのに驚きました。五十年前の記憶が鮮やかによみがえりました。妖精の絵や造型物、書籍も沢山並んでいる光景、そして先生との出会い。そこからまた新しい道が始まりました。

「マーガレット」に出ていた写真

井村先生との出会いと前後して、私は会社を定年退職しました。在職中はイベント・プロデューサーとして世界各地で展示会やコンベンション等を制作していました。退職後はもっと国際交流をすることを目指して、先生と出会った頃には、すでに半年間のロンドン留学を決めていました。そこに宇都宮女子高の先輩でもある井村先生から助言を受けて、イギリス滞在中は、いろいろな所に週末旅行を重ねることにもなりました。例えば大英博物館・スコットランド国立博物館共同主催の「ケルト展」を見にエディンバラに行き、先生のご子息の淳一氏と一緒にシェイクスピア・グローブ座に和泉流狂言の公演記録を探しに行き、アイルランドのタラの丘に立ち、あるいはウェールズのカナーヴォン城、そして川のせせらぎとウェールズ語のこだまを聞き……電子ブックでイエーツや先生の著述を購入して読み……といった具合です。

ハウステンボスのホテルで

留学から戻った翌年の二〇一七年六月、先生と初めて長崎・ハウステンボスへ旅行しました。旅行の目的は、うつのみや妖精ミュージアム協力による「花の妖精たち　シシリー・メアリー・バーカーの世界」という企画展の視察でした。ヨーロッパの街を模して花で彩られたワクワクランドでの二泊は、先生も私も大いに楽しみました。特に、先生自身の人生よもやま話も伺うことのできた貴重な旅行となりました。旅の終わりに先生はおっしゃいました。「もう一度イギリスに行きたい。来年、連れて行って」と。

●イギリスへ
ロンドンからダートムーア国立公園、プリマス

二〇一八年六月十五日夕方、ロンドン・ヒースロー空港到着。初夏の風が清々しく薫るこの季節、優しい夕日を背にしてタクシーはメイフェアのホテルへ。チェックイン後、近くのピカデリー・サーカスで有名なエロス像と再会して、到着祝いに発泡酒プロセッコで乾杯しました。

翌日は先生のご家族に会いに行くためパディントン(Paddington)駅からプリマス(Plymouth)まで四時間半の列車の旅。早く着きたい気持ちとは裏腹に、車窓はちょっと退屈な田園風景が続き、結構停車駅も多く、しかも三十分遅れ、と約十年ぶりの親子の対面なのにイライラさせられながらも、ようやくプリマス到着。ついに淳一氏と会う事ができました。ホテルにチェックインのあと、淳一氏が二人の娘と一緒に夕食のために迎えに来てくれて、レストランにて家族全員集合となりました。奥さんのカティア、そして五人のお孫さんに、カティアのお母さんまで参加しての賑やかな晩餐となりました。子供たちはブッフェスタイルのレストランで大はしゃぎ。先生もお土産を渡しながら、「何が好き?」と子供たちに聞き、互いに話したり、笑ったりの至福の時間となりました。車椅子生活の先生の身体を心配して、渡英を猛反対する人もいましたが、本当にここまで来た甲斐がありました。

ダートムーア国立公園に流れる川

翌日、淳一氏の運転で、先生と私をダートムーア(Dartmoor)国立公園を案内してくれました。ここは、先生にとって死に別れた英国人の夫のローラー教授とも何度か来た思い出の場所です。この国立公園はイングランド南西部、デヴォン州に位置します。ムーアとは、荒地のことで、ヒースなどの茂る泥炭質の湿地帯を言います。また四千年前の住居や巨石の遺跡も残っている場所です。低いところは森や林で、角の取れた大きな石がゴロゴロした川が流れ、アーサー王が渡ったという伝説の石橋があり、初夏の青葉とせせらぎが、安らいだ気分にしてくれました。上のほうに登っていくと荒涼とした丘陵地帯に変わっていきます。巨石(花崗岩)がポツポツと肌をあらわに転がっていて、さらにその丘には馬や羊

ダートムーア国立公園の馬たち

たちが群れて、人や車を恐れることもなく、自由に生活しています。また、私がここを訪れるのは二回目ですが、前回来たときはいいお天気でしたが、今回は途中で霧が出始め、寒くなって、視界が悪くなってきました。山の上の道はいくつにも分かれていて、人家もなく、時々現われる標識を頼りに車は走り続けます。かのコナン・ドイルはこの地に残る黒い魔犬の伝説に想を得て、「バスカヴィル家の犬」というシャーロック・ホームズシリーズの探偵小説を書いています。霧のただよう車窓からの眺めは呪いとか、魔とか、妖しいとか、そんな言葉が似あう土地のようです。ようやく、山頂のパブに到着し、ほっと一息できました。築三百年くらいはたっていそうな古いパブの真ん中には暖炉があって、初夏でも火がともされていました。

　プリマスに戻って、次は海のほうへ向かいます。プリマスには、古代にはケルト系民族が居住していて、ここから西のペンウィズ半島一帯はのちにコーンウォール(Cornwall)地方と呼ばれます。また一五八八年にはスペイン無敵艦隊と海戦するためにイギリス海軍がここプリマスから出航し、一六二〇年にはピューリタンの人々がメイフラワー号に乗って北アメリカを目指した港でもあります。人口二十五万人ほどのこの港街は今は落ち着いた風情ですが、軍港として重要な場所であった頃は多くの軍人が往来していたことでしょう。今でも軍艦や潜水艦が行き来しています。少し先の海岸線にはパブやショップ、ホテルも点在し、夏は日照時間が長いこともあり、ちょっとしたリゾート地になっているところもあります。そんな場所で、前年に来たときは、地ビールと名物コーニッシュパスティのランチで記憶に残る素晴らしい時間を過ごしたことを思い出しました。

　翌朝、淳一氏の家族が駅まで見送りに来てくれて、いつまでも手を振ってくれました。

●コティングリー

　六月二十日、先生と私はロンドンで友人たちと合流して、こんどはキングスクロス(Kingscross)駅から北を目指しました。いよいよコティングリー(Cottingley)とリーズ(Leeds)へ行って、二人の少女、フランシス・グリフィスとエルシー・ライトが惹き起こした「コティングリー妖精事件」に迫ります。五十年以上前、私をときめかせてくれた〝あの写真〟の撮影現場にいよいよ行くのです。特急電車に乗り田園地帯を走って二時間十五分で、イングランド北部の大都市リーズに到着し、ローカル線に乗り替えて小一時間、シプレイ(Siplay)に到着しました。駅の電話でタクシーを呼び、いくつかの村を越えてようやくコティングリー村近くのメルキュール・ブラッドフォード・バンクフィールド・ホテルに到着しました。ここは十九世紀の大邸宅を改築したホテルですが、ガーデンも素敵で、コンベンションも開催されるようなホールも併設されているような大きなホテルでした。

　一息ついた後、今度はコティングリー村まで歩いていきます。事件の当事者のひとり、エルシー・ライトの住居だった家の現在の居住者、ホースマンさんとの約束の時間まではあと一時間半、天気は快晴。道端の野ばらやピンクのクローバーな

歓迎の石版にて記念撮影

どを観察しながらゆっくりと歩きました。それにしてもこのあたりは、リーズやブラッドフォードのベッドタウンとなっているらしく、幹線道路では車がビュンビュン飛ばしていきます。「うーん」、コティングリーは結構な田舎町、と思っていた私には以外でした。道路を左折すると、脇の植え込みに「Welcome to COTTINGLEY」と彫られた石板がありました。一歩一歩目指すところへ近づいているのを実感します。

　コティングリー村のメインストリートの入口のパブ兼宿で腹ごしらえし、メインストリートを上がること五分。テラスハウスの端にあるエルシー・ライトが住んでいた家に到着し、呼び鈴を鳴らす。ホースマンさんが笑顔で迎えてくれて、家の裏手にあるコティングリー・ベック（小川）へ案内されます。少し急な斜面を降りると、風景が一変しました。川幅三メートルほど、石積みの堀に囲まれた、浅い小川の周りは豊かな木々が取り囲んでおり、白い綿毛のような花が沢山咲いていました。鳥のさえずりも聞こえます。向こう岸にも軽く渡れます。こんな家の傍にこんな素敵な遊び場所があったのだ……。木々の上には西に傾きかけた太陽が優しく光を注いでいました。私は大きな林のようなところを想像していましたが、今では川の周りだけに木々が残っていました。川のせせらぎを聞きながら、カメラ

コティングリー・ベック

と紙の妖精を持った百年前の二人の少女を想像して、しばらく佇みました。

　小川にて友人たちと何枚かの写真を撮って戻り、今の家主に御礼を言って、テラスハウスの共同裏庭を先生と一緒に回りました。その庭にも赤いフォックス・グローブやバラ、白いデイジー等植えられていて、初夏の美しさを感じました。そして「この上にもケルト時代の石積みがあったはず」という先生の言葉に、一同坂を上り、集合住宅の横を回り込むと、今度は川に続く下り道があり、「こっちにおいで」と誘っているようでした。今は新興住宅地になっているコティングリーですが、ここだけが昔の面影を残していたのです。二、三分ほど下ったでしょうか？　そこには石の橋があり、川沿いの林を囲むようにさらに石積みが続いていました。ああ、少女たちはここまで来て遊んだに違いありません。橋を渡り、柵を乗り越えて、少女時代のようにしばし川沿いを散策すると、遠くの羊が草を食んでいるのが見えました。

　さて、元の道に戻り住宅地を入ると、そこは妖精の村らしく、道の名前がシェイクスピアの「夏の夜の夢」にちなんで、〝ティターニア（妖精の女王）クローズ〟〝オベロン（妖精の王）ウェイ〟〝ライサンダー（森に分け入った恋する若者）ウェイ〟、と名付けられているのも興味深い。折りしもその日は、一年で一番昼が長い夏至。夏至だからコティングリーに来たわけではありませんが、何か因縁を感じて楽しくなってきました。時計はもう七時過ぎですが、まだまだ明るく、ホテルへの道のりも軽く感じました。

●リーズへ

　翌日は、コティングリー妖精事件の資料が沢山あるリーズ大学、ブラザートンコレクションへ行きました。聞けば、ホテルから車で四十分か五十

分とのことで、先生や友人たちと大型タクシーで行くことにしました。リーズ大学は最近では佳子様が留学したことで日本でも注目されましたが、図書館の蔵書数は二百七十万冊以上あり、大英図書館、オックスフォード大学、マンチェスター大学に次いで英国内四番目の規模を誇っているそうです。ブラザートンコレクションは、エドワード・アレン・ブラザートン男爵（一八五六－一九三〇）から寄贈された貴重書などを中心に収蔵されている図書館です。三階建ての円形の美しい建物はいつまでもそこにいたくなるような空間でした。

特別室に行って、予約してあった二つの箱を受け取り閲覧用テーブルへ。蓋を開けるとそこには沢山の写真や資料が収められていました。百年前のコティングリー村の風景写真。エルシーの家と家族、あの石橋やベックの写真もあります。そしてフランシスとエルシーが描いた妖精のスケッチも入っていました。前日に同じ場所に行っていたので、容易に現場が想像できます。

南アフリカから戻ってきたフランシスにとってイギリスの田舎は、ファンタスティックな風景に見えたのでしょうか？　自然の中で、二人で遊んでいるうちに「妖精も仲間に入れて写真を撮る」と思いついた素晴らしいアイディアは、とても楽しいものだったに違いありません。妖精を紙でいろいろと作っていくうちに、よりリアルな妖精になっていったのだと思います。そこで完成した写真が、いつのまにか大人にそれが実在するものと信じ込ませてしまうようなリアリティを持ち、まさかあのコナン・ドイルまでインタビューに訪れることになるとは……。さらには時間・空間を越えて約五十年後の日本の私も信じさせてしまうとは……。捏造写真であっても、フランシスと妖精と背景が馴染んでいるから自然の風景に感じてしまうのかもしれません。二人の少女のベックでの妖精遊びは、それはそれはわくわくしながらの楽しみだったことでしょう。それを六十年以上も秘密にしなければならないとは……どんなに二人は悩んだことでもありましょう。「少女と妖精」の有名な五枚の写真のネガは、うつのみや妖精ミュージアムにありますが、撮影した二台のカメラは、リーズの傍のサイエンス＆メディア・ミュージアムに保存されています。

コティングリー・ベック

一時間半の閲覧時間はあっという間に過ぎ、私たちはリーズの街に出ました。歴史的な建物である市庁舎や古いレンガ造りの教会と青空のコントラストがまぶしく光ります。そして私の半世紀を超えたコティングリーの夏の夢も終わりました。

井村先生と私のイギリス旅行は、その後も続き、先生の古い友人たちともお目にかかりました。そして最終日、プリマスから車を飛ばして来てくれた淳一氏にヒースロー空港で見送られて、先生のイギリス旅行は終わりました。

●エピローグ

それから三年が経過しました。うつのみや妖精ミュージアムには、コティングリーの妖精写真が変わらずに展示されています。百年後の少女たちにも、エルシーとフランシスのように楽しいことを思いつくような、夢や想像力を持ってほしい、と心から願います。

イーリン・オク一代記

●ジェフリー・フォード
訳／待兼音二郎

妖精は幽界のヴェールを透かして見える存在として、人間側から描かれるのがこれまでの常でした。しかし視点を反転させて妖精の身の丈からこの世界を眺めやったら、そこにはどんな光景が広がるのでしょう？　浜辺の砂の城を棲み処とし、満ち潮にその城が崩されるまでのほんの数時間の命しかない小妖精の目に映る人生の哀楽とは？

〈S-Fマガジン〉二〇〇六年一二月号に「イーリン・オク伝」として中野善夫さんの翻訳で掲載されて好評を博したファンタジー短篇小説を、別底本からの新訳でお届けします。

作者ジェフリー・フォードはネビュラ賞の受賞歴もある実力派。ニューヨーク州ロングアイランド生まれで漁師を経て小説家になった異色の経歴の持ち主で、長年海辺で暮らしてきた人ならではの観察力が、この短篇でも端々にきらめいています。（訳者）

子どもの頃、こんな話をしてくれた人がいた。ユスリカは、夏の夕べに蚊柱をたてて頭に群がるあのちっぽけな羽虫の一生は、生まれてから死ぬまでのすべてがたった一日に収まるのだと。儚《はかな》い命というほかはないが、それをいうなら妖精族のほうがひときわ短命。そう、トウィルミッシュの一生は、人類の創造物でこれより脆いものなどありそうにない、砂の城と一蓮托生。つまり、空想の具象たる砂の城にひとたびトウィルミッシュが棲みついたなら、妖精の命は、寓居と選んだその城がついに崩落するまでと定まるのである。

浜辺に砂の城が築かれるまで、トウィルミッシュは、見えない妖精が浮遊しているかもという想念としてのみ存在しうる。非実体のままで海岸にとりつき、ひらめきがぱっと浮かぶかのごとき機会の訪れをたとえ数世紀でもじっと待つ覚悟でいるのだ。冬、降雪のあとで海岸にでて、きらめく白い粉がたまゆら小さな旋風に巻き上がるのを目にしたことがきみにもあるなら、そこにはきっとトウィルミッシュがいたのだ。海と陸地のまじわる場所から彼らが引き寄せた動力がまねいた現象、引力と反発力が尻尾をくるくる追い回す犬さながらの円環をなして働いたということ。それからまた、くっきりと晴れわたった夏の午後、引き潮の海岸を歩いていて、ぞくっとする冷気がほんの数フィート幅の塊になったところに踏み込んだなら、その浜にもウィルミッシュがいたということ。あなたが肉体をそなえていることへの彼らの羨望が気温の急降下となってあらわれたもので、創意に富んだ子どもたちの手仕事を彼らのひとりが切実に探し求めていることの徴《しるし》でもあるのだ。

あるトウィルミッシュがどれほど長らく住居を待ち望んでいようとも、この世に一歩を踏みだしたいというその願いがどれほど切実であろうとも、砂の城ならどれでもよいという話にはならない。きみのお祖母さんが食料雑貨店でメロンを選ぶあの目つきさながらに、彼らの選択眼は慎重かつ抜け目ない。というのも、みずからの意志で選びとる場所の良し悪しによって、一生の多くの部分が定まってしまうからだ。潮がまた満ちてきて逆巻く波頭が城を打ち砕いたなら、城守もまた波に押し流され、ふたたびエネルギー形態に戻って次の城があらわれるのを待つのではなく、我々の長い人生の涯《はて》がそうであるように、心身いずれも自然界に還る定めにあるのだからだ。それゆえにこそ、望ましい城になにより欠かせぬ前提条件は、子どもの手で築かれたということ。大人は将来の不安や時計を気にしすぎることといった胸の内を構築物に注ぎ込むことがあまりにも多く、そうしたあれこれの葛藤が〝トウィルミッシュ時間〟の働きに齟齬《そご》を生じさせる。引き潮から満ち潮までのほんの数時間が、この特異な妖精族の目には我々の長い一生と同じくらいに久しく映るという効力のことだ。

そんなトウィルミッシュが住居に求める条件は、既に挙げた以外にもいくつかある。まず、プラスチックの型や金属製のショベルに頼らず子どもの手のみによって形づくられ、おかげで直角になった箇所がひとつもないうえに、生活空間のほんのちっぽけな造作に至るまでが、人間の想像力ならではの輪郭線を彷彿とさせること。次に、複雑な構造体をなしているうえ、部屋、地下通路、胸壁、橋、地下牢、壕などをできるだけ数多く備えつけていること。そしてさらに、美しい貝殻や漂着ガラスによって飾りたてられた城であること（波にもまれてバターのようにすべすべになった青いガラスが最上だが、緑のガラスも歓迎だ）。くわえて、流木で道路がえがかれてあるか、タツノオトシゴのトゲを使った旗竿に海藻の旗が翻っているかすること。それから、スナガニがいないこと。砂に穴掘るあの甲殻の厄介者どもは壁を崩したり、地下牢に居座ったりするからだ。くわえて、擁壁がしかるべき高さで城郭全体をぐるりと取り囲み、満ち潮の貪欲な波頭の接近をできるだけ長く食い止められるいっぽうで、海の眺望を妨げるほどではないこと。さらには、城に名前がすでにつけられ、大手門の上にカモメの羽根の軸で〈心の望み〉、〈砂の王国〉、〈夢の城〉などと書き込まれていて、おかげで城守となる者の人生の貴重な時間が城名を決めることに費やされるおそれがないこと。

妖精族の系譜や生態の研究をライフワークとする学者にもトウィルミッシュについては不案内な者がじつに多いし、その起源を確言できる者に至ってはひとりとてない。少なくとも砂の城の歴史と同じだけは古きにさかのぼる民のように私には思えるし、あるいはそれ以前から、ネアンデルタール人の子どもたちが作った砂の洞窟に棲みついていた可能性も高そうだ。ことによると、宇宙のはじまりとともに霊体として出現し、それから永劫の時の果てにようやく砂の城が作られはじめるまでじっと待ちつづけていたのかもしれないし、生物学における妖精門の進化の果てにようやく現れでたものかもしれない。はたまた、人間の創造性と不可分に結びついた魔魅《まみ》の系譜に連なる超常的な存在なのではと考える向きもある。文筆家の作品に惹かれてやってくる〈墨壺の猿〉や、画家のパレットで鮮やかに混ぜ合わされた絵の具を遊び場にして、まったく前例のない色調をそこに生みだす〈画家の悪魔〉といったやつらのことだ。

正解がそれらいずれかかまた別であるのかにせよ、トウィルミッシュのことを真に理解する術はひとつしかない。実際に会ってみることだ。そこで、彼らのひとりの一代記を綴ることにした。以下に叙述したことのすべては、すばらしい夏の日の夕べ、きみが浜辺から去ったあとに起きたかもしれないことで、引き潮が満ち潮として戻ってくるまでの時間幅にぴったり収まる長さしかない。きみが夕食の席についてから、枕に頭をのせて眠りにつくまでの五時間のうちにめまぐるしく起こりえたことなのだ。きみにとっては鶏肉とじゃがいもを食べて、ニンジンはこっそりテーブルの下の犬にくれてやり、それから後片付けをして、お気に入りのテレビ番組を観て、片眼に眼帯をしてオウムを肩に乗せた女海賊の絵をえがき、歯磨きをして、両親におやすみのキスをすることにどうにか足りるだけの時間でしかない。けれどもトウィルミッシュにとっては、ほんの寸時のうちにすべてが救われも失われもするということを心得ておくことが、彼らを理解する上で欠かせない。独創的なアイデアがぱっと浮かぶのも、王国が滅亡することも、愛が育まれることも、人生の目的が見つかることも、みな一瞬のうちに起こりうるのだ。

ここでもし私が不誠実な輩だったら、でたらめのトウィルミッシュ一代記を捏造するという安直な逃げでこじつけようとしただろう。ある種族の実在について申し述べるのは冥利に尽きることだからだ。しかし実際に会いもせずにその集団の実態に触れることなどできようもないし、大勢に会えば会うほど理解も深まる。ただしひとつ問題があって、個々のトウィルミッシュの人物像をとことん深掘りしたいと思っても、彼らの背丈は人間の親指の爪ほどしかない。おまけに、彼らの立ち居振る舞いは人間のまばたきよりもめまぐるしいのだ。一秒を一分間に、一分を一時間に引き伸ばそうとするがゆえに。

一九九九年のある日、ニュージャージー州バーナゲットライト(大西洋岸の沖に防波堤のように南北に長細く延びるロングビーチ島の北端に位置し、灯台が観光名所になっている)で、チエコ《チコ》・キグリーという五歳の女の子が、泡立つ波打ち際に巻き貝をみつけた。きれいな螺旋がチエコの心をときめかせた。貝殻を持ち帰り、部屋の窓枠の飾りにした。それから三年、飼い猫のマデラインが貝殻をひっかけて床に落とすと、チエコが潮騒の響きを聴こうとときどき耳に押しあてていた開口部の奥に渦巻く迷宮から、極めつけに小ぶりな本がこぼれ出てきた。砂十粒をびっしり並べたくらいの判型しかなく、タツノオトシゴの皮で表装され、頁はテンキグサでできていた。妖精とその伝説についての専門家だからということでその本が私の元に持ち込まれ、真贋の鑑定が委ねられた。極小の書籍を電子顕微鏡にかけたところ、その記述はイーリン・オクというトウィルミッシュの日記であることが判明した。

イーリン・オクは芸術的野心の持ち主でもあったようだ。イカ墨で線描された自画像が最初の頁を飾っていたからだ。城でいちばん高い塔に立っているらしく、頭頂に髷を結わえた長い黒髪がふわりと浮き上がり、裾長のマントが後ろにはためいているさまをみるに、浜風がほどよく吹いていたのは明らかだ。肩幅の広いがっしりとした体格で、ふくらはぎも上腕二頭筋も額の横幅に劣らぬほどに発達している。顔だちは村の伊達男といったところで、太い眉毛と黒ずんだ鼻頭をみるにつけても美男コンテストには勝てそうにないが、その飾らない誠実な面もちが人々を和ませたことであろう。力みなぎる眼差しは遠くに向けられ、なにかを凝視しているようだ。となれば想像せずにはいられない。この挿絵に切り取られているのは、当の自分も、〈のんびり気ままに〉と名付けられた居城もいつの日か、あの海という邪悪な勢力に平らげられる定めにあるということを、イーリン・オクがはじめて自覚したその瞬間の姿なのではなかろうかと。

ともあれ、日記がこうして存在するのは奇跡ともいえ、その記述はトウィルミッシュ史の研究者にとっては値千金。我らが研究対象のトウィルミッシュはどうやら筆無精な男だったらしく、個々の記述がずいぶん長い時を隔てていることは疑いもない。けれども、それらをひとつにつなぎ合わせれば、「イーリン・オク一代記」という題名がいみじくも指し示すとおりの記録たり得る。というわけで、画期的なソフトウェア〈フェアリー・スピーク〉(フェン&デール社の製品)を用いて新たに訳し下ろしたものを以下に記す。一般読者の皆さんにはこれがはじめての紹介となる。

行ってみようと思ったそのわけ

わたしは気づいてしまったのです。居を定めるべきその場所に。あれはまだ、浜の波しぶきの合間をただよう心象というか、霞のごとき存在でしかなかった頃のこと。恐怖心に負けそうになりながらも、生誕しようと決意しました。間近に寄って触れてみるまで、それはひどくちっぽけに見えるもの。けれどもよく笑う巨人の建築者たちが〈のんびり気ままに〉と名付け（彼らの言語はわかりませぬが、刻まれた文字の意味はそうなります）、中庭には流木に文字を刻んだ飾り額を置いて、栗色の玉石をその上下に波模様に並べたこの城は、夢から現れでたかのごとくでした。ふたつの小塔に、壕と架け橋。執務室にはオウム貝型の琥珀ガラスの壁飾りがあり、じめじめする地下牢や秘密通路がめぐらされ、城郭を囲む擁壁は頑丈で、その壁の一インチおきには青色や緑色の美しいガラスが宝石さながらにはめ込まれ、すこぶる華奢な白い貝殻で飾りたてられていて、このわたしがイーリン・オクという この肉体と生命に飛びこんだ勢いがまさしくそうであったように、わたしの空想世界からこの海岸に転がりでたものかとも思われました。慎重さをかなぐり捨てるべき場面がもしもあるなら、今こそまさしくその時でした。そうしてついに肉体を得て、息を吸ってはまた吐いて、そよ吹く風を顔に受けることに最初は混乱するばかりでした。すっかり成人した姿で生まれでたものですから、生得の知識もあれこれあるいっぽうで、とうに忘れてしまったことだけを記憶しているという知識もありました。深く胸を打たれたのは、巨大な赤い球体が水平線の上にぽっかり浮いていることと、大海原がとてつもなく広々としていることでした。力みなぎるその美しさに、心沸きたつ思いでした。高いほうの小塔の望楼で端のほうへとよろめき歩き、上体を乗りだして胸壁を見おろしながら、わたしはむせび泣きました。「ついにやったぞ」と声にださずに独りごち、しばらくして涙を拭うと、「これからどうしようか?」と考えたのです。

ファーゴ

食料調達の遠征からもどり、カモメが落とした蟹爪からこそげ出した肉と、擬乳のように水気の失せたクラゲの塊の重みにへこたれていると、訪問者がいるではありませんか。大手門の前でぴょんぴょんと落ち着きなく跳ね回りつつ、わたしの帰りを待っていたのは、小ぶりで元気いっぱいのハマトビムシでした。魚の目のように全身が黒々として、剛い毛にびっしり覆われています。わたしは重荷を地面に下ろすと、相手を呼び寄せ、刻み目のついた小さな頭部をぽんぽん叩いてやりました。彼の陽気さは溢れんばかりで、わたしのまわりを跳び回りながら、かすれ声で吠えたてるのです。そのひょうきんさに頬をゆるめずにはいられませんでした。それからようやく重荷を担ぎ、食堂のある小塔の入り口へわたしがとぼとぼ歩きはじめると、ハマトビムシもついてきます。ならばと城内に入れてやり、ファーゴと名前をつけてやりました。彼はわたしの仲間であり、トウィルミッシュ語が通じない相手ではあるにしても、なんでも話してきかせています。

妖精の火

どこからともなく、着火の呪文の記憶がよみがえりました。三つの短い言葉を唱えて、指をパチリと鳴らすだけ。生まれつき魔力が備わっていることをはたと自覚したわけですが、魔法は使えても微弱ですし、あまり頼りすぎないようにと心を決めました。なにせこの世界で生き延びるために頼れるものは、まずもって腕っ節、それから頭脳の働きなのですから。

あれこれをこしらえる

この城は惚れ惚れするような構造体ですが、実用的かつ装飾的な家具調度で城内空間をみたしてやるのはわたしの仕事です。海岸線の他にはなにもないのに、これほど幸運に恵まれた土地があるでしょうか。波がよせてはひくたびに、便利な宝物が砂浜のあちこちに打ち上げられ、すべてを拾い集める暇もないうちに、また次の波がやってくるのですから。波にもまれてつるつるになっていないガラスや貝の鋭いかけらを集め、葦の茎や鳥の羽軸に強靭なテンキグサの締め綱でくくりつけて仕事道具をこしらえると、それでもって食堂には形のよい流木からテーブルを削りだし、寝室には暖炉を掘って、アミキリという魚の死骸の軟骨からは椅子やソファをつくりました。手作りの仕事道具の呼び名をファーゴには教え込んでありましたから、彼に持ち上げられるものについては、名称をいうだけで引きずってきてくれます。わたしはベッドをムール貝から、洗面器は巨大でよく笑うあの建築者たちが放り捨てた金属製品からこしらえました。裏面にでかでかと〝ルートピア〟と記され、それよりは小さく〝あける〟という文字が、丸みを帯びた矢印（じつに興味深い）と並んで記されている製品です。葦の茎の柄にサメの歯の先端をとりつけて武器にしました。いやはや、ものをつくるのは楽しいことです。

漁にでかける

浜の奥に、海が退いてのこされた湖があって、わたしの脚ほども体長のある銀色の魚が群れなしています。ファーゴとわたしは、流木の塊を燃やしてこしらえた小舟に、ホウボウの屍骸の鰭を帆としてとりつけ、湖をすすみました。銛《もり》とランタンをわたしは携えていて、銛先の石英のかけらが赤い球体の光線をとらえてギラギラ光るのです。そのプリズムのような輝きにひかれて魚が深みから浮上してきます。銛にじゅうぶんな長さの海藻を結びつけておいたのは正解でした。うまく狙いをつけるにはまだまだ練習が必要だったからです。しかしとうとう、正確にあてられるようになり、次々に魚を引き揚げては、斧で打ち据えていきました。小舟は満載になりました。岸にもどろうとするうちに、にわかな強風に煽られて、吃水の深くなった舟は危険なまでに傾きます。舵の柄をつかみそこねて船べりから深い湖水に落ちていました。それで泳ぎをおぼえたのです。さんざんもがいて塩水をゴボゴボ飲み込み、ファーゴが半狂乱でかすれ吠えるなか、どうにか窮地を脱して舟によじ登りました。ああ諸君、わたしはこうして死のありようをも学んだのです。耳までどっぷり水に浸かり、肺がきゅうきゅう痛みだして、心は狂おしく駆けめぐるうちに、暗闇がじわじわと身に迫ってくる。わたしはこの人生の涯に、きっと同じ体験をすることでしょう。

砂丘ネズミ

〈のんびり気ままに〉の北には海辺の砂丘が続いていて、わたしが道具類を結びつけるのに使うあのひどい手触りの草にまばらに覆われている以外にはそそり立つ丘が延々連なるばかりです。あの草を刈り取るのに出かけたことはありますが、果てしもなく広大で、迷路のように小道がごちゃごちゃしている奥に踏み込んだためしはありませんでした。そんな荒れ野のどこかから、毛むくじゃらの巨獣がやって来たのです。針のように鋭い歯列と、鰻のような尻尾をしています。わたしは槍をひっつかみ、大手門へと駆けだして、壕の架け橋も渡りました。そこで貝殻の階段をたどって城壁の上にのぼることができました。ネズミに城壁が破られれば城郭そのものが崩落したことでしょう。そいつは城壁をよじ登ろうと後脚で壁の砂を掘るばかりで、ずるずる滑り落ちることをくりかえしています。わたしは猛然と突進し、槍で右目をぐさりとやりました。そいつは断末魔めいた金切り声をあげると、血まみれの眼球に槍が刺さったまま逃げていきました。あのネズミが一口のトウィルミッシュ肉を、つまりわたしを狙って攻めてきたことは疑いありません。いつかまた、別のネズミどももやってくることでしょう。

赤い球体が海に飲まれて

赤い球体が海にすっかり沈みこみ、ピンク色とオレンジ色の横縞ばかりを後にのこして消えました。球体はとてもゆっくり沈んでいき、勇敢に抗ったはてではありますが、いまや海岸はすっぽり闇の中です。はるかな高みには光の点がぽつぽつ浮かび、あんまり長く見つめすぎるとふんわり夢見心地になって、点の連なりがカモメや蟹、波形といったある種の模様にも見えてきます。ともあれ、もっと流木を集めて暖炉の火を絶やさないようにしなければなりますまい。気温も徐々に下がってきているからです。しばらく前に、ピンク色をした帯状の巨大な物体が浜に打ち上げられました。その表面にあるシンボルはあの巨大な建築者たちのものであること疑いなく、黄色い円のなかに両眼となにやら気色の悪い微笑の口元が描かれています。この物体からいまより暖かい衣類をつくることができましょう。ファーゴは以前よりよく眠るようになりましたが、それでも起きているときには元気に跳び回ってわたしを笑顔にさせてくれるのはこれまで通りです。わたしたちは暗闇を泳ぐ魚のごとくです。

ベッドの中から

ベッドに寝そべってこれを書いています。よせては返す波音が城の幾重もの壁ごしに聞こえてきて、その揺るぎなく心地よいリズムがわたしを眠りへと誘うのです。ずっと答えを見つけられずにいるのは、わたしが居を定めたこの城に建築者たちがつけた名前の意味するところです。〈のんびり気ままに〉――彼らの記号さえ理解できたなら、我が人生の意義をより深く理解できるかもしれないというのに。漁に手仕事、そして物づくりに探検。それも人生の意義ではありますが、私はときどき、あの赤い球体が海に沈んでからはことに、自分がここにいることには裏の理由があるのではという疑念に囚われてしまうのです。その答えさえわかればという願いで頭がいっぱいなときもあれば、それがどうしたという気分のときもあります。ああ、ファーゴみたいに生きられたら！　魚の血のひとしずくと、砂浜を跳び回ることさえあれば後はいらないという人生を送ることができたなら！　たぶんわたしは考えすぎる性分なのでしょう。コウモリの鳴き声と、浜千鳥の呼び声、風の吹く音が聞こえてきます。汐っぽい空気にそれらが混じり合ってどんどん眠たくなってきます。目覚めた時には、わたしはきっと……。

これはいったい？

東の大海原からなにかが昇り、空に生まれでようとしています。あの赤い球体のような円になりそうな気もしますが、こちらは乳白色をしています。まあとにかく、わたしとしては歓迎です。光を放っているようですし、闇を払うほどの強さはなくても、水面に照り返り、浜辺をほんのり明るくして、どぎつくない程度に物影をのばす妖しげな光だからです。鋭い棘状の尾をして浜によじ登ってきた巨大な茶色いカブトガニの背にファーゴとふたりして乗りました。それからスズキで食事にしました。湖の岸辺になんとも奇妙な人物を見つけました。ある種の像らしいのですが、石像ではありません。表面がぶよぶよしていて、つやつやで柔軟な素材でできており、頭から爪先まで緑一色です。武器らしいものを両手で握り、ヘルメットをかぶっていて、どちらもやはり緑色です。彼を城まで引きずってきて、高い小塔に立たせ、歩哨をやらせることにしました。くねり延びる階段を引きずりあげたせいで腰を痛めてしまいました。わたしはもう以前ほど若くはないのです。妖精の魔法で視力と発話能力を彼にさずけ、そこから動くことはできずとも、見張り番をして警告を発することはできるようにしました。完全な命を与えてやれればよかったのですが、哀しいかな、わたしは一介のトウィルミッシュに過ぎません。ネズミどもに警戒するために北向きに立たせると、緑軍曹《グリーンリィ》と彼を呼ぶことにしました。名前くらいはつけてやろうと思ってのことです。

二〇〇歩

城の外壁から、浜によせる波頭までが自分の足で何歩になるのか、現時点でその歩数を記録することにしました。その作業中わたしは見張られていました。水平線の上にのぼった巨大な白い円盤がつい先ほど、大海原のへりの上にふたつの目をあらわしたからです。円盤の光は夢心地を誘うようで、はたして自分は本当に肉体を得たのか、それともいまだに霊体のままでいながら、そうではないと思い込んでいるだけなのかと、どうどうめぐりの思案にふけってしまいます。

大いなる発見

ファーゴとわたしは波打ち際でコルク栓をされた瓶を見つけました。いつしか習慣になったとおりに、瓶の首に近いあたりの側面に手斧で穴を穿ちました。この種の容器にはしばしば酩酊作用のある蒸留酒がはいっていて、少量飲むかぎりでは風が吹きつけても体の内側からぽかぽか温かいという効果がありますが、大量に飲めば小塔の上で歌い踊るはめになります。というわけで、いざ内部に踏み込もうとしたところ、「助けて」という声が聞こえてきて、すわ幽霊船に穴をあけてしまったかと凍りつきました。するど、瓶の奥の暗がりから人影がぬっと現れたのです。女妖精とわかってどれほどわたしが安堵したことか、どうかご想像くださりまし。どんな支族の妖精なのかはっきりしたことは言えませぬが、彼女の身の丈はわたしくらいで、蜘蛛の糸から織られた短いガウンを身にまとい、オレンジ色の長髪は色香がこぼれんばかりでした。よろめき歩いてわたしの腕のなかに倒れこんできます。

彼女のうしろには背の低い妖精の子どもが隠れていて、見たところ男の子です。びくびく怯えて体の具合も悪そうでしたが、わたしが女妖精を肩に担ぎ上げると、そのまま城内までついてきました。いまではふたりとも、ありふれたアサリの貝殻にあのピンク色の物質を幾重か折り重ねてわたしが即席で作ったベッドですやすやと寝ています。わたしが山ほどの質問を抱えているというのに。

月

女妖精はマイワと名乗り、わたしに教えてくれました。いまやすっかり空に姿をあらわした白い円盤の名前を。これは〈月〉と呼ばれるもので、光り輝く点々は〈星〉といい、あの赤い球体は〈太陽〉なのだと。わたしが暮らしている暗闇にも〈夜〉という名称があり、驚いたことに、太陽が青空でぎらぎら輝く時分もまたあって、一マイルかそれ以上も離れたところまで見通せるようになるといいます。わたしはそういったことのすべてを、いまの人生に生まれ出るより前のある時点で知っていたという気もしています。マイワとその息子はウィルニットという船乗りの妖精族で、あの巨人たちの船に乗って暮らしているとか。ラム酒の空き瓶のなかでここなら安全と思って寝込んでしまい、目覚めたときには母子にとっての天国にはコルク栓がはめられて、海の波間にただよっていたのだそうな。悲しむべきことに、マイワの夫はあの巨人ども、つまり人間のひとりに殺されました。虫と間違えて叩き潰されたそうです。断言させてもらいますが、マイワは銛使いの名手ですし、穴を掘って地下牢に潜り込んだスナガニどもを撃退せんとわたしに加勢してくれるさまは獅子奮迅の荒武者ぶり。マグテルという少年は言葉少なですが礼儀正しく、命からがらの冒険をくぐり抜けた疲労で加減が悪くなっているようでした。少年をにっこりさせられるのはファーゴだけでした。わたしもせめて励ましてやろうと、彼専用の斧を作ってやりました。

ちいさな夜の鳥

マイワがちいさな夜の鳥を魔法にかけました。薄い空気と海の泡で焼き上げた特製パンのかけらで手懐けるや、愛嬌こぼれるあの歌声であれこれを仕込んでいったのです。その華奢な背中に彼女が跨がり、後ろに乗ってと呼びかけてきたとき、正直いって気が進みませんでした。わたしがひとたび鳥の背に跨がり、マイワの腰におずおずと手をまわすや、彼女はチュッとキスするような音をたて、わたしたちは空に飛び立っていました。それからぐんぐん上昇していき、月明かりに照らされた海岸線に沿って滑空するあいだ、くらくら目まいがするばかり。わたしのおっかなびっくりさをマイワは笑い、そのまま落ちずに飛ぶうちに、わたしも釣られて笑いました。あの巨人たちが巨大な家々に暮らしているところまでマイワは連れていってくれました。窓ガラスごしに、巨人の女の子が、片眼の女の肩に鳥が乗ったさまを色とりどりに描いているのが見えました。そこから離れてまた数マイルを飛行し、上昇したり降下したりをくりかえすうちに、〈のんびり気ままに〉の壕の架け橋に帰り着きました。マイワの魔法にかかった生き物は、あの鳥だけではないわけです。

一五〇歩

食料調達の遠征にこの頃は決まってマグテルがついてきてくれます。アオガニが断末魔の苦しみに悶えるさまに出くわしたときには、少年はわたしの隣に並べかけ、手に手を重ねてきました。その生き物の動きがとまるまでわたしたちは待ち、それから甲殻に斧をふるいました。じつにすばらしい獲物でした。いまや、城壁から海岸までは一五〇歩をのこすばかりです。

緑軍曹が発した警報

ぐっすり寝ていて最初は気づきませんでした。ですが、隣で寝ていたマイワが気づき、わたしの鼻をつまんで起こしてくれたのです。ふたりで小塔を駆け上ると、緑軍曹が警報の叫びをあげつづけていました。北を向いた眼差しの先には三つの影が、砂をわたってじりじりと近づいてきています。わたしは取って返して弓矢を携えました。人間がそれを使うのを見たことがあるとマイワに教えられてこしらえた最新の兵器です。敵がじゅうぶん近づくまで待ってから矢を放つ気でいました。けれどもマイワには一計があるといいます。夜の鳥を彼女が呼び寄せ、ふたりしてその背に跨がりました。わたしたちは空中から怪物どもを攻撃し、城まで五〇歩の範囲内には近寄らせませんでした。わたしの矢では怪物を殺すことはできませんでしたが、敵を追い返すにはじゅうぶんでした。マイワがいなければ、この戦いでわたしは戦死していたことでしょう。

マイワが寝ているあいだに

マイワが寝ているあいだにマグテルとわたしは松明を掲げ、大きな物を運ぶための肩掛け袋と斧をそれぞれ携えて、そそくさと城からでました。ファーゴももちろんついてきました。一度だけ行ったことのある場所が遠くにあるのです。西に向かってわたしは大股で歩み、マグテルはときに小走りになりながらも隣から離れずにいてくれます。するといきなり話しだしました。船で暮らしていたときに見たという生き物のことを。「あのね、クジラって言うんだ。人間百人よりももっと大きくて、口なんか洞窟ぐらいもあるんだよ」と。わたしが笑って本当かと訊くと、「嘘なもんか。そいつが背中の穴から水を吹きだすと、空に高々とあがる噴水みたいなんだぜ」とマグテルは強弁し、人間たちは小舟でそいつを囲んで銛でしとめ、体のなかにあるものからランプの油や香料をつくるとまでいいます。なんとまあ想像力豊かな少年なのでしょう。クジラだけかと思いきや、奇天烈な幻のごとき物語をその後も延々述べたてるのですから。歩きながら耳を傾けるうちにわたしは道筋を見失ってしまいました。警戒の目を凝らして砂の道を見据えていながら、わたしの視野はじつのところ内側にばかり広がっていき、マグテルの空想をかたちあるものに立体化することに夢中だったからです。今の今まで、わたしには二言三言しか話してくれたことのない子だったというのに。

サメの骸骨のところで北に曲がってからしばらく進み、森にはいっていきました。松明がまわりを照らしてはくれますが、イバラの茂る森の闇深さはたいそうなものです。すこし分け入ったところにそれが見つかりました。巨大な果実《ベリー》が房をなしているのです。ビーズによく似た藍色の実が甘そうな汁をびっしりかいています。そのひとつを斧で蔓から切り離し、こうするのだとマグテルに教え込みました。ふたりとも肩掛け袋いっぱいに実をつめて帰路につきました。森を抜けでる前にひとしきり肝を冷やされたのは、長く黄色い蛇が近くを這ってきたときです。わたしたちは緑軍曹さながらに直立不動で、ずっと息を止めていました。それからファーゴの首根もそっと片足で押さえつけねばなりませんでした。あいつが吠えたり跳びはねたりして蛇に気づかれてしまっては元も子もありませんから。帰りの道すがらに、マグテルがいきなり訊いてきました。結婚したことはあるのかと。そして数分が経ってから、子どもはいるのかとも訊いてきました。マイワが目覚めるのを待って、わたしたちは果実をプレゼントしました。マイワがいやはや美味だったこと、わたしはその味を生涯忘れますまい。

少年が一計を案じたことには

マイワとふたりで高い小塔の望楼にすわり、このあいだ浜で見つけたばかりの瓶にはいっていた蒸留酒をちびちび飲んでいると、マグテルがやってきました。この城をネズミどもから守る方法があると少年は切りだすのです。浜に打ち上がってから風に吹かれてごわごわの塊になった海藻があるけれど、あれを集めてぐるりと外壁を覆えばいいというのです。緑軍曹が警報の叫びをあげたら、わたしたちは城の東西南北すべての外壁に火矢を放ち、炎の輪で城を包んで、ネズミどもが通り越せないようにするというわけです。マイワは息子にキスをし、拍手もしました。やれやれ、ただちに海藻集めをはじめなければなりますまい。大仕事になることでしょうな。マグテルはたいした天分の持ち主です。

一〇〇歩

わたしはどうして、大海原の波頭がどこまで近づいてこられるのかを確かめに行ったりしたのでしょうね。一〇〇歩といえばたいそうな距離だというのに。

準備万端

長いこと重労働をつづけたはてに、城を守る海藻の環がようやくできあがりました。いま、ネズミの姿はどこにもありません。わたしは大きな丸い機械仕掛けのからくりを見つけました。片側が金属面で、もう片側はガラス面になったものが、砂に埋まっていたのです。小さな金鎚でガラスを叩くかのような鼓動の音をたてています。鼓動が一回打つたびに、ガラス面の内側にある矢印がほんの少しだけ動き、それを延々くりかえすことで円を描いていくようです。これは時計といって、人間たちが時間の経過を計るために使うものなのだとマイワが教えてくれました。その後で機械仕掛けにわたしはまた近づいていき、斧を何度も叩きつけて心臓を止めてやりました。金属製の矢印の長い方は矢筒に放り込んであります。

真相は波のごとくに

マグテルが病気になりました。疲れ果ててベッドから起きることもできずにいます。マイワが本当のことを打ち明けてくれました。彼女たちはあんまり長いこと船から離れては生きられないので、近いうちに城を離れてまた別の船を見つけなくてはならないのだと。わたしと一緒にいるあいだは元気にいられるように呪文をかけていたのだけれど、その効力が弱まってきたというのです。どうして今まで話してくれなかったのかと訴えると、「だって、あなたと一緒にいつまでも、〈のんびり気ままに〉で暮らしたいと思っていたから」との答え。あとはもう言葉もありません。マイワとずいぶん長いこと抱き合っているうちに自覚しました。わたしの心もまた砂でできた城なのだと。

ふたりとも行ってしまった

夜の鳥の背中に乗って空を飛べるだけの元気をマグテルが取りもどせたらと、船のかたちをしたベッドをこしらえてやりました。この単純なたくらみがうまく働いてあの子は立ち上がれるようになりました。旅立ちの時にそなえてわたしたちは食糧をつめ、大海原の上を飛ぶあいだにふたりがくるまって温かくしていられるように毛布もこしらえました。「船を見つけるには幸運が必要かもしれないわ。あの夜の鳥は渡り鳥ほどタフじゃないし、ふたりを乗せて飛ばなきゃならない。おまけにようやく甲板に降りられるのは、ずいぶん沖合にでてからになりそうだから」とマイワがいいます。「死ぬまできみたちの安全を祈りつづけることにするよ」とわたしが答えると、「それはだめよ」といってきました。「新たな棲み処《か》が見つかったら、このお城までまた鳥に飛んでこさせるわ。そうすれば、わたしたちが旅を生き延びたことがわかるわよね。そうしたら手紙を書いて、鳥の脚に結びつけてくれるといいわ。鳥がわたしに手紙を届けてくれるから」と。それを聞いてすこしは心が晴れました。そうこうするうちに別れの挨拶をする頃合いになり、マグテルが、サメの歯の斧を握ったままで、両腕で首に抱きついてきました。「きみの想像の世界でわたしを生きつづけさせておくれよ」と告げると、いつまでもそうするからねと少年は答えました。マイワとわたしは最後のキスを交わしました。ふたりが夜の鳥に跨がります。マイワがあの音をたてて合図を送ると、鳥は羽ばたいて飛び立ちました。わたしが高い小塔の望楼まで階段を駆け上がると、鳥がぐるりと城を一回するところで、ふたりの返してくれた別れの言葉をどうにか聞き漏らさずに済みました。わたしは精一杯手をのばしたのですが、ふたりは飛び去り、大海原の上空で、詮索好きな月を横切っていきました。

五〇歩

ずいぶん長いこと経ちました。最後に机に向かって記録を残したのがいつだったのか思い出せないくらいです。どうにかしてそれを乗り越えようとわたしが懸命に努力してきたいくつかの記憶がこの書物に綴られているということに、きっと我ながら気づいていたのでしょう。いまではファーゴとふたりだけで、釣りにでかけ、食料をあつめ、浜をさらうばかりの暮らしです。月はもう高いほうの小塔の上に高々とのぼり、わたしを裁くかのごとき明かりを投げかけてきます。波頭から外壁まではあと五〇歩となりました。その数値を不安感も安堵もなしに書き留めている自分がいます。どうにも足の運びが遅くなり、目もぼやけてきているようです。ですが眠りに落ちれば、夢の中ではあの夜の鳥に乗って、わたしはいつまでも大海原を飛びつづけているのです。

緑軍曹が発した警報

釣りに出かけようとしていたところに、「敵襲!」と緑軍曹が叫び立てるのが聞こえてきました。わたしはすぐさま小塔にのぼって目で確かめることもせず、弓矢にくわえて、火をおこすための流木の棒ひと抱えを取りにいきました。それから望楼にのぼって北を見やると、ネズミどもが海岸をぞろぞろ進んでくるのが淡い月明かりのなかに見えました。一ダースを上回るほどの群れです。

わたしは望楼の床面に火をおこすと、弓をかまえ、矢尻を炎にかざして着火するのを待ちました。それから一本、二本、三本、四本。乾燥した海藻の環に向けて火のついた矢を放っていきます。やがて炎は燃え広がってひとつながりの円形になり、何匹かのネズミが炎に飲まれました。金切り声がわたしの立つ高所まで聞こえてきます。残りのネズミはあらかた逃げていきましたが、西側で炎に包まれていた一匹がのたうち回って火を消し、また別の一匹がそいつの屍骸を乗り越えてくるではありませんか。わたしはすかさず持ち場を離れ、そいつをもっとよく狙い撃てるように、低いほうの小塔まで駆けていきました。そして到着すると、次々に矢を怪物目がけて放ちましたが、そいつはすでに擁壁を突き崩し、〈のんびり気ままに〉の城郭内に踏み込んでいます。何本も刺さった矢から血を滴らせながらも怪物はくじけずに、わたしをむさぼり食おうと近づいてくる。わたしのいる小塔までたどり着くと、後ろ足で立ち上がり、塔の壁面を爪でひっかいて、崩落させようとしはじめました。止めを刺せるのはこれが最後だと時計から引き抜いた金属製の矢をとって弓につがえます。わたしは汗みずくで息を切らしていましたが、生きている実感をかくまで強く抱いたのは、長い暮らしではじめてのことでした。狙い通りに、むき出しになったネズミの胸を矢がとらえ、深々と心臓につきささりました。そいつは前に倒れて側壁を突き崩し、そのまま小塔は根元から崩れ落ちていきました。その寸前に頭に浮かんだのは、「崩れる塔とともに死ぬのでなければ、わたしは生き埋めになるのだろう」という考えでした。その時です。足場が揺らいで空中に投げだされたのは。ですがわたしは落ちていきませんでした。柔らかな手のようななにかがわたしを捉え、ふんわり安全に地面におろしてくれたからです。奇跡が我が身に起きたのでしょうか。それともマイワの魔法のはたらきか。そのじつは、あの夜の鳥がもどってきたのでした。低い小塔は完全に崩落して、その残骸の一部が中庭に広がっていました。わたしは砂を掘って片付けましたが、あのネズミの攻撃で城全体の構造が弱まってしまい、それ以来、壁がしょっちゅう剥がれ落ちるようになりましたし、架け橋も危なげになりました。ネズミの死骸を片付けるのにもとほうもない手間がかかりました。結局は切り刻んで断片ごとに引きずっていき、部分的に残るばかりの擁壁の外側に埋めることにしました。

手紙がとどく

わたしが城の修復をすすめるあいだ夜の鳥は逗留してくれ、自分にできうる限りに損傷した城を元に戻そうとする努力の合間に時間ができると、わたしは机に向かってマイワとマグテルに手紙を書こうとしはじめました。精一杯努力しても手紙は結局まとまらないのですが、どれだけ愛おしく思っているかを伝えたかったのです。いま、ファーゴを従えて小塔に立ち、この城からまた大海原に飛んでいこうとする鳥を見守っていると、古い感情のことごとくが、いっそう強く湧きあがってきて、ぽっかりした喪失感だけが胸にのこります。

月と、海と、暗がりと

城の外壁からほんの一〇歩のところまで海水がひたひたと寄せています。最後に記録をとってから色々なことがありました。あるとき、わたしがベッドで寝そべっていると、寝室の窓の向こうに、ふたりの人間、すなわち巨大な女と男が、手をつないで歩いてきました。お城の外壁でふたりは足を止め、割れ鐘のような声でなにかを話し合っています。その言葉の響きから、わたしの棲み処を褒めてくれているのだとわかりました。いまや見る影もなく崩れかけているというのに。わたしは緑軍曹にかけた魔法を解呪して、見張りと警報の責務から解放してやりました。彼の仕事はもう終わりで、長いことよく働いてくれたのですから。緑軍曹を湖まで引きずっていって、わたしの舟にのせ、岸から押しだしてやりました。ああ、そのあとどれだけ腰が痛んだことか。今はもうネズミどもが攻めこんできても、戦うつもりはありません。地下牢はとうにスナガニに占拠されていて、わたしが黙って思いに沈んでいると、やつらがちょこまか地下を動きまわり、〈のんびり気ままに〉の土台を蝕む物音が聞こえてきます。小塔から胸壁の一部が崩れ落ちました。よくない徴候ではありますが、海の眺めを妨げるものがなくなったともいえます。お城の東の浜に打ち上げられていたのは、わたしがその昔、あの夜の鳥に託した手紙ではありませんか。インクが流れだしてかろうじて読みとれるかどうかですが、自分が書いたあの手紙に間違いありません。わたしはもう疲れました。

星が流れて

星が空を流れるのを眺めていて、たったいま戻ったところです。数ダースもの星々が筋をひくように流れていきました。たいそう美しく、思わず頰が緩んでしまいます。いったいなにをこれは意味しているのでしょうか？

訪問客

沖に船の灯火が見えたかと思うと、なにやら白くて大きなものが暗闇から舞い降りてきました。ファーゴが猛然と吠えながらぴょんぴょん跳びはねています。目をこすって見つめるうちに、それが鳥、アジサシだとわかり、背中に乗ったちいさな人影も見えてきました。なんとマグテルです。だけどもう少年ではありません。大人になっていたのです。わたしは転びそうになりながらも、小塔を駆け下りていきました。壕にかかる橋で彼と行き会い、ふたりで長いこと抱き合いました。ともあれ、わたしより背が高くなっていようとは。船が沖合を抜けるところで、少しの間しかいられないのだとマグテルはいいました。わたしはクラムチャウダーをつくり、擬乳状に固まったクラゲを新芽のスライスにのせて出しました。「マイワは今どこに?」と訊ねると、相手は首をふりました。「しばらく前に病気にかかり、そのまま回復しなかった。だけどもしも俺が幸運に恵まれたそのときには、あの人にこれを届けてと頼まれたんだ」というのです。わたしは懸命に涙をこらえ、せっかくの再会を台無しにしないように努めました。「乗船客の人間のひとりから母が盗んで、あなたのために取っておいた品だそうだよ」と、小さく幾重にも折り畳まれた紙をマグテルはとりだすと、折り目をひらきはじめます。すっかり一枚の紙に広がると、「〈白昼〉を写した写真だよ」というのでした。そこには太陽が、黄色くぎらつくその球体が青い空に浮かんで、真っ白な砂の海岸には、ターコイズブルーの透明な海のさざ波がよせています。そのうちとうとう帰る時間になり、マグテルはあの斧のことを、何度も助けになってくれたから、いまでも手元に置いているんだと話してくれました。大船では他には大勢のウィルニットが暮らしていて、いい共同体ができあがっているのだとも教えてくれました。わたしたちはさよならは言いませんでした。彼はファーゴの頭部をぽんぽん叩き、大きな白い鳥の背中に跨がりました。「ありがとう、イーリン・オク」そう言い残してマグテルは飛び立ちました。〈白昼〉のあの写真をもしも見ていなかったなら、この出来事のいっさいが夢であったと思い込んでいたかもしれません。

波がとうとう城の中に

波頭に外壁が打ち破られ、城は浮島のごとくになりました。〈白昼〉のあの写真をわたしは折り畳み、小袋にいれて首から提げています。ファーゴが小塔の望楼で待っていてくれて、わたしたちは〈のんびり気ままに〉の落城をそこで見届けようとしています。ですが、塔をのぼっていく前に、いくつかの考えを整理しなければ。イーリン・オクとしてこの肉体に飛びこんだあのとき、住まい選びは果たしてこの場所でよかったのか、わたしは不安でいっぱいでしたが、いまや一片の迷いとてありましょうや。わたしが臨みうることのすべてが、そっくりそのまま、ここ〈のんびり気ままに〉であったということに。そしてまた、わたしは人生の意義を疑うことがあまりにも多い男でしたが、いま、こうして最期に臨んでみると、ファーゴのかすれ吠えからはじまって、ネズミとの戦いのあの緊迫感、湖で魚釣りをしたこと、月の丸い顔、黒い果実の美味、吹きよせる風、緑軍曹の仕事熱心さ、少年マグテルがわたしの手を握ってきたこと、夜の鳥の背にのって空を飛んだこと、ムール貝のベッドでマイワとふたり添い寝をしたこと、などのあれこれ尽きない思い出が、満ち潮さながらにどっと押しよせてくるのです。「それは畢竟《ひっきょう》、なんの謂《い》いであろうか?」これまで何度も、かように胸に問うばかりの男でした。「おまえは人生を存分に生きた。そういうことだよ、イーリン・オク」――さて、城壁の崩れる音が聞こえてきました。わたしは急がねばなりません。落城のその時を見逃すわけにはゆきませんから。

フランク・シナトラもシド・ヴィシャスも歌う。「マイ・ウェイ」に翻訳の未来を重ねて

●文＝待兼音二郎

「イーリン・オク一代記」は、とある妖精の生涯を描いた物語である。

となれば「マイ・ウェイ」さながらに、朗々とドラマチックに歌いあげるような作品にすることもできたはずだ。人生の終幕のカーテンを前に男が半生をふりかえるあの曲の歌詞にまさしく重なるような内実を備えた小説であるのだから。

けれども、それを綴る作者の筆は、なぜだか実にそっけない。「マイ・ウェイ」のように言葉を重ねて少しずつ盛り上げていけばおのずと物語も動き出して没入感も高まっていくはずなのに。どうやら作者ジェフリー・フォードは、わざとそっけない言葉遣いを多用することで、物語のクライマックスに向けた疾走をあえて制止しているようにも思える。どうしてそんなことをするのだろう？――原文の読み込みを進めながらも、悩みは深まるばかりであった。

その違和感をあえて喩うるなら、「マイ・ウェイ」であることには違いなくとも、シド・ヴィシャス（薬物の過剰摂取で一九七九年に死去したパンクロッカー）が歌ったカバーの規格外ぶりにも比すべきか？　大番狂わせのあの演出手法。フランク・シナトラやエルヴィス・プレスリーといった大物歌手が歌い継いできた感動的なあの曲を、いかにも当時のパンクスらしく、分別ある大人の神経を逆なでするような語尾上がりや吐き捨て調を重ねて茶化すように歌ったあげくに、ステージから聴衆を次々に銃撃するシーンにつなげた異色すぎるバージョンのことである。よりによってシド・ヴィシャスと比べるのかよとのお叱りには平身低頭するばかりだけれども、オーディエンスの期待を肩透かしにして予定調和を突き崩すという手法において、共通する要素もきっとあるはずと思った次第なのである。

そんな肩透かしや番狂わせの意図が仮にあるにせよ、この短篇が英語圏で高く評価されたのは動かぬ事実。発表翌年の二〇〇五年にThe Speculative Literature Fountain Awardを受賞しているし、同年の〈Locus〉誌の読者人気投票では短篇部門で五位に輝いてもいる。

という次第で迷うばかりの自分にこの短篇の魅力をじわじわ味わわせてくれたのが、冒頭の紹介文でも言及した中野善夫さんによる既訳「イーリン・オク伝」なのである。中野さんの翻訳は一読したかぎりでは薄味に過ぎる印象もあるのだが、原文をさんざん読み込んでいた自分にはすぐに事情が腑に落ちた。翻訳の理想のひとつは、昔のウィスキーのCMになぞらえて、「なにも足さない、なにも引かない」であると言われる。その観点からみると中野さんの既訳は、まさしく山崎シングルモルトの味わいなのだ。下手な演出をするよりも素材の味を最大限に引き出すこと。しみじみ飲めば、いや、読めばわかる。原文の言葉足らず気味なところを飾らず等価な日本語にしていく。その成果はたしかに薄味ではあっても、読み終えてページを閉じれば心地よい酔いがふんわり立ち昇ってくる。それが優れた翻訳の力なのである。説明不足の原文を読み違えていたことに中野さんの訳で気づかされた箇所も片手の指では足りないほどだし、優れた既訳を手引きにできたことには、どれだけ感謝してもしきれないほどなのである。

なお、この短篇小説は、エレン・ダトロウ＆テリ・ウィンドリング編の『The Faery Reel: Tales from the Twilight Realm』（2004）というアンソロジー向けに書かれたものだ。その初版ではなく

二〇〇六年の二版が入手できたので、今回の翻訳ではそちらを底本とした。ちなみに中野善夫さんの既訳は『The Empire of Ice Cream』(2006)というフォードの短篇集に掲載されたものを底本にされているらしく、原文そのものの随所に違いがあることをお断りしておく。

　というわけで、中野さん訳のすばらしさはこれまで述べてきた通りだけれど、新訳でそれを完コピ的に模倣するのではさすがに意味がない。どうアウトプットしたものかと悩んだあげくにたどり着いた結論は、自分の持ち味を生かすべく切り口を変えることであった。それは浄瑠璃的な声色使い。というわけで、妖精研究家による冒頭説明の部分は硬めの常体、イーリン・オクの日記の部分は口語的な敬体、というように文体に変化をつけてみた。その結果はシド・ヴィシャスのカバーの猿真似めいたエキセントリックでクドいだけ——という低評価に終わるのかもしれない。

　ともあれ、フランク・シナトラからシド・ヴィシャスへと歌い手が変われば、楽曲の味わいがこれほどまでに変わるのかということを、今回ご実感いただけたなら幸いである。そしてまた、すぐれた原作には、音楽のカバー曲のように幾通りもの翻訳があってもいい。将来、すぐれた翻訳家による第三の訳が登場することを期待して止まない。それが翻訳のスタンダードになる将来にも期待したいところである。

　なお、原文の末尾に著者Noteが付されていたので、その翻訳を最後に記した。ちなみに作者ジェフリー・フォードは一九五五年ニューヨーク州生まれで現在六五歳。ファンタジーやSFをまたいで数多くの著作があり、『白い果実』(二〇〇四年)をはじめ長編小説五本が邦訳されている。短篇集『言葉人形』(二〇一八年)という優れた短篇集もあり、フォードの作風や文体の多彩さに触れることができるはずだ。

著者Note(原文より)

　ロングアイランド島で育った少年時代、日曜日ごとに〈デイリー・ニューズ〉紙を父親が買ってきた。『ディック・トレーシー』、『勇敢な王子』、『ザ・ファントム』なんかのコミックスがいつもカラーで載っていて、コマ割りなしの一ページぶち抜きのスタイルが私は特に好きだった。小指ほどの身の丈しかない『ティーニーウィーニー』の人々がそんなスタイルで描かれたものもお気に入りで、我々巨人の世界での彼らの奮闘が心に残った。秋のいつだかの日曜版に、彼らのひとりが七面鳥に騎乗する傍らで大勢が巨大などんぐりを集めていて、そこに空飛ぶ絨毯ほどに大きな木の葉が舞い落ちてくるという構図のものがあったことを鮮明に記憶している。日常の安全圏の外側にある世界の途方もない広さに子供心を揺さぶられていた私は、彼らの団結力や勇猛果敢さに想像力をいたく刺激された。それがこの「イーリン・オク一代記」につながっていることは疑いもないだろう。

　もうひとつ、この短篇の着想の元になったのは、海そのものである。私は毎年夏になると浜へ、それもとりわけ(当時住んでいた)ニュージャージー州沖合にあるロング・ビーチ島に出かける。海の雄大さと自分のちっぽけさを痛感させされる海辺においてほど、この世界で生きとし生けるもののすべてが、身体の大小に関わりなく、いかに尊いものであるのかを思い知らされる場所はない。私が妖精に心惹かれるのもそれゆえではあるまいか。この自然界にはどんなにちっぽけな片隅にでも、複雑精妙で敬意を抱くべき何かが生きて存在している。その真理の隠喩たりうるのが妖精でもあるのだ。

　というわけで、浜辺へようこそ。

※本文における算用数字は、原書の初出等を示します。

フェアリーテイル

●文＝浅尾典彦（夢人塔代表・メディアライター）

■ピーター・パン

一九〇四年、戯曲『ピーター・パン 大人になりたがらない少年』（三幕）が上演され大好評を得た。今も良く知られる『ピーター・パン』はお芝居から生まれたのだ。一九〇二年ジェームス・マシュー・バリー Sir James Matthew Barrie によって書かれた小説『小さな白い鳥』の中の数話に出てくる男の子キャラクターを使って創作されたこの子供に向きの作品は大成功し、後に『ケンジントン公園のピーター・パン』(1906)が出版されたのだ。作品には壊れた鍋やフライパンを修理する金もの修理の妖精ティンカー・ベル Tinker Bell が出てくるのだが、小さく光る妖精を表現するために舞台では一八九八年に発明された懐中電灯で光の球を作り舞台に照らして「妖精の光」にした。子供は大喜びで拍手喝采。人工的に作られた光の球は観ていた子供たちにとって「妖精の光」以外の何物でもなかった。

■「コティングリー妖精事件」

時は第一次世界大戦の最中、イギリス軍が「アラスの戦い」を開始して数ヶ月の一九一七年七月の事。イギリスのブラッドフォードに近いコティングリー村に住む従姉妹フランシス・グリフィス Frances Griffiths（当時九歳）とエルシー・ライト Elsie Wright（当時十六歳）は小川の近くで妖精を見た。しかも、妖精と少女が一緒にいるところや踊っているところの写真まで撮影したというのだ。妖精は小さい人間の姿で背中には昆虫のような大きな羽があった。父親に借りたミッジカメラで二人は三年間に計五枚もの妖精写真を撮影した。これが噂になり、『シャーロック・ホームズ』シリーズの作者として有名な作家アーサー・コナン・ドイル Arthur Conan Doyle の知れるところとなった。ドイルはこれを見て驚くが、この写真の真偽の鑑定を専門家に見せて検証し、トリック写真でないことが証明された。また、知り合いの神智学者エドワード・L・ガードナー Edward.L. Gardner に調査を依頼し、現場検証などをした結果、ドイルは「本物の妖精写真」として雑誌に発表した。世間は驚き、「写真の真偽をめぐって論争や騒動が六十年以上に渡って起きた。これを「コティングリー妖精事件」The Case of the Cottingley Fairies という。はたして真実は？井村君江編著の「コティングリー妖精事件 イギリス妖精写真の新事実」（青弓社、二〇二一）に詳しく紹介されている。

■コナン・ドイル

少女の撮った「妖精写真」を『ストランド・マガジン』The Strand Magazine（一九二〇年十二月号）に掲載したアーサー・コナン・ドイルは作家、

医師、政治活動家。一九〇二年にナイトの称号を与えられ、サー・アーサー・コナン・ドイルと呼ばれている。探偵小説『シャーロック・ホームズ』シリーズで有名だが、心霊学研究の大家としても知られていた。

　チャレンジャー教授が南米アマゾンで太古の生物を発見するSF小説『失われた世界』The Lost World（1912）や、教授ほか五人だけが地上に生き残る『毒ガス帯』The Poison Belt（1913）を発表。目覚めた後の世界は心霊学で云うところの「死後の世界」を暗喩として描いている。ドイルが心霊主義に傾倒して行ったのは第一次世界大戦で兄弟などを失ったことに起因するらしい。

　「妖精写真」に関しては一九二二年に『妖精の到来～コティングリー村の事件』The Coming of the Fairies（翻訳：井村君江、アトリエサード、二〇二一）を記している。

■U・M・A写真

　最近、良く使われるようになった〝U・M・A〟という言葉は実は和製英語で、「謎の未確認動物」Unidentified Mysterious Animal の頭文字を採って作ったという。巨大ワニが暴れまわる映画『U・M・A　レイク・プラシッド』Lake Placid（1999）公開のタイトルに使われて一般化した。写真や動画に撮られたU・M・Aは今では数あるが、世間を大きく騒がせて歴史に残ったものたちは、

・一九一七年七月「コティングリー妖精事件」イギリスで撮影された〝妖精写真〟
・一九三四年四月「外科医の写真」のイギリス・ネス湖の〝ネッシーの写真〟
・一九六七年十月「パターソン・ギムリン・フィルム」は、カリフォルニア州・ブラフ・クリークで8mmフィルムに収められた〝雪男（ビッグフット）の動画〟

辺りであろう。

　中でも「コティングリー妖精事件」は、一大論争を巻き起こし〝妖精探しのため〟に村に人が大挙するという、今では考えられない社会現象を起こしたのだ。村は何か月もの騒ぎになった。

■映画「フェアリーテイル」

　その「コティングリー妖精事件」を映画化したものがある。日本でも劇場公開したアメリカ・イギリス合作の映画『フェアリーテイル』FairyTale: A True Story（1997）だ。監督はチャールズ・スターリッジ。かつてはマルコム・マクダウェルのデビュー作『ｉｆ　もしも……』if....（1968）の端役で出演する役者であった。その後、監督に転向し、『ジム・ヘンソンのストーリーテラー』JIM HENSON'S THE STORYTELLER（1987 ＴＶシリーズ）や『ガリバー／小人の国・大人の国』、『ガリバー２／天空の城ラピュタ』GULLIVER'S TRAVELS（1996 ＴＶシリーズ）など、イギリスの作品を多く手掛ける監督になった。

映画「フェアリーテイル」は「コティングリー妖精事件」を、『ページマスター』The Pagemaster(1994)や『小さな森の精 あいあむ!スマーフ』Sumaafu(1986 - 1989)など子供向き作品にも定評があるアーニー・コントレラスが脚色し、感動のファンタジーにし上げている。

第一次世界大戦中のイギリス。戦争、不況に苦しみ、みんなの心が疲弊している。父親の帰りを待つ八歳の少女フランシスと十二歳の従姉妹エルシーは近所の小川に行き、父に借りたカメラで写真を撮る。そこには少女とともに妖精が写っていた。そして、この写真がイギリス中を巻き込んだ大騒動へと発展していく。

神秘主義に傾倒した高名なドイルが二人の事を擁護し、コダックに持ち込んで真偽の検証をする。〝写真としての真実(二重露光ではないこと)〟の証明が出来たことをきっかけに妖精の記事を「少女と妖精の写真」を添えて雑誌に掲載する。個人名を乗せずプライバシーを保護したつもりだったが、ドイルが書いた事で話が一気に大きくなる。新聞記者フェレットが周囲を調べて周り、遂に二人を突き止めて追いかけ回し出したのだ。森の妖精狩りが始まり、二人は外にも出られなくなる。

やがて二人の気持ちにも温度差が生じて来る。最後にフランシスの心の大切な事柄の順番が入れ替わり、妖精から現実の家族の希望へと推移していく。

子供の心を描いた良質のファンタジー。二人の少女の関係性を軸に周りの人たちの反応ややさしさをしっかりとしたドラマ展開でみせる秀作である。

時代背景の描写が細やかで、戦争の負傷兵、子供を失った母親などみんな色々と傷を持つ周りの大人たちの作り込みが素晴らしい。写真を見た大人たちが勝手に偉い騒ぎになる事の面白さは、アメリカでオーソン・ウェルズがH・G・ウェルズのSF小説「宇宙戦争」をラジオ放送の番組で朗読し、「宇宙人の攻撃」と勘違いした人々がパニックを起こした一九三八年の事件を思いだす。

〝信じている者だけに見える妖精〟を視覚的に描いているのも面白かった。

神秘主義者のドイルと対比させるため、科学的な視点を持つ魔術師のハリー・フーディーニという時代の巨頭を登場させ、別々の角度から二人の少女を擁護することでドラマに深みを持たせている。

ドイルとフーディーニは、実際に最初は友好関係であった。そのうち〝信じるもの〟の違いに気づき袂を分かれるのである。

では、フーディーニとは誰なのか?

■脱出王フーディーニ

ハリー・フーディーニ Harry Houdini は当時、アメリカ合衆国で最も名を馳せたマジシャン(奇術師)である。「不可能を可能にする男」「脱出王」「手錠王」など多くの異名を取り、手錠・拘束衣からの脱出をはじめ、各国の警察の留置場や刑務所の脱出、水槽からの脱出、凍った運河やミルク缶からの脱出など徐々に大掛かりで危険なエンタテイメントに挑戦し続けて、アメリカのトップスターとなった。

本名はヴェイス・エリク Weisz Erik。一八七四年三月二十四日ハンガリーのブダペストでユダヤ人法律家の息子として生まれた。四歳の時にエリク家はアメリカ合衆国ウィスコンシン州に移住。本で読んだ「縄抜け」に傾倒し、数々のアルバイトをしながらプロのマジシャンを目指した。デビュー後しばらくは、従兄弟と興行した。その後、トランクからの脱出を応用してマジシャンと助手が入れ替わる演出を考案し注目を浴び「脱出王」の道へ、超の付く人気者となる。エンタテインメントにたけ、マスコミの先導もうまく、俳優として映画に出演し始める。

アメリカ映画史上初めてロボットの出る犯罪アクションもの『人間タンク』The Master Mystery(1918)をはじめ、空中アクロバットも素晴らしい未公開の飛行機アクションもの The Grim Game (1919)、潜航艇で敵に出向き水中バトルも楽しい『恐怖島』Terror Island (1920)、自社を設立し製作・主演も務めた魂の転生ラブロマンス『氷原より激流へ』The Man from Beyond (1922)、同じく自社製作・監督・主演を務めた『密偵ハラデン』Haldane of the Secret Service (1923) などフーディーニは五本の映画に主演し、映画スターの名も欲しいままにした。

　中でも『氷原より激流へ』は、自分の母親の死以後、霊の存在を信じていた時期があり、その撮影した作品であったため〝生命再生〟の考えが作品に入っている。アーサー・コナン・ドイルと交流が深かった頃でもある。しかし、その後、フーディーニが参加した「降霊会」で霊を呼ぶ行為にトリックがある事に気付き指摘、それ以降は超能力や心霊術のトリックを暴く〝サイキックハンター〟としても知られるようになる。心霊術を調査する為発足した科学雑誌『サイエンティフィック・アメリカン』にも委員として参加している。結局、心霊を信じようとするドイルとの関係は亀裂が生じてゆく。

　しかし、死の直前にH・P・ラヴクラフトに『迷信の癌』という執筆を依頼していた事もわかっている。ロマンは捨てていなかったのか。だが発表までにフーディーニが亡くなったため結局出版は中断された。後に未発表の原稿が見つかっている。

　映画『フェアリーテイル』では、ハリー・フーディーニをハーヴェイ・カイテルが演じ、妖精実在派のコナン・ドイルに対し、批判的な人物として登場する。

■まとめ■

　映画の中で、現実主義でありながら〝幻想を人に視覚化し提供する〟事を生業とする科学的名フーディーニが、二人の少女の心を否定せずに受け止める〝やさしさ〟を見せるドラマ展開には涙が出る。〝子供の持つ純粋さ〟と〝悪意無きエンタテインメント〟に共感したから故なのだ。ジョー・デヴィッド・ブラウン原作の映画『ペーパームーン』Paper Moon (1973) の〝信じれば紙のお月さまだって本物の月になる〟というセリフを思いだした。そして、フーディーニは二人の肩に手を置き優しく語る「手品師はね、絶対種明かしをしないものなんだよ」

　妖精は人の心に生きている。信じる力のない人たちには無い世界なのだが、信じるものには本当にあるのだ。二人の心の中に。まぎれもなく生きている。きっと、あなたの心の中にも。

わたしたちがまだ手放さずにいたもの

●詩＝岡和田晃

目に見えないもの
しか
信じられない……みどり野のわたしたち
そこにいない
と、
思われている
ものらの……形姿《すがた》をはっきりと〈視る〉
〘銀白の葦《ウィード》、青灰色の漣《ウェーヴ》から、深紫の夕暮鐘が〙
——でもね、だんだんと、薄れて、ゆくの——

〘えるむう　嘴をひたし　忘却の川面《レテ》に映る顔は〙
〘あの時分、わたしたちは、牧神《パン》たちをはねつけ
夢の娼婦《フェアリー・クイーン》のみどりごの分際で、と罵られども
ざんぶと飛沫があがり、黄金を失くした海へと
影の国で休む　湯を浴びせられた取替え子《チェンジリング》に〙
〘利権塗《まみ》れ業者とウンディーネが睨《にらみ》合いを続け〙
【左目も抉《えっ》って分け与え　記録されない詩語を
吟じ　音として固着させず　魔法《グラマー》は死みたい

――まだ、だいじょうぶよ　霊視能力者《クレアヴォイアント》の
お墨つき、だから。この瞬間は、永遠――
《のものと、そうスルため、だけに、ネ……？》
【振動《ヴァイブレーション》で　ゆらめき　渺《びょう》とした妖精《フェアリー》の花冠
写し取って　あるいは切り抜いて　供え物とし
はじまれ　中空《みそら》の丘の　もうすぐ　そのそばで
煙が眷属《ブルード》にかわって　わたしたちの生《ライフタイム》のなかへ】
《否、事実《ファクト》に足らずと、王立協会員の疑念……》
《さざめく小川《ベック》のほとりを、とぼとぼと往きつつ
輪《リール》を描いて、赤帽子《レッド・キャップ》より取り出された銀貨を
ちゃりりと鳴らし、思いきり投げつけてみる
宵の明星めがけて、〈貴き人々《ロードリー・ワンズ》〉のもとへ飛び》

トウィルミッシュの　須臾《しゅゆ》の生が　だんだん
あだん　でりぃ　と　想念体《ソート・フォーム》に凝集してね】
《たのしく　いつまでも　あそんでよ……と？》
《ディーバの階梯を一足飛びに超えてしまい》
めざめの通夜祭《ウェイク》で
骸骨《ジェローム》
が石柱《モノリス》を嗤い……死んだ魚の腐臭へと挑む
鞄から漏れ出した
記憶《いしずえ》
舞い散る纈草《ヴァレリアン》
消えたはずの……形姿《すがた》をまだきに〈撮る〉

画：ウィリアム・ヒース・ロビンソン－夏の夜の夢の挿絵3
『The Fantastic Paintings of Charles & William Heath Robinson』（バンタム・ブックス、1976年）より

妖精の写真
――コティングリーでの撮影

エドワード・L・ガードナー
●訳=徳岡正肇

"Fairies: The Cottingley Photographs and their Sequel"
by Edward L.Gardner. First Published in 1945.

ザ・グランドホテル
メルボルン、オーストラリア
一九二〇年十月二一日

親愛なるガードナーへ

遠いオーストラリアの地で、あなたの手紙と、私たちが発表した成果を裏付ける三枚の素晴らしいプリントを手にしたいま、私は大いに嬉しく思っている。

あなたと私にとっては確認の必要などなかったが、心霊的な探求をしたことのない多忙な日常を送る世間一般からしてみれば思考の全体的な流れがあまりにも新しいがゆえに、この新しい生命の秩序は本当に実証されたものであり、真剣に考慮しなければならないということを彼らに思い至らせるためには、何度も何度も繰り返される必要があるだろう……

このような写真が実際に存在することを知らずに、おそらくはさらなる写真を漁ろうとするという形で行われる攻撃に対し、あなたがこの完全なる盾を手に入れ得たことを、私は祝いたい。しかし、人間の精神的な地平を拡大し、我々が知る物質によって我々の宇宙の限界が定められるものではないことを証し立てることは、唯物主義を打破し、人間の思考をより広

写真１：フランシスと妖精
1917 年にエルシーが撮影。カメラ：ミッジクオーター
距離およそ 4 フィート。シャッタースピード 50 分の 1 秒。晴れ
オリジナルのネガは、専門の写真家によると、合成やレタッチといった類の痕跡はまったくなく、野外で自然な状態で撮影された、純粋な単露光の写真であるという。ネガはやや露出オーバーだった。滝と岩は、「ベック」の土手の内側の浅瀬に立っているフランシスの後ろ、約 20 フィートの距離にある。少女たちの説明によると、妖精の色は緑・ラベンダー・薄い藤色が一部に見られるが、羽の部分が最も特徴的で、手足やひだのある衣類はほとんど純白に近い色へと褪せている。

く、より霊的な高みへと導くのにあたって、良い効果があるはずだ……

妖精は、古色蒼然とした実験によって破壊することなどできない。妖精の存在が認められれば、他の心霊現象もより早く受け入れられるようになるだろう。

さようなら、親愛なるガードナー。私はこの画期的な事件に、あなたと一緒に参加できたことを誇りに思う……

敬具
（アーサー・コナン・ドイル）
「シャーロック・ホームズ」の作者

A・C・ドイルがエドワード・L・ガードナーに宛てた手紙の抜粋
イギリス・リーズ・リーズ大学のブラザートン・コレクションより

写真２：エルシーとノーム
1917年にフランシスが撮影。カメラ：ミッジ
オリジナルのネガは一枚目と同様、徹底的に検査・拡大・分析され、完全に素直な単露光の写真であると宣言されたが、かなり露出アンダーだった。撮影場所は渓谷の土手の上で、左手には石垣で囲まれた平らな草地が広がっている。エルシーはノームと遊んでいて、自分の膝の上に来るように手招きしていた。カメラを持っていたフランシスがシャッターを切った途端、小人は飛び上がった。
ノームは黒のタイツに赤っぽいジャージ、尖った真っ赤な帽子をかぶっていたという。エルシーによると重さは感じられないが、素手で触ると「小さな息」のような感触があるという。羽は妖精というより蛾のようで、柔らかな薄い色をしていた。エルシーの説明によると、羽の上にあるマークのようなものは、グロテスクな小さな左手で振っているパイプにすぎないという。パイプの音楽は、何もかもが静かな状態でないと、とても小さな音としてしか聞こえない。子供たちは二人とも、何の音も聞きとれなかった。

写真３：フランシスと跳ぶ妖精
1920年８月に撮影。カメラ：カメオクオーター
このネガも、写真４と写真５と呼ばれるネガも、これまでのネガと同様に厳密に調査されたが、何の痕跡もなく、完全に本物の写真であることだけが明らかになった。
これらの乾板はすべて少女たちに送られた小包の中にあったものが使われており、小包に入っていたそれぞれの乾板には製造者による秘密の印が付けられていた。妖精は下の葉から飛び上がり、一瞬空中で静止している――この動きは３～４回行われた。フランシスは妖精が自分の顔に触れるのではないかと思い、思わず頭を後ろに倒している。妖精にはぴったりと光の覆いがかかっているように見える。翼はラベンダー色をしていた。

序文

以下に示す故ニューマン枢機卿による『アポロギア（Apologia）』*からの抜粋は、妖精――さらにはこの通常とは異なる存在の序列における、高次に位置するもの――の存在を示す、いくつかの有益な証拠を提出する本書の序文として、適切かつ意義深いものである。

天使についての私の考えは、特にアレクサンドリア学派と原始教会に負うところが大きいと思う。私は彼らを創造主のために働く代理人としてだけ見ているわけではない……目に見える世界の有機的な構造も担っていると考えている。私は天使を、運動、光、そして生命および物理宇宙の基本原理を為すものを惹起する真の要因であると考える。そして我々が運動や光といったそれらの進展を己の感覚で捉えたときに、因果関係の概念と、自然法則と呼ばれるものを、私たちに示唆するものだと考える。ミカエル祭での説教の中で私はこの信条のあらましを示し、遅くとも一八三四年までには文書にした。私は天使について、「すべての空気の息吹、光と熱の光線、すべての美しい景色は、いわば彼らの衣服のスカートであり、天で神を見る顔を持つ人々が着るローブの揺らぎである」と記した。「自分自身は己よりも存在の階梯が低いものとして扱っている、花や草本や小石や一筋の光を調べるとき、突如として自分が何か大いなる存在の正面に立っていることに気づくことがある。己が調べている目に見えるものの背後に隠れた、偉大なる何者か。その賢明な手によって隠蔽されてはいるものの、それら目に見えるものの美と優美さと完璧さを形作った存在。すなわち神がその目的のために作った道具たる存在。ああ、己が必死で分析しようとしていたそれら目に見えるものは、誰のローブであり衣装だったのか？」私は再びここに問う。そのとき、人は何を思うのか。

第一部　コティングリーにおける妖精の写真

妖精の写真が公開される

一九二〇年、ストランド・マガジンのクリスマス号には、アーサー・コナン・ドイル卿と私による「画期的な事件―妖精の写真が撮影される」という記事が掲載された。この雑誌は十二月初旬に書店に並び、三日で完売してしまった。記事の反響は巨大なものだった。実際、雑誌に掲載された記事は世界中に広まり、多くの新聞がこの写真と記事を紹介したが、当然ながらその報道は遠慮がちなものだったし、場合によっては真正面から批判していた。このとき提出された写真や個人的な証拠は、そのあとすぐに、写真家や報道関係者、多くの私立探偵によって、可能な限りの検査と検証を受けた。

それから一年ほどして、アーサー卿は『妖精の到来（The Coming of the

(*) ニューマン枢機卿「Apologia Pro Vita Sua」Everyman Edition p.50
邦訳は『アポロギア：我が宗教的見解の歴史』（上下巻、巽豊彦訳、エンデルレ書房、1948 ～58）

Fairies)』というタイトルの本をホッダー&ストートン社から出版し、その数年後の一九二八年頃には第二版が出版された（第二版が出版されるだいぶ前に、初版は売り切れていた）。この本が初めて発行されてから何年も経ったが、出版当時もその後も、提示された証拠に特にこれといった問題が見つかったことはなく、偽装や詐欺の痕跡も発見されていない。むしろ、意外なところからさらなる裏付けとなる証拠が現れてきた。

「画期的な事件」？ そのとおりだ。ただしこれが、事実であれば。よって、多くの要望に応えるため、どのようにしてこの調査を開始したかに始まり、当然ながら写真の真偽を確かめるために我々が採用した手法まで、平明でわかりやすい説明を丁寧に順序立ててここに書き記した。この被写体と事件は、このような記録を直接行うに十分値するものである。ほとんどの人が写真の偽造はどこまでできるかについて何らかの知識を有している昨今であればこそ、我々がこの結論に至った道のりが正当なものであったかどうか、読者自身で判断頂きたい。

最初の写真

一九二〇年五月のある朝、二枚の小さな印画《プリント》が郵便で届けられた。そこには私の意見を求める、友からの添え状があった。印画の片方には、小川のほとり、少女の前で踊る、妖精のような姿をしたものたちの群れが写っていた。そしてもう一枚には、手招きする少女の側に、翼が生えたノームのような生物が写っていた。手紙には、これらはしばらく前にヨークシャーに住む二人の少女が撮影したものだ、とだけ書かれていた。私の友人はある講演で「妖精」について言及したらしいのだが、その講演の終了後、ある女性が友人に歩み寄り、友人が「妖精は実在する」と思っているのかと質問した。その女性は、もしそう思っているのであれば、彼女の若き娘二人が撮影した二枚の写真は「やはり本物なのかもしれない」と語った——とはいえ彼女も、彼女の夫も、そんなことは信じられなかったそうだ。翌日、問題の写真が友人のところに持ち込まれ、しかるにその写真は私のもとへと転送されてきた。私は異常な写真の事例に興味を抱いていることで有名だったからだ。

最初、この二枚の印画（写真1と写真2）には、「冗談抜きでまったく魅力を感じなかった。これらの「稀有な写真」は、スタジオで撮影したどこにでもある偽物のようにも見えるし、ただ単に絵を撮影しただけのようにも見えるし、心霊写真と銘打って大量生産されている、感光板に細工した写真のようにも見えた。そして私は、最後の類の写真なら、親の顔よりたくさん見てきた。そこで私は、ちゃんとした調査をするにあたっては印画ではほとんど役に立たないので、ネガを送ってほしいとだけ返信した。私としては、この件はこれで終わりだろうと思っていた。しかし数日後、小さな段ボール箱が届いた。箱の中には、ガラスに焼き付けられた手札判のネガが二枚と、メモが入っているだけだった。メモはブラッドフォード近郊のコティングリーに住むライト夫人が書いたもので、これらの写真は娘のエルシーが撮影したもので、撮影場所は家族が住んでいるコテージの近くの渓谷であると書かれていた。この二枚のネガは、間違いなく印画より良いものだった。私の目で検知できるような二重露光の形跡はなかったし、実際のところとても明瞭なスナップ写真だった。人物が写った二枚目のネガは露出《アンダー》が極端に不足し、細部はほとんど見分けがつかなかったし、少女の手にも異常が認められた。だがこのクオリティの低さこそが、あるいは逆にこの写真の美点とも言えた。ともかく、これらのネガには少なくとも専門家の精査を受けさせる価値があると思った私は、手紙に返信する前に、まずは専門家の意見を聞こうと決意した。私は最近独立した写真家のスネリング氏とわずかながら接点があったので、すぐに彼が長年勤めていた会社に対し、彼の技能について問い合わせてみた。問い合わせに対する返答は頼もしくも興味深いもので、彼は長年に渡りスタジオワークの専門家であったという。経営者は手紙の最後を「スネリングは写真の捏造に関して知っているべきことを、すべて知っている」と結んでいた。これこそ、私が求めていた種類の専門家である。

かくして私は二枚の手札判ネガを持ってハローに行ってスネリング氏に面会し、特にこれといった事前説明なしに、これらのネガのプリントを数枚作ってくれるよう依頼した。ネガを受け取ったスネリング氏はそれらを見て少し微笑み、質問をしようとしたが、やめた。彼は「ちょっと待ってください」と言うと、天板がガラス張りになった机に向かい、机の下に配されたライトをつけた。それから一枚目のネガを机の上に置くと、様々な種類のレンズで調べ始めた。そうやって彼はあまりにも長くネガを見ていたので、私は割って入って、何にそんなに興味を惹かれたのかと質問してみた。彼の答えは衝撃的なものと言わざるを得なかった。「何点かありますね」とスネリング氏は語り始めた。「このネガは単露光です。この踊っている人影は紙製でも布製でもなく、撮影された背景に描かれたものでもありません。その上で私が最も驚いたのは、これらの人影はすべて、露光中に動いているということです」。これだけでも十分に驚くべきことだが、いくらスネリング氏が卓越した技能を有しているとしても、短時間の検証では不十分だと私は感じた。本件は可能な限りの徹底的な調査が必要なのだ。そこで私は現状の課題を彼と話し合い、これらの写真について私が知っていることを彼に伝えたが、それらの情報はまったく不十分なものでもあった。私は彼に、余暇時間を使ってこの二枚のネガを徹底的に分析してもらうとともに、拡大したプリントを作ってもらうことでなんらかの不自然な点が現れないかも調べてもらうことにした。要するに、これが捏造写真に分類できるなら、そうしてもらうべく依頼をしたわけだ。一週間後、約束通りに電話をすると、スネリング氏は彼の分析と結果を教えてくれた。彼が語った言葉のうち、彼が強調した点を要約すると、二枚のネガは間違いなく屋外で撮影されたものであり、いずれのネガにも彼がよく知るような偽造の痕跡はない、ということになる。彼の最初の検査は実に具体的な確認がなされたものだったが、それでも私がさらに彼に尋ねると、彼はこの乾板が偽造されたものでないことに自分の名声を賭けると宣言した。ただし、一枚目は少し露出オーバーで、二枚目はひどい露出アンダーであり、写真として良いものではないと付け加えた。「私は妖精について何も知りませんが、これらの写真は屋外で撮影された、単露光の、素直な写真です」とスネリングは結論づけた。

その後、私は彼にいくつかの指示を残した。原版には絶対に手を加えないこと、原版からベタ焼きを作ろうということ、これらから作成したネガを修正するなり強調するなりして良い品質の印画を得ること。かつ、これら以上のことはしないこと――つまりレタッチや何らかの加工はしないこと。また、二つのガラス製の幻灯機のスライドが作られることにもなった。これらのコピーが作られた後、オリジナルのネガは安全に保管するため私の元に返却されたということにも、ここで言及しておくべきだろう。当該のネガは今なお私の管理下にあり、これは後にライト夫妻との間でその旨の合意がなされた通りの処置である。スネリング氏本人が書いた意見書が後に届いたので、以下にその文面の写しを示す。

H.スネリング　一九二〇年七月三一日

写真家・交易活動家

ザ・ブリッジ、ウィールドストーン、ミドルセックス

返信：二枚の妖精のネガ

これら二枚のネガは、単露光による完全な本物の無修正写真であ

り、屋外で撮影されており、すべての妖精の姿には動きがあります。またカードや紙製の模型、黒い背景布、手描きの人物像といったスタジオワークの痕跡は一切ありません。いずれもが、公正で手が加えられていない写真です。

H．スネリング

アーサー・コナン・ドイル卿

スネリング氏の分析結果という力を得た私は、それから一～二週間後にロンドンのモーティマー・ホールで行ったランタン・レクチャーでの余録として、思い切ってこのスライドを聴講者に見せてみた。スクリーンに映し出されることで大きく拡大された写真を、自分自身の目で見てみたかったのだ。いずれの写真も非常に素晴らしい状態であり、多くの質問がなされた。私はこれらの写真はただ単に妖精の疑いがある写真として提出されただけのものであり、熟練の写真家による保証以外にはなんら積極的な証拠はないことを説明した。また私はとりあえずこれらの写真を投影してみたかっただけであることも説明した。この短時間の鑑賞会の結果、アーサー・コナン・ドイル卿のもとに共通の友人を介し写真に関するニュースが届けられることとなった。しかるにアーサー卿はその後すぐ私に手紙を送ってきた。その手紙には、私が「妖精の写真」を所持しているというのは本当なのか、もしそうならその写真を見せていただくなり、それらについて何か聞かせてくれまいかと書かれていた。この手紙のやりとりがきっかけとなって私達は実際に会い、目下の状況について話し合うことになった。そのとき私は、アーサー卿が七ヶ月後に発行されるストランド・マガジンのクリスマス号に、「妖精の伝承」についての記事を寄稿する手はずとなっていることを知った。そのようなわけで極めて当然のことながら、その記事の挿画となり得る写真に興味を持っていたし、私が作成した美しい印画を見たのだから、それはなおさらのことだった。オリジナルのネガを見た彼は、さらにその興味を深めた。

スネリング氏の意見をもとに、もしこれらのネガが別の専門家、できればコダック社の専門家の判定に耐えられれば、力を合わせてこの写真をストランド誌に掲載される記事の主役にしようという案が提案され、合意された。これに基づきキングスウェイに住むコダック社ののマネージャーと翌週に面会する約束をとりつけた。私たちはマネージャーのウエスト氏に迎えられ、そこで彼が親切にも自分のスタジオの主任と、それ以外にも二人の卓越した写真家を、この場に招待してくれていることを知った。提出されたネガを全員でじっくりと検討した後、調査と意見交換の結果は全員一致で以下のようにまとめられた。

(1)これらのネガは単露光である。

(2)感光板に細工がされた形跡はないが、それがこの写真が本物であることを決定的に裏付けるものではない。

(3)コダック社は、これらに関する何らかの証明書を出そうとはしなかった。写真撮影には様々なプロセスがあり、巧妙な作業者がこれらの写真に加工を施した可能性があるためだ。

(4)スタジオの主任は、この写真はスコットランドの深い渓谷の風景と少女を背景にして撮影され、その後でそれを拡大してプリントし、そこに妖精の像を描き足して、しかるに適切な照明の下でまずはハーフサイズの乾板で撮影し、最後に手札判フィルムで撮影したのではないかと考える、と付け加えた。これらはすべて巧妙な作業であり、時間がかかるということにも、彼は同意した。

(5)お礼を言って別れの言葉を交わす際、ある人は「どっちみち妖精が実在するはずはないのだから、この写真は何らかの手段で捏造されたものに違いない」と語った。

かくして我々は証明書を得ることなく、コダック社を後にした。スネリング氏の見解を後押しする力強い意見が示されたものの、それだけでは十分とは言えなかった。写真に捏造の痕跡がないというだけでは不十分であり、撮影に関与した人々からの肯定的な証言もまた必要なのだ。私たちがこの「事件」を受け入れ保証人となることを認める前に、当該家族にとっても、また写真を好意的かつとても適切に支持するあらゆる状況証拠としても、そのような証言は明らかに必要なものだった。結果、我々のうち一人がヨークシャーに行き、家族にインタビューをして、そこで得られる情報をすべて得るべきだということが、その場ですぐに決まった。この決定がなされたのは七月のことだったが、アーサー卿は八月にオーストラリア旅行に行くこともあり、私がその任務を引き受けた。

コダック社の人々とのインタビューを経た私は、正直なことを言えば、これが若い女の子による単なるスナップ写真ではなく、もっと精巧な何かがあることに期待していた。既にこれまで、複数の疑問が投げかけられてきた。「非常に都合よく」傘のあるキノコが土手の上にあり、その上で妖精らしき存在の一人が静止していること。背後に見える滝は、手描きの背景布ではないのかという疑惑。川の中に立っている少女が、妖精ではなくカメラを見ているという事実。写真に写った妖精の姿は非常にありきたりで、誰もが想像した通りのものであること。それ以外にも、大量に。これらが意味するのは、もし写真が捏造されたものであったとしたら、私は極めて巧妙なでっち上げに遭遇した、ということだ。このため数日後にブラッドフォードに向かった私は、虚心坦懐であった。私の調査が終わるまでアーサー卿はこの話をけして先に進めるべきではないこと、また肯定的かつ納得のいく証拠がない限りはこの話を放棄するべきであることが、取り決められていた。

コティングリー渓谷

ブラッドフォードから一時間トラムに乗ってコティングリー村に行き、午後三時頃には指定された住所に到着した。ライト夫人からの手紙には、自分と夫は訪問を歓迎すると書かれていた。彼らが住む小屋の庭は、小さな渓流に面していた。この渓流のことを、彼らは「ベック」と呼んでいた。その渓流は草が生い茂った渓谷へと続き、沼地へと向かっていた。ライト夫人がドアを開けてくれて、彼女の娘であるエルシーのことを紹介してくれた。エルシーは内気な可愛らしい少女で、十六歳前後だった。紹介の後、私は自分がここで何を探索しようとしているのかを説明し、それから一時間、件の写真が撮影されるに至った経緯を聞いた。私はいくつか質問したが、そのすべてに積極的で率直な回答がなされた。

そこで語られた物語は、こうだ。三年前の一九一七年七月、南アフリカから若い従妹がライト家を訪れ、滞在した。当時十歳だった、フランシス・グリフィスである。グリフィス夫人もまた、彼女の夫が南アフリカ分遣隊の志願兵としてフランスに行っている間、姉であるライト夫人の家に泊まりに来ていた。二人の少女、つまり十三歳のエルシー・ライトと十歳のフランシス・グリフィスは、一九一七年の夏をこうして共に生活し、家の裏にある美しい渓谷でほとんどの時間を過ごした。渓谷で遊んでいた二人は、そこで出会った妖精の話を何度もした。その話を両親はほとんど気にかけることもなく、子供たちが話すことの多くは彼らが空想したあれこれに過ぎないと考え、せいぜい軽くあしらう程度だった。

しかるにその頃、ライト氏はたまたまカメラを入手していた。このカメラは親戚が残してくれたもので、手札判フィルムを使う小型のミッジカメラだった。彼は趣味でスナップ写真を撮影し、撮影した写真は食器洗い場にある食器棚の中で現像していた。ライト氏がそのカメラを使い始めてまだ一ヶ月頃のある日、エルシーは父親が写真を撮影する様子を見て、ある思いつきを得た。そして土曜日の昼食時に「妖精」についての雑談がなされた折、エルシーはこう反論した。「お父さん、もし私にカメラを貸してくれて、どうやって使うのか教えてくれたら、私は妖精の写真を撮るわ。私たちは今朝、妖精と遊んでいたのよ」。ライト氏は笑い、乾板が台無しになるのは嫌だと言って、二人を思いとどまらせようとした。だが少女たちが頑固に言い募ったため、ついに彼は降参した。乾板を一枚だけカメラに入れて準備を整え、エルシーにシャッターを切る方法を教えて、喜んで二人を送り出したのだ。少女たちは一時間もしないうちに戻ってくると、エルシーは土曜の午後を庭で過ごしていた父親に呼びかけた。「写真が撮れたと思うわ。見てくれない?」カメラを受け取ったライト氏は夜になったら見てみると言い、二人はそれで満足するしかなかった。

話がここまで進んだところでライト氏がお茶を飲みに来たので、自己紹介をした後、みんなでヨークシャーのおいしい食事を摂った。聞けば、ライト氏は近くの小さな地所の管理人で、なかでも電気装置の面倒をみたりするなどして、そこにある邸宅の、外回りの仕事の采配全般をしているという。彼は親切なヨークシャー人で、その言葉も性格も率直そのものだが、ユーモアのセンスも兼ね備えていた。また彼の妻に似て、とても明るい気質でもあった。これまでの経緯を確認した後、彼は三年前の晩に乾板を現像したときの体験を語ってくれた。彼の隣でエルシーは、乾板を入れた小さな食器棚に釘付けになっていたが、彼としてはピンボケした写真が現像されることしか予測していなかった。だから薄暗く写った人影(彼は白鳥のような何かかと思った)がはっきりと浮かび上がってきたのを見た彼は、その途端に大いに驚くことになった。エルシーもそれを見て、父の驚きの声を聞き、外にいるフランシスに「やったわ! 見て!」と叫んだ。乾板の処理が終わるとライト氏はいったんそれを脇に置き、朝になったら焼き付けて白鳥の様子を見てみようと言った。彼の言葉によれば、子供たちが何を手にしたのか確たることはわからないまま、朝になったら興味本位で日光焼きを作ってみたら、そこで目にしたものに驚かされたという。

彼は少女たちに質問したが、彼女らは写真に写っているのは自分たちがよく話していた妖精だと主張し、その答えに彼は満足しなかった。子供たちは絶対に他の説明をしようとしなかったが、両親は自分たちがどこかしら騙されているように感じていた。一ヵ月後に二枚目の写真を手に入れたにもかかわらず、この段階では自分も妻も少女たちの話を受け入れなかったとライト氏は語った。むしろライト氏は、写真の妖精像は紙かなにかで作られたものであると確信し、馴染み深い渓谷から滝までを歩いて、紙を切り抜いた切れ端がないか探し回った。作業をしたなんらかの痕跡がないか、子供たちが留守の間に妻と一緒に少女たちの寝室も探してみたが、渓谷でも家の中でも、何も発見できなかった。いずれかの少女が嘘をついているという証拠も見いだせない一方で、彼女たちが写真についての説明を一切曲げようとしないとあって、両親はいたく心配した。結果、両親はこの問題に触れないことにした。カメラは二度と少女たちに貸し出されることはなく、最初の数週間で数枚をプリントしたのを最後に二枚のネガは書類や本と一緒に本棚にしまい込まれた。そして三年が経過し、ワイト夫人がたまたま前述のように、地元で行われた講演会に出席するに至ったのである。

その後、エルシーと私は、写真に写っている場所を実際に見て確認するために、渓谷を歩いた。私は、年上の少女と二人きりで静かに問いかけをし、話し合う機会を得られたことを嬉しく思った。私たちはすぐに件《くだん》の場所を見つけ、周囲の風景は明らかに写真と同一であった。川岸に大きな傘のあるキノコがいくつかあることに気づいた私は興味をひかれ、数個を拾って持ち帰った。エルシーは、フランシスの側でダンスをする妖精の一群を撮影するときに、彼女がどこにひざをついたのかを説明してくれたが、その際に私は、なぜフランシスが妖精を見るのではなくカメラを見ているのかを聞いた。返答は「ああ、庭から出たすぐのところで、フランシスが直接写真を撮ってほしいと言ってきたんです。それはもう熱心に。私は妖精たちと一緒に彼女を写真に撮ったほうがいいと言いました。だから彼女は待たなきゃいけなかったんです!」であった。私がそうであったように、多くの人はこの説明を興味深く思うだろう。だがこの通りの説明があった。フランシスは、いつでも見られる妖精の踊りよりも、彼女らが初めて手にしたカメラに対して興味を持っていたようだった。彼女の立場からすれば、それは十分に理解できることであると感じた。このエルシーの答えは、私が調査中に出会った無邪気さの典型的な例である。実際、この会話において最も印象的だったのは、この出来事が特別なことではないという、エルシーが示す全くの無頓着さだった。彼女は物心ついたときからずっと妖精を見たり、妖精と遊んだりしていたので、実際に写真を撮ることがそれほど特別なことだとは思わなかったのだ。後にもっと詳しく説明するが、二人の少女は素朴かつ優れた透視能力者であり、自分たちの能力を意識しないでいたからこそ、その能力はまるで損なわれずにいたのであるということを、ここで言っておきたい。また、彼女らはより繊細な物理的領域のみを見ることができ、それ以上は見えないという利点もあった。彼女らの超能力は厳しく制限されていたため、彼女らの透視に集中するにあたり、混乱や歪曲はほとんど起こらなかったのだ。

その日の夜、再びこの事件について話し合った際、私は初めて二枚のネガに対する専門家の報告を伝えた。するとライト夫妻は大いに驚いていた。ライト氏は「なんと!」と叫ぶと、「つまりそれは、あの写真は本物であるように見えるということじゃないですか」と言った。そこで私は、アーサー・コナン・ドイル卿がその写真をどのように使いたいと提案しているのかを思い切って話してみたが、二人は即座に反対した。彼らはこれを本当に大変なことだと感じていて、出版に同意してもらうためには私の全力を尽くして説得しなければならなかった。一つの条件が、主張され続けた。それは、彼らの実名と村の名前を載せないことだった。私としてはできれば正確な名前とすべての情報を掲載する許可を得たかったのだが、この条件で満足するしかなかった。アーサー卿がそう希望していたように、私は金銭の支払いを提案したが、ライト氏は憤慨したようにきっぱりと断った。写真が本物であるならば、金銭が絡んだという形でそれらを汚すべきではないと彼は言ったのだ!

近所でしばらく過ごしたこともあってブラッドフォードのホテルで改めて目下の状況を考えてみると、詐欺行為を働くにあたっての二つの有力な動機、すなわち金銭欲と名声欲がここには明らかに存在しないことを認めざるを得なかった。また当然ながら、ライト夫妻の誠実さ、率直さ、そして私が感じた絶対的な正直さも、ここで証言しておく。これらの写真の背後に何らかの詐術的な意図や目的があったとしても、それは彼らが知り得ない領域で行われていると私は確信した。また一枚目の写真が撮影されるに至った状況に関するライト氏自身の証言を踏まえると、不正は存在する可能性のレベルで排除できるということも認めざるを得なかった。カメラには一枚しか乾板をセットしていないこと、娘たちが撮影のために使った時間の長さ、その日の夜にライト氏自身が一人で乾板を現像したこと、家族の誰もがトリック写真を作る能力に欠けていること——これらの事実はすべて、起きたことがどれほどユニークかつ奇妙な事件であるにしても、それは本当に起きたことなのだと語っているかのように思えた。とはいえ妖精の写真が撮影されたといったたぐいの出来事には、得られる限り、できる限りの揺るぎなき証拠が必要だ。そこで私は、この旅におけるライト家への最後の訪問時に、さらなる提案をした。そこで私は、

もっとたくさんの写真を撮ることは可能か?

金銭や名声という動機以外にも、可能性は低いとはいえ、一つの可能性が考えられる。それは子供たちが、写真を撮るのに長けた人物の手先となり、何らかの方法でミッジに入れられていたプレートをすり替えたというアイデアだ。この説に則れば、子どもたちは詐欺の片棒を担ぎ、虚偽の話を始めてしまった挙げ句、引き際を見失ったのであり、真剣に問われれば自分たちが犯した罪を白状するだろう。これはおそらく、状況に対しあまりに突拍子もない説だ。しかし後年になって、私がただの可能性に過ぎないと──しかも可能であれば反証を立ててしまったほうが賢明であろうタイプの可能性に過ぎないと考えたこの説を、提示した批評家たちが実際に現れた。私としては、この手の説に対抗する備えとするためにも、もっと多くの写真が得られることこそが決定的な意味を持つように思えた。

そこで私が提案したのは、八月の休暇中、フランシスにコティングリーへと来てもらって、いまや十六歳と十三歳になった少女たちに、もっと多くの写真の撮影を試みてもらうということだった。幸いにもグリフィス夫妻は戦後もイギリスに留まっており、東海岸の近くに住んでいた。ライト夫妻は快く承諾してくれたので、ロンドンに戻った私はグリフィス夫人に手紙を書き、スカボローまで会いに行くことを提案した。

二枚の妖精の写真とストランド誌

その日はアーサー卿がオーストラリア旅行に出るほぼ前夜のことだった。彼と私は、私が報告しなければならなかったすべての資料に目を通した。それから、写真の分析結果と、証言を通じて感じた人柄に対する信頼感をあわせて考えるに、写真とそれに関する記事をストランド誌に掲載すべきだという点で同意した。かくしてストランド誌編集部との契約が完了し、来る十二月に雑誌が発売されるまでこの件についてはお互いに黙っていることを約束しあった。もちろん、コティングリー渓谷での新しい挑戦が成果をあげたら、シドニーに報告することも約束した。一九二〇年の初秋、私は再び北に向かうことにした。グリフィス夫人から、フランシスには今月末にもコティングリーに向かわせるという好意的な提言が書かれた手紙が届いたのだ。

さらなる三枚の写真

私は二人の少女のためにそれぞれ一台ずつ、優れた手札判乾板用カメラを購入し、それからイリングワースの工場に行って乾板を二ダース入手した。私は工場のマネージャーに会い、撮影後の乾板を持ち帰ってきた折には、その乾板を検査し、この工場で私が入手した乾板と同一のものであることを証明してほしいと説明した。乾板にどのような印をつけたのかは、マネージャーと職人だけが知り得る状態でなくてはならない。この願いは受け入れられ、かくして私は、こっそりと印がつけられた後に再包装された状態の乾板二十四枚を手に入れたというわけだ。

スカボローへの旅は満足のいくものだった。私はグリフィス夫人とフランシスにインタビューし、二人とも私とは初対面ではあったが、フランシ

スとの三〇分ほどの対話でかなりのことがわかった。私が初めて話をしたこのとき彼女は十三歳で、霊媒体質だったが、それは単に体の中にゆるく編み込まれたエクトプラズム体を持っていることを意味するに過ぎなかった。身体にある微かなエクトプラズム体やエーテル物質は、ほとんどの人体においては非常に緻密に織り合わされ濃密な構造体を成している。だが彼女の場合はそれが解かれてるというか、緩まっていた。なので彼女を見た私は、どのようにして自然界の精霊の持つ精霊たち自身の身体が濃縮され、カメラに写るに十分なほどの密度を得たのかという点について、最初の漠然とした理解を得ることができた。この理解は、後によりしっかりしたものとなる。だがそのときの私は、もし可能であれば今度こそ論破不能なさらなる証拠を得られるようにするべく具体的な取り決めのことだけを考えていた。叔母であるライト夫人からの招待状を受け取ったことに喜んだフランシスは、八月中旬にコティングリーへと向かい、学校の長期休暇の後半二週間をエルシーとともに過ごすことにした。

私もまたロンドンから二台のカメラと乾板を持って再びコティングリーに行き、一家に会って、二人の少女にカメラの簡単な使い方を説明し、一人に一台ずつ持たせた。カメラに乾板をセットした後、私の彼女らに最終的なアドバイスを行った。かつてそうしていたように晴れた日に渓谷に行き、「妖精を誘う」(彼女らは妖精たちを魅了するすべをこのように称していた)ことを行い、何が撮影できるか調べてみよう、と。ライティングや焦点距離といった点については、基礎中の基礎となる簡単な説明しか行わなかった。というのも、彼女たちが自由で、なんら妨げられることなく、また義務感を背負い込むようなことがない状態にあることが欠かせないと私は知っていたからだ。私は彼女らに、もし何も起こらなかったとしても、わずかであれ何ら気にする必要はないと伝えた。

なぜ二人と一緒にいて、彼女らの試みすべてを見届けなかったのかと聞かれることがよくある。この問に対し私は、残念ながら万人を納得させられる回答ができない。だが自然霊たちの習性に関してなんらかの知識を持つ者であれば、私の判断の妥当性を必ずや認めるだろう。もし私がその場にいたならば、写真に撮影されるような形で具現化するものは何もなかった可能性が極めて高い。人間の来訪者が共感能力を有しているのでなければ、妖精なる生命は低木や植物のなかから「出てくる」ことがない。そのことは少女たち自身が熟知していた。そのような訪問者はただ単に精神的な共感能力を要求されるというだけでなく(というのもその能力はほとんど役に立たない)、暖かい情動的な共感能力を持ち、子供のような無垢さと天真爛漫さも兼ね備えていなくてはならない。二人の少女は私が一〜二ヶ月のうちに妖精に慣れるだろう、むしろ妖精のほうが私に慣れるだろうと考えていたが、私にはその期間のうちに自分が必要な能力を育成し得るかどうか疑わしいと感じていた。ともあれ、あの段階においては、彼女らと行動をともにするというのは良い試みとは言えなかった。

私は別れを告げて、家に帰った。一九二〇年八月の後半二週は、国中でほとんどずっと雨が降り続いた。新聞は例年通りの雨と伝えており、緑が色濃く生い茂るかの渓谷への訪問はかつてほど快適なものにならないのではないかと憂慮していた。しかし八月が終わりを告げるのと同時に、フランシスがちょうどスカボローへの帰路についたという手紙をエルシーから受け取った。二人が渓谷に行けたのは二回だけで、それは午後に太陽が出た二日のことだった。一回目は二枚のスナップを撮影し、二回目は一枚だけだった(写真3・写真4・写真5)。手紙には三枚のネガが同封されており、そこには「残念ながらあまりよい写真ではないですが、このうち二枚は綺麗に撮れています」と追記されていた。「綺麗な」二枚のうち一枚は茂みの葉の上を飛ぶ妖精がエルシーに花束を差し出すところが写っており、もう一枚にはフランシスの前で飛び跳ねる妖精が写っていた。三枚目には写真の真贋を確認するにあたって有益な、私にも視認できる特徴を有していた。密生する下草やイトシャジンと妖精の姿や表情が重なり合っているのだ。彼女らが二回渓谷に行った成果は、非常に素晴らしいものであるように思えた。

これらの写真を持って私はイリングワース社に行き、マネージャーに会った。彼は三枚の写真を工場に持ち込んで調べると、やがて戻ってきて「はい、この三枚の乾板は、あなたが我々のもとから持っていった包みに入っていたものです」と言った。マネージャーは特に、三枚目のネガに興味を示した。最初の二枚については意見を述べようとしなかったが、三枚目については「捏造ではあり得ません」と言った。少なくとも、この三枚の乾板は彼女たちに提供された数枚の乾板に含まれていた、という証拠は得られた。

これらのネガに対しては、最初の二枚がクリアしたのと同じような、厳密な分析が行われた。大きく拡大して光をあて何らかの矛盾がないかを確認し、紙やキャンバス、着彩など、妖精の姿を描くにあたって利用できるなんらかの物質の形跡がほんのわずかでも存在しないか、確認されたのだ。また飛び回っている妖精については、「その姿を支える」糸を徹底的に探した。これらすべての点について、不適切な何かを示すものは一切存在しなかった。一つだけ指摘されたのは、妖精の姿そのものが、他の写真にあるものよりもはっきりしているということだ。この点について私は、アーサー・ライトが、現像機に乾板を入れた瞬間に、黒い斑点が直接浮かび上がったと言っていたことを思い出した。これは妖精の体がわずかに自己発光しているという説で説明可能だと思われるが、この事実はその後の調査で裏付けられた。

私は再びコティングリーを訪れ、エルシーがフランシスと過ごした二週間についての話をすべて聞いた。エルシーは、天候のせいでもっと頻繁に渓谷に行けなかったことに対しがっかりしたと大いに語った。最初の二枚(写真3と写真4)の写真を撮影した日の午後、彼女たちは一時間半ほど外出していたとライト夫人が教えてくれた。エルシーはこれらの写真についていたって事もなげな態度で、写真が持ついくつかの特徴について私の質問に答えてくれた。彼女が言うには、飛び跳ねる妖精はフランシスの前で数回ジャンプをし、それから「私がスナップ写真を撮ったタイミングでその妖精はとても高く跳んで、フランシスの顔にぶつかりそうになったから、フランシスは頭を後ろに仰け反らせる寸前でした。もしそうなっていたら、写真は台無しでした！」という。三枚目(写真5)の写真は完全に偶然の産物で、「ベッ

写真４：エルシーに花束を捧げる妖精

茂みの葉の上で、ほとんど静止した状態で平衡を保っている妖精。

羽は黄色が入り混じっていた。この写真には興味深い点がある。エルシーは妖精を直視していないのだ。人間の視線は妖精を当惑させるのがその理由らしい。妖精が活発に動いている場合はあまり問題にならないが、動かずいる場合、見つめられていることに気づくと、自然霊はたいてい引っ込んでしまい、どうやら消えてしまう。妖精を愛する人々の間では、最初は少し横を向いて見るのが一般的だ。

ク」の近くにある水たまりの縁にある草むらの中で撮影されたものだった。彼女たちは長い草が動いているところを目にし、そこで背の高い妖精の姿を見たので、シャッターを切ってうまく撮影できたことを祈った。彼女たちは実際幸運に恵まれており、この最後の写真には草むらの中にいる非常に多くの妖精の姿や表情が写っている。写真の専門家が興味を持ったのはこの一枚である。中央に見える繭と、その中に座っている妖精は、彼女たちにとって初めて遭遇したものであり、それが何なのかわからなかった。後にニューフォレストの妖精愛好家たちにインタビューしてようやく、その正体を説明する言葉を得られた。これは回復力を持った特別な器具で、雨と霧が多い気候が長期間続いた後に使われるものだ。彼らはこれを妖精の浴場と呼んでいた。

写真の分析と、この更なる個人的な訪問を終えた段階で、私はオーストラリアのアーサー卿に手紙を書き、この出来事についてすべてを詳しく説明した。やがて心のこもった返事が届き、この追加で撮影に成功した写真のことはストランド誌のクリスマス号が発行された後で語られるべきでだという私の提案が受け入れられた。補強となる証拠と、新しい写真のコピーは、一九二二年三月発行のストランド誌に掲載されることになった。

正直な談話

ここまでの記述は、コティングリーの妖精写真の信憑性を確認または反証するために取られた緊急措置に限定されたものである。本書の読者諸氏は、写真の分析と、ライト一家とフランシスに対する個人的なインタビューから得られた、様々な証拠を収集する経緯を知ったことになる。これらの要点を踏まえれば、読者諸氏は自身の結論を出せるはずだ。調査の最終段階において私が感じていた誠実さを伝えるのは、簡単なことではない。それを正しく共有するためには、私がそうしたように、実際に両親と子供たちに会わねばならないだろう。ここに至って私にできるのは、五枚の写真が世のあらゆる良識において本物であることを認めるという、己の個人的改心を銘記するのみだ。私自身を納得させるためには膨大な時間と凝縮された集中力が必要だったが、調査は徹底的なものだったと断言できる。

写真５：妖精とその太陽の浴場

特に注目すべき写真である。というのも、少女たちにまったく馴染みのないものが写っているからだ。草むらの中央に写っている鞘や繭は、それまで彼女たちが見たことのないもので、二人にはそれが何なのか見当もつかなかった。

しかしスコットランドやニューフォレストの妖精観察者たちはこれをよく知っていて、これは妖精たちが素早く織り上げた磁気風呂であり、特に秋の、憂鬱な天気の後に使うものだと説明している。その内部は、刺激と喜びを与えるように、何らかの方法で磁化されているようだ。

その後の裏付け作業

状況を裏付ける様々な事件のうち、後ほど発生したものを以下に示す。これをもって、この物語の最初のパートの結びとする。

報道――一九二〇年十二月にストランド誌に記事が掲載されてからというもの、この二人の子供たちとは誰なのか、また「妖精の渓谷」はどこにあるのかについて、多くの問い合わせがあった。私たちは家族との約束に従い、この点に関して記事においてはヨークシャーという情報のみを示したが、デイリーニューズ紙とウェストミンスター・ガゼット紙にとってはそれで十分だった。ヨークシャー出身のある記者に、ヨークシャーを巡って「ペテン行為を見破って」真実を明らかにするよう依頼したのだ。一月のある日、私はこのことを初めて知った。依頼を受けた男が私を訪ねてきて、自己紹介をした後、何の進展してもないことを率直に教えてくれたのだ。何があったのかと尋ねると、彼はヨークシャーの、特にブラッドフォード地区をよく知っていたので、そこから調査を始めたという。そして幸運にも、地元の噂から、すぐにコティングリーの家族を見つけたそうだ。そして、父・母・娘にそれぞれ個別のインタビューした。また、渓谷の当該場所を訪れ、検証も行った。ブラッドフォードおよびその周辺の写真に関する仕事を生業とする人々を訪ねたり、他にも情報源になりそうなところにたくさんあたったが、何も出てこなかった。ライト家の友人たちに聞き込みをするなど、あらゆる方向から調査を行ったが、彼は明らかに全力を尽くしたにも関わらず、少しなりと疑わしきものすら何も見つからなかったのだ。彼が「何かを見破るにはシンプルすぎる」と語ったように、妖精の写真をめぐる状況はあまりにも明瞭すぎるのだ。私は彼に自分が行った長期間に渡る努力について説明したが、彼は別れ際、自分も妖精の存在を信じるようになりそうだと笑いながら言った。その翌日と、その翌週に、ヨークシャーで行われた彼の探索行について、非常に公正で興味深いレポートが発行された。記事には関係者の名前とすべての詳細が記載されており、瑕疵は見つからなかったと結論づけられている（一九二一年一月二一日と二二日のウェストミンスター・ガゼット紙を参照のこと）。

ランタン・レクチャー――一九二一年の間、私はイングランドとスコットランドの多くの町で、幻灯機のスライドを使って妖精についての講演を行った。そのうちの一回は、ミッドランズにある町の公会堂で、夕べに行われた。大きな建物は満員だったが、司会と私が壇上に上がったとき、私は投影用に用意された巨大なスクリーンのほうに興味を惹かれた。そのスクリーンは非常に巨大なものであり、ステージ背面の壁一面に広がっていた。後方のプラットフォームを見るとかつて見たこともないくらいの巨大な――海軍で使う大砲のような――幻灯機が客席の上に設置されており、素晴らしい映写を期待したが、その期待は裏切られなかった。渓谷の様々な場所の写真だけでなく妖精の写真の投影も素晴らしいもので、フランシスの前で踊る妖精の集団の写真と、飛び跳ねる精霊の写真は特に良いものだった。アンコールの声が上がり、それに応えねばならなかったくらいに。講義が終わると、幻灯機のオペレーターが私のスライドが入った箱を持ってきて、それを私に手渡しながら「ちょっといいですか」と言った。私たちが脇に寄ると、彼が説明を始めた。いわく、この幻灯機は非常に特殊なもので、疑わしいサインや金銭関係の書類、偽造の疑いがかけられたものなどを調査するために、特に使われるものだという。それから彼は笑顔でこう付け加えた。「僕らの中には、あなたの写真が偽物であると確信していた者もいました。最初の写真が出てくれば細工された部分がすべて明らかになって——結果、あなたは逃げ去ってしまうだろう、と。作業用足場の上にいた僕らはそんな未来を予想してましたが、僕らの負けです。この写真は本物ですね。あの幻灯機に勝てるものなんてないんです。僕も妖精の存在を信じねばならないようですね！」

南アフリカでのフランシス——一九二三年初頭、一九二二年十一月二五日に発行された南アフリカの有力紙であるケープ・アーガス紙の複写が私に送られてきた。そこには紙面幅一杯を使った見出しが書かれていた。

ケープタウンが世界的論争に参戦
アーガス紙掲載記事の驚くべきその後
A・C・ドイル卿を支援する注目すべき手紙

見出しの下に五段組で書かれた記事には、休戦協定発行直前の一九一八年十一月に、幼いフランシスがイギリスからケープタウンのウッドストックにいる友人に宛てて書いた手紙が掲載されていた。その友人であるパービン嬢が、幸運にもフランシスが同封していた印画とともに手紙を保管していた。そしてその手紙が子供の手によって書かれたことを証明するため、アーガス紙に手紙の完全な複製が再掲載されたというわけだ。フランシスからの手紙には次のように書かれていた。

……あと数日で戦争が終わると誰もが言っていて、私達は寝室に飾るための国旗を用意する予定です。写真を二枚、お送りします。どちらも私が写っています。一枚は裏庭での水着姿で、アーサー叔父さんが撮ったものです。もう一枚は「ベック」の上を飛ぶ妖精たちと一緒にいるところを、エルシーが撮ったものです。ローズバッドは相変わらず太っていて、彼女のために新しい服を作ってあげました。テディとドリーはどうしてますか？

フランシスの目の前で妖精たちが踊っている印画の裏には、「エルシーと私はベックの妖精たちと仲良し……」と書かれていた。

この手紙は、ケープ・アーガス社の事務所にパービン嬢が提出したもので、同紙のインタビュワーはその手紙を「消えない鉛筆で書かれていて、四年前に書かれたにふさわしい色あせ方をしていた」と評している。アーガス紙は次のようにコメントを続けている。

たとえ妖精の存在に懐疑的であるとしても、かつてケープタウンに住んでいた少女であるフランシス・グリフィスが、ウッドストックのジョアンナ・パービンに宛てた一九一八年十一月のこの手紙が開示されたことが、A・C・ドイル卿の話を裏付ける貴重な証拠となるのはいたって自明なことである。その理由を解説しよう。一九二〇年になってはじめて、この写真は注目されるようになった。一方、アーサー卿がこの写真を見る二年前に、同様の写真が一枚、ケープタウンのウッドストックに眠っていたのだ。しかもこの手紙は友人である女の子から女の子へと送られたものであり、妖精に関しての記述は彼女たちが持ついくつかの人形に関する記述よりもずっと少ない！

……妖精に対しとても親密で、かつその詳細については無造作な書きぶり、世界的な事件をたった数行で書き飛ばしてしまう無作法なやり方——これはコナン・ドイルがこの論争を始めるその二年も前に、フランシス・グリフィスは妖精の存在を暗黙のうちに信じていたことを示す、あたう限り最高の証拠ではないだろうか。つまり、彼女にとってみれば自分の父親や人形、あるいは戦争について語るほうがより重要であり、妖精に対しては今更何の驚きもなければ強調することもないくらいに、心の底でその存在を信じていたのだ。

アーガス紙はかつて、A・コナン・ドイル卿の著書『妖精の到来』の書評を掲載していた。そしてフランシスの友人であるパービン嬢が目にしたのは、この本だった。アーガス紙は一九一八年に出されたフランシスの手紙について書いた記事の最後に、アーガス紙の責任においていくつかの疑問点をこのように追記していた。「我々はこの証拠が光を浴びることは公正かつ適切であると考えるが……我々がこれを事実と認定するにあたってはなお、以下数点の疑問が残る……」と。その後ろには、四〜五つのとても的を射た、合理的な疑問が書かれていた。これらの疑問は他の人々からも指摘されているので、ここで私にできる限り、私が正しいと信じる回答を記そうと思う。

Q：一九二〇年に三枚の写真が追加されて以降、なぜ突然写真の供給が途絶えたのか。

A：まず、二人の少女が一緒にいることが必要だったようだ。二人とも素朴で優れた透視能力を有しており、フランシスは霊媒として自然霊がその姿を実体化させるために必要なエクトプラズム体や高密度物質を提供する能力にも秀でていた。透視能力と霊媒体質は必ずしも同一人物に備わっているわけではないが、フランシスの場合のように備わっていることもある。一九二一年、つまりその翌年、夏の間に私はより多くの写真を確保せんと必死の努力を行った。そのときも少女たちは二人で渓谷に向かったが、状況としては従来と完全に同じだったように思えたにも関わらず、自然霊たちは「出てきて」彼女たちに接近してきたものの、その姿を具現化させるためにフランシスのオーラを使うことはなかった。嫌悪のジェスチャーの類とともに、精霊たちはあっという間に去ってしまったのだ。以上が、私がこのことについて言える、まさにすべてである。写真が撮れなかったのは思春期を迎えたからである可能性がとても高いと私は推測しており、この推測はアーサー卿にも伝えた。適切な性質の高密度物質が十分になかった、あるいはむしろ受け入れられなかったのだ――私に言えるのはここまでだ。

Q：「思春期のもたらす変化はしばしば心霊能力にとって致命的である」（あれ以上の写真が撮影されなかったことに対するコナン・ドイルの説明）ならば、なぜ彼の本には妖精を見たという既婚女性が何人も出てくるのだろうか？

A：アーガス紙はこの疑問点において、透視能力と霊媒能力が同じものであると仮定している。それは間違いだ。両者を同時に備えている例もあるが、常にそうであるとは限らない。フランシスの透視能力は非常に限られた範囲内のものだったが、霊媒能力は非常に優れており、全く損なわれていないものだった。彼女のオーラ的物質（あるいはエクトプラズム）を得て身体の密度を上げることが、自然霊たちにとって非常に楽しい感覚であったことは明らかである。カメラが使われる前から、妖精たちはこのようなことをしばしば行っていたのだろう。触れられるくらいに高密度な、明瞭な形態や輪郭を得るということが、刺激的な入浴にも似た楽しい経験であったことは間違いない。妖精がフランシスのオーラを使っている間、妖精たちは通常よりもはるかに高密度になっているので、カメラの光学的視界内に入ってくる。私自身、フランシスの近くにいたときに一〜二度、たまたま妖精と出会ったことがあるが、フランシスの近くにいたならば多くの人が妖精たちの踊りを実際に目撃し得たと私は確信している。エルシーとフランシスが持つ透視能力はまったく別の問題で、エーテル体の目に依存したものだ。写真での撮影はできなくなっても、彼女たちはなお妖精を目撃し続けていた。エーテル体の目は誰もが持つものだ。エーテル体の目は眼球の後ろや周囲にある凹んだ円盤状の器官で、電球につける傘のようなものに似ている。エーテル体の円盤は物理的な目に活力ときらめきを与えるが、通常は単独では機能しない。私自身も子供の頃、かの円盤の活動に随分と悩まされたものだが、幸いにも成長してからはそのようなことはない。これらの円盤が機能すると、エーテル視力が行使され、およそ一オクターブぶんの光が追加で、意識的に知覚できるようになる。このエーテル体の目が単独で機能する場合、何らかの制御下にあることもあれば、全く制御されていないこともある。私自身が子供の頃がそうだったように、制御下にない場合は、その視覚によって見たものがほとんど理解できないため、大いなる恐怖と苦痛の原因となる。制御されている場合は、たとえそれがほとんど無意識下の制御であったとしても(かつ範囲が限定されていれば)、エルシーやフランシスのように身震いするような視野の拡大が起こっていく。以上、エーテル視覚と透視能力の種類について簡単に説明したが、かなり明確な制限があるとはいえ、彼女らは二人ともこれらの能力を有していた。これに加えてフランシスは、美しく澄んだ、しかしゆるやかに編まれたエーテルのオーラを有し、そのオーラが他の存在にとって利用しやすいエクトプラズム物質を生み出していた。そしてそのエクトプラズム物質は、彼女が十三歳を過ぎるまでは、自然霊たちに受け入れられていたのである。

Q：ノームのような存在が写った写真においては、エルシーの手が歪んでいるか、さもなくば手に異常が発生している。何が問題なのか?

A：エルシーと初めて会ったとき、彼女の手が気になったので、その日の夜、私はノームの写真を論評しながら、彼女の手を調べさせてもらえまいかと頼んだ。エルシーの手は非常に華奢で、指が非常に長く、手を伸ばしてみると、見苦しいというほどではないが、ある種の異常は見て取れた。彼女の許可を得て、平らに伸ばした手と指の輪郭を紙に鉛筆で写し取ってみたところ、彼女の指は平均よりもかなり長いことがわかった。写真の手首が脱臼しているように見えると指摘する声もあるが、短縮遠近法および撮影時に手が動いていた結果であるという説明しか、私からはできない。

Q：なぜこれまでフランシス・グリフィスとエルシー・ライト以外の、世界中の誰もが妖精を撮影できなかったのか?

A：これはアーガス紙に掲載されていた質問リストの最後だった。これに対しては、希少な組み合わせがまったくの偶然にもコティングリーで成立したのだろう、という推測を示しうるのみだ。だが同じ性質のものを、誰もがまったく手に入れられなかったというわけではない。他にもいくつかの写真が存在しており、A・C・ドイル卿の著書『妖精の到来』にも二〜三枚の写真が掲載されている。だがそれらは鮮明さや精細さという点において完全に別のカテゴリーに属する。現状、コティングリーのこの写真は、私の知る限り、この種の自然現象についてこれまでに得られた最も明確で鮮明な記録であるという点で他に類を見ないということに、同意せざるを得ない。

第二部
透視能力者による調査

友人のジェフリー・ホドソン氏は、物理的視覚の限界を超えた繊細なる領域(これは自然霊が活動する領域である)に対する熟練の透視能力者として、これまで何度も手助けしてくれた。そして数年前に協力して仕事をした折、彼は植物の成長に関して興味深い記録を残している。このメモの要約を、以下に示す。「エーテル」という言葉は電磁気的活動の場を示すために使われているが、今や多くの生化学的な変質が発生する媒体であることが知られている。

鉢で育てている球根を調べてみると、大量の顕微鏡レベルでのエーテル生物が、成長している植物の中や周りを動き回っているのが見える。エーテルのレベルでは、それらはいくつもの光点が茎の周りを動き回り、球根に出入りしている様子として観測できる。それらは、当該の植物とほぼ同じ高さまで、周囲の大気中を上昇する力を有する。そして大気から何かを吸収すると、再び植物の組織に入り、それを排出するのだ。このプロセスは継続的に行われる。このエーテル生物は完全に己だけに集中しており、おぼろげな幸福感を経験したり、自分の身体とみなす植物に対する愛情を感じる程度の自己意識はあるが、それ以外の自意識はない。植物の外に出て、帯電したエネルギーのように見えるものを吸収すると、彼らは大きくなり、直径二インチほどの淡いバイオレットやライラック色をした球体のように見える。この生物たちは可能な限り最大の大きさまで成長すると、戻ってきて植物の中に入り、吸収した生命力を放出する。それに加えて、植物自身も自力である程度の量を取り込んでいるのが観測できる。また、成長途中の植物には約二フィートの高さにまで自然な生命力の流れが存在し、その中で他の小さな生き物が遊んだり踊ったりしている。エーテル視覚を用いて集中して観測すると、これらの生物は四分の一インチ以下の大きさの球形をしている。この小さな自然霊たちは、どうやら一つの植物、あるいは一つの鉢に閉じこもって仕事をしているのではなく、近くにあるそれぞれの鉢へと飛び回っている。球根自体が小さな発電所のような風情で、それぞれが強力な生命力を秘めている。成長中の球根のエーテル色はピンクがかった紫で、中心部はより強い光い光を放っている。この中心部から上に向かってエーテルの流れが立ち上がり、ゆっくりとしたペースで水分と栄養を運んでいくのだ。

様々な観察と、成長過程に対する理解の試みを踏まえ、ホドソン氏は以下のような結論を導き出した。

すべての種子の心臓部には生きていているが休眠状態の中心部があり、そこには以前の季節において蓄積された成果が、振動性のものとして蓄積されている。そして適切な土壌の中で生命が目覚めたり発生したりする際には、音に似た微かな何かを発生させるように見える。この「音」は周囲にある元素の領域で聞こえるもののようで、自然霊はその呼びかけに応える。茎、枝、葉、花など、あらゆる種類の成長にはそれぞれの音符や呼び声があり、この呼びかけによって対応する造形者《ビルダー》が呼び出されるように思われる。音にはそれ自体が形を作り出す効果があるので、おそらく種子や自然の上位精霊の心の中に潜在的に存在する植物の原型的構造が、パターン化された形としてエーテルレベルに投影されるときの手段として、音が使われているものと思われる。種子からのこの振動による呼びかけの結果としては、以下のようなものがあるようだ。

(1)種子の周囲の大気を分離し、絶縁する
(2)隔離された空間内の物質を必要な速度で振動させ、造形者が使えるように特殊化する
(3)造形者を呼び寄せる。造形者は特殊化された球体に入ることで、自分が作業すべき段階にあわせて自分自身を物質化させられる
(4)植物の潜在的なパターンの形成を助け、小さな造形者のための手引書、グランド・プランを用意するということも行っていると思われる

茎・枝・葉・花が順番に作られていく過程においてさまざまな振動による「呼びかけ」がなされ、それぞれの造形者は、それぞれが為すべき作業に取り組むために作業現場に入る。

微かなる音は、種子の持つ生命の中心からだけでなく、それぞれの胚の細胞が成長することでも放射されているように思える。その細胞を担当する造形者は、必要な材料——自分と、自分が造ろうとしている細胞の両方の振動に反応する材料——を吸収し、それを自由な状態から特殊な材料へと変化させ、音を発した細胞に渡して、それを漸次エーテルのパターンに組み込んでいく。このようにして細胞は徐々に栄養を与えられ、適切なサイズに達するまで大きくなり、その後分裂して、再びこのプロセスが繰り返される。この材料は造形者と密接な関係にあり、成長する細胞に合わせて特殊化されるだけでなく、当該の小さな自然霊が有する振動数に従って色付けされることになる。

構造や色が変わるたびに、別の造形者の一群が必要になるようだ。というのも、つぼみの段階に近づくと、新しい一団が姿を見せるからだ。この新たな造形者たちはより意識的に技術を使っているが、作業そのものは完全に同じだ。花そのものが作られるときには、それに相応しい妖精たちが登場し、花の色や、その精巧な造形のすべてを担当する。花の妖精たちは自分たちの特別な仕事を十分に意識しており、それをすることに強い喜びを感じているようだ。妖精はそれぞれのつぼみや花びらが成長するときはその側にいるし、人間の賞賛に対して感謝しているように見える。これはおそらく、その妖精たちは感情に反応する能力を有するためだ。花が切り取られると、造形を担当した妖精たちはその花に同行し、しばらくの間、一緒に居続けることがある。

完全に花が咲いた状態になると完全な和音が鳴り響く。その音を聞ける者にとってこれは庭園から得られるもうひとつの楽しみとなるが、多くの人には香りとしてしか接することができない。(注)

これはホドソン氏のメモの一部を要約したものだが、私たちが「自然」という言葉で簡潔にまとめてしまう活動が、いかに複雑であるかがわかる。

渓谷にて

二組めの写真を入手した翌年の一九二一年、すでに述べたように、私た

(注) G. ホドソン「Fairies at Work and Play」Wheaton Theosophical Publishing House 1925

ちは再び、より多くの写真による証拠を得ようと試みていた。これに加え、私は少女たちの透視能力を確認したいと熱望していたこともあり、ジェフリー・ホドソン夫妻を説得して、コティングリー地区で私たちと一緒に数日間過ごしてもらおうとした。親切にも彼らは私の願いを聞き入れてくれたが、この年の写真撮影の試みは失敗した。だが多くの共同観測が行われ、この点においては私の目的は大いに達成された。ホドソン氏は、エルシーやフランシスよりも広くかつ訓練された透視能力を有しており、彼は少女たちと一緒に渓谷を探索し、そこで見たものをメモした。このメモはアーサー・コナン・ドイル卿に提供されたが、非常に重要な資料であるため、ここではその一部を詳細に紹介する。

コティングリー渓谷で少女たちと一緒に座っていたホドソン氏は、彼女たちが見たものをすべて、そしてそれ以上に見ていた。彼がある方向を指差し、彼女らに何が見えたのか説明を求めると、彼女たちの持つ能力の範囲内ではあったが、常に正しい答えが返ってきた。彼の説明によると、渓谷全体が様々な形の元素の生命体で溢れており、ウッドエルフ、ノーム、ゴブリンだけでなく、ずっと稀有な存在であるウンディーネが川に浮かんでいるところすら見えたという。彼らが見たものは、以下のバラバラのメモからの抜粋に示されている。

ノームとフェアリーたち：「野原ではノームと同じくらいの大きさの人影を見た。彼らは我々に向かって奇妙なしかめっ面をしたり、グロテスクに身をよじったりしていた。特に一人、両膝を打ち合わせて大喜びしている者がいた。エルシーには彼らの姿が一人ずつ別々に見えており、一人が姿を消すと、別の一人が同じ場所に姿を見せるという。しかし、私には彼らが集団で見え、なかでも一人が他よりも目立って見えた。エルシーは写真に写ったものと似たノームの姿を見たが、それほど明るくなく、色もついていなかった。私が見たのは女性のグループで、人間の子供がする「オレンジとレモン」の遊びに似たことをしていた。彼女たちは輪になって遊んでいたが、その様子は、今度は槍騎兵が行うグランド・チェインにも似ていた。一人の妖精が輪の中央にほとんど動かずに立っていて、他の妖精（花で飾られ、本来の色ではない色を見せていた）が彼女の周りを踊っていた。隣り合う妖精のうち何人かは手をつないでアーチを作り、他の妖精はそのアーチをくぐって迷路のように出たり入ったりしていた。

この遊びの結果、地面から四～五フィート上空へと流れていく力の渦が形成されているように見えることに、私は気づいた。また、野原の草が色濃く茂る薄暗い場所では、それに応じて妖精たちの活動が活発になっているように見えた」

水のニンフたち：「『ベック』の中の大きな岩の近く、水が少し落ちているところで、水の精霊を見た。長い白髪の、全裸の女性で、髪を櫛で梳かしているようにも、指に通しているようにも見えた。足があるのかないのかは、わからなかった。その姿はまばゆいばかりのバラ色がかった白さで、顔はとても美しかった。腕は長く優美で、波のような動きをしていた。時には歌っているようにも見えたが、私には音は聞こえなかった。このニンフは、岩の突起と苔でできた、洞穴のようなところにいた。羽根はないようで、半ば水平の状態で、ほとんど蛇のようにしなやかに動いた。ニンフが持つ雰囲気や感覚は、妖精のそれとはまるで異なっていた。私はカメラを持ってシャッターを切ろうと待ったが、ニンフは私の存在を意識することはなく、周囲の環境に何かしらの方法で溶け込んだまま、そこから遊離しようとはしなかった」

ウッドエルフたち：「（一九二一年八月十二日、森の中の古いブナの木の下、コティングリー）我々が倒れた木の幹に座っていると、二人の小さなウッドエルフが地面を駆け抜けていった。我々を見つけた彼らは五フィートほど離れたところで急停止し、かなり楽しそうに（しかし恐れる様子はなく）我々をじっと見ながら立っていた。彼らは、ぴったりとした一枚の外皮ですっぽりと覆われているように見え、その外皮は濡れたかのようにわずかに光っていた。彼らの手足は、その体には似つかわしくないくらいに長かった。足はやや細く、耳は大きく、ほとんど洋梨のような形で、上向きに尖っていた。鼻はほぼ尖っているようで、口は大きかった。歯がないどころか口の中には何もなく、私が見た限りでは舌さえもなかった。まるで全身がゼリーでできているかのようだった。エーテルの二重膜が物理的な身体を包み込むように、彼らを包んでいるのは薬品蒸気のような緑がかった光だ。フランシスが近寄って彼らの一フィート以内に座ると、彼らは警戒したように八フィートほどの距離にまで退き、そこに留まって私たちを観察し、感想を交換しているようだった。この二人はブナの大木の根元に住んでいる。彼らは洞窟に入るように、裂け目へと歩いて入っていってその姿を消し、地面の下に沈んでいった」

水の妖精：「（一九二一年八月十四日）細かな水しぶきを上げている小さな滝のそばで、水しぶきの中に、とてつもなく希薄な性質を持つ小さな妖精の姿が見えた。体とオーラの色は主に二つの色を持つようで、上部が淡い紫、下部が淡いピンクだ。この色は、オーラ及び密度の高い身体を貫通しているように見え、密度の高い身体の輪郭は、オーラに溶け込んでいる。この生物は、体を後ろに優雅に湾曲させ、左腕を頭の上に高く掲げて、まるでカモメが風に身を任せるのと同様、水しぶきの中の生命力に支えられているかのような姿勢を取っていた。人間の姿をしていたが、性別を示す特徴は見られなかった。流れに逆らうように、体を曲げて仰向けになっていた。しばらくその姿勢のまま動かずにいたが、やがて視界から消えた。翼は見当たらなかった」

妖精、エルフ、ノーム、そしてブラウニー：「（八月十四日（日曜）、午後九時、野原にて）愛すべき、静かな、月明かりの夜。野原にはブラウニー、妖精、エルフ、ノームなど、さまざまな種類の自然霊が密集しているようだ。

ブラウニー：「彼は普通の人よりもかなり背が高く、八インチくらいで、全体的に茶色の服を着て、暗い色の顔をしていて、袋状の帽子はほとんど円錐形で、半ズボンとストッキングを履いていて、足首は細く、足はノームの足のように大きく尖っている。彼は私たちと向き合って立っているが、こちらをまったく恐れることはなく、完全に友好的で、むしろ大いに興味を持っている。彼は知性が芽生えたかのような好奇心あふれる顔で、目を見開いてこちらを見つめる。まるで自分の理解の範疇を超えるものに対し、手を伸ばしているかのようだ。彼は後ろを振り返ると、こちらに近づいてくる妖精たちを見て、道を空けるように片側に移動した。彼の精神状態は半ば夢想的で、『一日中、ずっと立ってこれを見ていても、見飽きないよ』と言い張る子供のようだ。彼は我々のオーラの多くをはっきりと見ていて、我々から放射されるものに強く影響をうけている」

妖精たち：「フランシスは、小さな妖精たちが輪になって踊っているのを見た。妖精たちの姿は徐々に大きくなって十八インチに達し、輪もそれに比例して広がっていく。エルシーは妖精たちがゆっくりと飛ぶことで縦の輪を作って踊るところを見た。輪の一番下になった妖精が草に触れると、そこでいくつかの素早いステップを踏んで、それからまたゆっくりと縦の輪を周り続けるようだ。踊っている妖精たちは長いスカートを履いているが、その生地を透かして足が見えている。アストラルから見ると、輪は黄金色の光に包まれている。輪の外周は様々な色をしているが、紫色が支配的だ。妖精たちの動きは、アールズコートの大観覧車のそれを彷彿とさせる。妖精たちは非常にゆっくりと浮遊しており、再び地面に戻ってくるまでの間、体や手足は動かさないままだ。この間ずっと、チリンチリンと音楽が鳴っている。これは遊びというよりも、儀式としての側面をより多く持つようだ。フランシスは、二人の妖精があたかも舞台の上にいるように演技をしているのを見た。一人は羽を持ち、もう一人には羽がない。二人の体は太陽の下で、波打つ水のように輝いている。翼のない方の妖精は曲芸師のように、頭が地面につくまで後ろにそり返っていて、翼のある方はその上で前かがみになっている。フランシスは、『パンチとジュディ』に出てくるパンチのような姿をした小さな妖精が、ウェールズの黒い山高帽のようなものをかぶり、かかとを地面に打ちつけダンスのようなことをすると同時に、帽子を上げてお辞儀をしたのを見た。エルシーは、カーネーションのような形をした妖精の花を見た。茎と花の継ぎ目あたりに頭があり、緑の萼がチュニックのようになっていて、そこから腕が突き出ている。花弁はスカートを形作り、その下には非常に細い足がある。その妖精は、草原を軽快に歩いていた。カーネーションのようなピンク色で、多少淡い色調で覆われていた。私は野原の真ん中で、身長一フィートほどの男女のカップルが、ゆっくりとワルツのような踊りを踊っているのを見た。その姿は反転しているようにすら見える。二人は衣服としてエーテル物質をまとっていて、どちらかというと幽霊のような外見をしている。彼らの体は灰色の光で縁取られ、細部はほとんど見えない」

「エルシーは、猿を思わせる小さな小鬼《インプ》を見た。その子鬼は、茎の先端にしがみついて、ゆっくりと回転している。彼は文字通りインプのようないたずら好きな顔をしており、まるで我々のためにパフォーマンスをしているかのように、私たちの方を見ている」

「この間、ブラウニーはショーマンの任務を引き受けたようだ。二〇フィートほど先に、私は妖精の噴水とでも言うべきものを見た。これは地面から妖精の力が湧き上がり、魚の尾のような形で空中へと広がっていくもので、その色は様々だ。これはフランシスも見た」

「(八月十五日(月曜)、野原にて)私は野原を駆け抜けて森に向かう三人の人影を見た。いずれも以前、森で同じ姿を見たことがあった。壁から十ヤードほど離れたところで彼らは跳躍すると、壁を飛び越えて森に入り、姿を消した。エルシーは野原の中央に、ギリシア神話のヘルメス神にどこか似た、とても美しい妖精の姿を見た。翼あるサンダルは履いていなかったが、妖精の翼を持っていた。全裸で、明るい巻き毛をした彼は、草の茂みの中にひざまずき、地面の中の何かに注意を向けていた。彼は姿勢を変えた。最初はかかとをつけて座っていたが、それから完全な膝立ちになった。普通の妖精よりはるかに大きく、おそらく十八インチはあるだろう。彼は地面にある何かの上で、腕を動かしていた。そして地面に落ちていた何か(赤ん坊だと思う)を拾い上げると、胸に抱き、祈っているように見えた。ギリシャ人の特徴を持ち、ギリシャの像に似ていた。ギリシャ悲劇から抜け出してきたようだった」。

妖精たち:「(八月十六日(火曜)、午後十時、野原で。小さな写真用ランプの光の下)エルシーは妖精たちの輪が弾むように回るのを見た。彼らは手をつないで、全員が外側を見ていた。輪の中心に人影が現れると、それと同時に妖精たちは内側を向いた」

ゴブリンたち:「ゴブリンの集団が森の中から我々の方へ走ってきた。距離は十五フィートよりも近かった。彼らはウッド・エルフとはいささか異なり、よりノームのような見た目をしているが、体は小さく、小さなブラウニーくらいの大きさだ」

妖精：「エルシーは、すぐ近くに美しい妖精を見た。全裸で、金色の髪をしていて、草むらにひざまずいていた。両手をひざに置いてこちらを見て、我々に微笑みかけた。とても美しい顔をしていて、私に視線を集中させていた。この人影は私たちの五フィート以内にいたが、姿を見せると、消えていった」

エルフ：「エルシーは、その勢いで髪をたなびかせるほどの速さで進む、エルフの一種を見た。そのエルフの周囲に吹く風が感じられる。彼は非常に急いでいるように見えるけれど、微動だにしていない」。

ゴブリン：「エルシーは、小鬼のような姿をした、小さな小人の群れが、草むらに向かって斜めに飛び降りていくのを見た。彼らは二つの列を作って、それぞれの列が交差した状態で降りてくる。片方の列は足を頭につけたまま垂直に降りてきて、もう片方の列は肩と肩を並べてもう片方の列と十字形を作っている。地面に着くと、何か仕事をしているかのような真剣な表情で、全員が散り散りに走り去っていった。森から来たエルフたちは主に野原を駆け抜けているが、その速度や存在をもって何らかの目的を果たしているようには思えない。我々の側を通り抜けるエルフのほとんどは、いったん立ち止まってじっくりとこちらを見るのだ。エルフたちは、妖精の中でも最も好奇心が強いようだ。フランシスは三人の姿を見て、彼らをゴブリンと呼んだ」

青い妖精：「シー・ブルーと淡いピンク色をした翼を持つ妖精。この二つの色は全身にも及んでいる。翼には網目があり、蝶のように様々な色で彩られている。その姿はまさに完璧で、ほぼ全裸だ。髪には金色の星が輝いている」。

妖精の集団：「突然、妖精の指揮者に率いられた妖精の一団が野原に到着した。彼らが到来したことで野原は明るく光り輝き、六〇ヤードほど離れていた我々にも見えた。指揮者は極めて独裁的かつ断固たる命令を下し、その指揮は確固たるものだ。この一団は彼女を中心にして次第に輪になって広がっていき、これに従い芝生の上に柔らかい光が広がっていく。彼らは間違いなく野原の成長を生き生きと活性化させていた。野原を訪れたこの一団は、あたかもかなり遠くからやってきたかのように、樹上はるか上空を軽快に移動してきた。二分もすると、その輪の幅は約十二フィートほどに広がり、素敵な光を放った。この一団のメンバーは、それぞれ細い光の流れで指揮者とつながっている。光の流れは様々な色をしているが、主に黄色で、オレンジ色へと色が濃くなっていく。彼らは輪の中心で合流し、指揮者のオーラと融合するが、彼らの間には常に光の流れが行き来している。その結果、中央の妖精が脚部となり、優美で均一な曲線を描く光のラインがボウル状の側面を形成するという形で、ひっくり返ったフルーツ皿のような形状を作り出している。一団は活動に集中しており、なすべきことに対して時間が足りないような風情だった。活発な指揮者はその心の内部からの指示を受けており、彼女の意識は実作業をしている領域よりも、もっと精妙なる領域に座しているように思える」

妖精たち：「エルシーは背が高くて堂々とした妖精が、野原を渡ってイトシャジンの茂みに向かうのを見た。その妖精は、ゴワゴワした布に包まれた妖精の赤ん坊らしき何かを腕に抱えていた。妖精はそれをイトシャジンの茂みに置くと、何かを撫でるようにひざまずき、しばらくすると消えていった。私たちは、翼ある人物が駆る四つ足の生物の印象を受信した。翼ある人々は痩せていて、騎手のように馬の上でかがんでいる。彼らは芋虫のような顔をしていて、乗っている動物はまったくの未知の生物だ。

「野原のあちこちに現れるこの妖精の活動を見ていると、ときおり真剣な面持ちをしたノームのような姿をした者が野原を歩いているのを垣間見たり、ウッドエルフやその他インプのような姿をした者たちが、真剣に働いている妖精たちの間を走り回っているのを見たりする。我々三人とも、元素のエッセンスでできたかのような、奇妙な生き物を何度も見た」

「エルシーは一ダースほどの妖精が三日月型の隊列を組んでこちらに飛んでくるのを見た。彼らが近づいてくると、彼女は彼らの姿の完璧なまでの美しさに、恍惚とした表情で感想を述べた。だが彼女がまさにそうしているさなか、その言葉を裏切るかのように、彼らは罪のごとき醜い姿になった。妖精たちは彼女をいやらしい目で見ると消えていった。このエピソードからは、進化のこの段階において妖精たちの多くが人間に対して感じている、敵意や嫌悪感の一側面を垣間見られるかもしれない」

「フランシスは七人のとても小さな妖精をすぐ近くで見た。奇妙な小さな人影は、下向きに横たわっていた」

「(八月十八日午後二時、渓谷にて)フランシスは、自分と同じくらいの大きさの妖精を見た。タイツを履き、腰のあたりで波を打った円形になった服を着ている。服は身体にぴったりと張り付いていて、はっきりとした色をしていた。その妖精はとても大きな翼を持ち、それを彼女の頭上で開いていた。それから両腕を脇から頭の上に上げ、空中で優雅にその手を振った。とても美しい顔をしており、フランシスを妖精の国に誘うかのような表情をしていた。髪はショートカットのようで、翼は透明だった」

黄金の妖精:「透明で煌めく金色の光を衣服として纏った、際立って美しい妖精。縦長の羽を持ち、それぞれの羽はほぼ上下二つの部分に分かれている。下半分の羽は上半分よりも小さく、ある種の蝶の羽のように、先端が伸びて尖っているようだ。彼女もまた腕を動かし、羽をひらひらさせている。私としては、金色に輝く奇跡としか表現しようがない。彼女は微笑み、我々をはっきりと見ている。また、指を唇に当てている。彼女は柳の葉や枝の間に留まり、顔に微笑みを浮かべて我々を見ている。彼女を物理的な領域において客観的に視認することは不可能で、アストラル視覚を通してのみ視認できる。彼女が右手で足元を指差して円を描くように動かすと、おそらく六〜七体のケルビム(鷲の顔)が見えたが、これらは目に見えない意志によってその形を保っているように思えた。彼女は私に向かって妖精の呪文を唱え、精神的の本質を完全に支配した。花や草の只中で闇雲に目を凝らした状態のままになった私を、彼女は置いていった」

第三部
受け取った手紙

ストランド誌の記事とアーサー・コナン・ドイル卿の著書『妖精の到来』が出版された後、彼と私のもとには、人生のある時期に妖精を見たことがあると主張する人々や、妖精とずっと親しくしているという人々から、かなりの数の手紙が届いた。この手紙で知り合った人々の中には、すでにこの本で紹介した人もいる。手紙の多くは名の通った栄誉ある男女からのもので、善意の証言が書かれていたが、一～二通の明らかな偽証の手紙もあった。すべての手紙は慎重に吟味され、ふるいにかけられた。木の根元にいる小さなブラウニーの写真が一枚、本物であるという主張を添えて送られてきたのを私は覚えている。この写真は屋外でなされた単露光のもので、背景の自然物に関しては疑義の抱きようがなかった。しかし通常の写真分析を行うと、ブラウニーの姿は巧妙な人工物であることが一目瞭然であった。この証拠を突きつけられた写真の作者は、その事実を認めた上で、「作り物のフィギュアを使って騙すことが可能であることを証明したかった」と弁明した。

　ここでは、正直さと誠実さに疑いの余地がなく、妖精たちをしばしば見たことがある人から受け取った、手紙の一部を紹介する。多くの記述は、他の場所で得られた証拠の裏付けとなるものである。

　アーノルド・J・ホームズ牧師より：「マン島で育った人は、そこにある迷信（もしそう呼びたいのでしたら）、マンクスの漁民の素朴で美しい信仰、マンクスの少女たちがよせる子供のような信頼感とともにある。彼らは今日に至っても、『小さな人々』から火がほしいと望まれたときのために、暖炉の脇に薪や石炭を用意することをけして忘れない。良き夫を得るのは大変に素晴らしいことだが、こういったことができない者は悪い夫を得たり、あるいはけして夫を得られなかったりするものだ。この驚くべき現象が起きたのは、夜にピールからセント・マークス（私が教会管理司祭だった）に向かう途中のことだった」

　「ホール・ケイン卿の美しき邸宅であるグリーバ城を過ぎたところで、私の馬――とても元気だった――が突然立ち止まった。前方を見ると、ぼんやりとした光と霧のかかった月光の中に、はっきりしない人影による小さな軍隊のようなものが目に入った。彼らの姿はとても小さく、薄布で作られた服を着ていた。彼らはまったくもって幸福そうで、グリーバの美しい森の中にある屋根なき聖トリニアン教会の方角から、ふざけて弾むような足取りで道を歩いてきた。伝説によるとかの教会はずっと妖精の棲家となっており、これまで二度ほど屋根をつけようとしたものの、夜になると妖精がすべての仕事をもとに戻してしまうため、百年もの間それ以上の試みはなされなかったという。そのため、かの教会はそこが自分たちのものだと主張する『小さな人々』の手に委ねられている」

　「私は魅了されたように妖精の行進を見ていたが、私の馬は恐怖で半狂乱になっていた。小さく幸福な軍隊は、そこで魔女の丘の方向へと向きを変え、苔むした土手に登った。とりわけ大きな姿をした、身長約十四インチの『小さな男』が、全員が通り過ぎるまで見張りに立っていた。彼らは踊り、歌い、幸せかつ自由気ままに、バレーの野原を渡ってセント・ジョンズ・マウントへと向かった」

　ハーディ夫人より：妖精が広範囲に分布していることは、ニュージーランドのマオリ族居住区に入植したハーディ夫人による、以下のような非常に興味深い逸話から判断できる。

　「他の人が見たものを読み、五年ほど前に起こった私自身の経験をお話すべきだと感じた。だがこの話に関連して、まずは私の家庭のことを少し述べさせて頂きたい。我が家は尾根の上に建っている。家や建物、芝生などの敷地を確保するために、ある程度の広さを平地にした。家の左右は急な下り坂になっている。左には果樹園、右には低木の植え込みや放牧場があって、その先で大通りにつながっている。ある日の夕暮れ時、私は布巾を物干しロープに吊るそうとに庭に出た。縁側の屋根の下に出てみると、果樹園の方角から柔らかなギャロップの音が聞こえてきた。そのときは、勘違いかと思った。マオリ族がしばしば馬を走らせる大通りの方から、その音が聞こえてきたに違いない、と。洗濯バサミを取ろうとして庭を横切ると、ギャロップの音が近づいてくるのが聞こえた。私は物干しロープの下にところに行き、タオルを吊るそうとして腕を上げて物干しロープの下に立った。そのときギャロップの音がすぐ後ろから聞こえた。そして突然、小さなポニーに乗った小さな人影が、私が上げた腕の真下を通った。周囲を見回すと、私はドワーフ・シェットランドのような小さなポニーに乗った八～十人の小さな人影に囲まれていた。私に近づいてきた小さな人物は、窓から差し込む光ではっきりとその姿が浮かび上がっていたが、逆光になっていたため顔は見えなかった。他の人たちの顔はかなり茶色がかっていて、ポニーも茶色だった。服を着ているとしたら、それは子供用のジャージのような、身体にぴったりしたものだったのだろう。彼らは小さなドワーフか、さもなくば二歳くらいの子供のように見えた。私はとてもびっくりして、『あら、これは何なの？』と声をかけた。私は彼らを怖がらせてしまったに違いない。私の声を聞いて、彼らはバラのアーチを駆け抜けて車道を横切り、低木の植え込みへと走り去っていった。柔らかなギャロップの音は次第に消えていったが、私はその音が完全に聞こえなくなってから、家に入った。何度か心霊体験をしたことのある娘が私に言った。『お母さん、顔が真っ白よ！　すごく驚いたんでしょう？　何を見たの？　それから、さっき庭で誰と話していたの？』。私は『妖精の騎乗《フェアリー・ライド》を見たわ！』と言った」

ニュージーランドの妖精たちは、まだまだいる：ニュージーランドは妖精の宝庫のようだ。美しい島々に住むある女性から、もう一つの手紙を受け取った。この手紙もまた、先の手紙に負けず劣らず興味深く、決定的な内容を含んでいる。彼女はこう言っている。

「私はニュージーランドのあらゆる場所で妖精を見たが、特に北島のシダに覆われた小峡谷でたくさん会った。私の持つ霊媒能力がほとんどが開花したのはオークランドでのことだった。この頃、私は何時間も自宅の庭で過ごし、夕方の日没直前に最も頻繁に妖精の姿を見た。

妖精たちを観察してみると、彼らはたいてい多年草の周りに住んでいるか、あるいはそこから現れることがわかった。茶色の妖精も緑の妖精もいたが、みな薄膜のような羽を持っていた。私はよく彼らと話をして、特にお気に入りの植物や、庭に植えた挿し木がうまく育つように頼んだが、私が得た結果を見るに彼らは私の願いを叶えてくれたと確信している。シドニーに来てからは、緑の妖精も見かけるようになった。昨年の春、私はある実験をしてみた。庭でクチベニズイセンを育ててみたのだ。私はこのスイセンを育てる庭の妖精の姿を見た。そこで球根の一つを、半分ほど成長したところで鉢に移植し、短い休暇に出かけるとき一緒に持っていくことにした。私は妖精たちに、この球根を育て続けてくれるようお願いした。そしてこの鉢を毎晩しっかりと観察した――すると、緑の服を着た妖精が、時には一人か二人、植物が植えられている鉢の上に現れた。彼らが夜の間に何をしたのかは分からないが、移植などをしたにも関わらず翌朝にはとても大きく成長し、庭に植えたスイセンが開花する三週間前に花を開かせた。私は今、シドニーのロッチデールに、オーストラリア人の降霊術師の友人たちと住んでいるが、彼らも子供の頃から妖精を見ている。私は動物たちも妖精を見ていると確信している。妖精たちは毎晩、私たちが彼らのために残しておいた庭の小さな野生の一角にその姿を現し、我が家の猫は座って熱心に妖精たちを見ているが、他の動くものになら飛びかかるこの猫も、妖精に飛びかかろうとはしない。この手紙に書かれている情報を利用したいと思うのであれば、ぜひ使ってほしい」

オーストラリアから：オーストラリアのロバーツ夫人からも、興味深い手紙を一通受け取っている。この手紙にはこれら生命の精霊体と花々との密接な関係が書かれており、彼女は自分の庭で植物の世話をしている彼らの姿を頻繁に見ると語っている。

レプラコーンについて：イングランドのブリストルに住むミス・ホールからの手紙。

「私も妖精を見たことがあるが、嘲笑されるのを恐れて今まであえてそれを口にすることはなかった。妖精を見たのは、もう何年も前のことになる。当時の私は六～七歳の子供で、今と同じようにあらゆる花々が大好きだった。私にとって花は生物のように感じられた。私はトウモロコシ畑の中の道の真ん中に座って、群生するポピーで遊んでいた。おかしな小さな男が花々の間でかくれんぼをして私を喜ばせようとしているのを見たときの深い驚きは、けして忘れられないように思う。彼は矢のように速かった。私はかなり長いこと彼を見ていたが、やがて彼は姿を消した。彼は陽気で小さな男だったようだが、私は彼の顔すら思い出せない。色はセージグリーンで、手足は丸く、ゼラニウムの茎のような外見をしていた。服を着ているようには見えず、身長は三インチくらいで、細身だった。私はその後、何度か彼を探したが、見つからなかった」

妖精の宴：高名な水占い師であるJ・フット・ホワイト氏はこう書いている。

「数年前のことだが、私はドーセット州にあるオックスフォード・ヒルの美しい斜面で午後を過ごすという趣旨のパーティに招待された。この場所には樹木や生け垣がなく、遠くまで視界が遮られない。私はこの地域に住んでいる友と一緒に、パーティの中心からは少し離れたところを散歩していたのだが、驚くべきことにとても小さな子供たちと思われる数人の姿を目にした。彼らはみな派手な色合いの短いスカートをはいており、素足だった。彼らは互いに手に手をとり、その手を掲げて、完璧な真円を描くようにして楽しそうに踊っていた。私たちは立って彼らを見ていたが、一瞬にしてその全員が視界から消えてしまった。友によると彼らは妖精で、よくあの場所に来て宴会をしているという。我々の存在は彼らにとって邪魔だったのかもしれない」

ウンディーネ：イギリスのワージングに住むエセル・エニッド・ウィルソン夫人は、こう書いている。

「私は妖精の存在を確信している。言うまでもなく、彼らは真の自然霊である。晴れた日に海で遊んだり、波に乗ったりしているのを私はしばしば目にしたが、その時一緒にいた人は誰もその姿を見ることができなかった。ただし、幼い甥や姪は妖精を見たことがある。彼らは小さな人形のようで、とても小さく、きれいな明るい髪をしていて、常に動き回り、踊っていた」

ノームたちと妖精たち：サウスエンド＝オン＝シーに住むローズ夫人は、このテーマについて雑談がてらに語ってくれた。

「私はずっと妖精たちを見てきたように思う。この海辺にある低木のあたりで、しょっちゅう出会っている。彼らは木の下に集まり、木の周囲を浮遊していて、ノームが彼らを守るためにやってくる。ノームは小さな老人のようで、小さな緑色の帽子をかぶり、服は全体的に自然な緑色をしている。妖精たち自身は明るい、ゆったりとしたひだのある服を着ている。また私の家の温室で、彼らが花々や植物の間を浮遊しているのを見たことがある。芝生や木の上で休むときを除いて、妖精たちは常に遊んでいるようだ。またノームの一団が、舞台上の体操選手のようにお互いの肩に乗って立っているのを見たこともある。彼らは私と同じように、実際に生きているようだ。想像の産物ではない。母鳥が雛を寝かせるように、ノームたちが妖精たちのために苔のベッドのようなものを用意しているのを見たことがある。私にはノームや妖精が発する音はまったく聞こえないが、彼らはいつも幸せそうで、本当に楽しい時間を過ごしているかのようだ」

第四部 姉妹関係にある、進化する生命の流れ

その後の探索

上記において詳細に報告されているコティングリー渓谷で撮影された写真に関する調査だが、その後二〜三年に渡ってさらなる情報を求めて調査が行われた。このような現象が彼らが生きる生命秩序の枠組みの中でどのような位置を占めているのか、またそのような秩序がどの程度の範囲において、そしてどれくらい我々自身の生命秩序と密接に関係しているのかを見出すためだ。このため私はスコットランドのハイランド地方や、ハンプシャー州のニューフォレスト、カンバーランドの湖沼地帯、南アイルランドおよび霊的存在が好むその他様々な土地を訪れ、自然を愛する人たち（彼らの多くが透視能力を持っている）に会い、彼らの経験から学ぶことにした。

妖精やその振る舞いについての物語は、探せばいくらでも出てくる。だがそれらは私の探求する対象ではなかった。私は、自然界の精霊と直接通じ合っている人々や、精霊たちの習慣や仕事をある程度まで知っている人々、つまり直接的な個人的経験をもとに話しができる人々に会ってインタビューしたかったのだ。訓練された透視能力はまだ一般的な能力ではないので、このような証言は科学的な品質を備えているものとは正確にはみなされていないが、善意かつ裏付けがある言葉であれば重みがあるし、その証言が健全な実用性と合理的な妥当性を備えていれば、暫定的にでも受け入れられるだろう。この種の証拠は無数に存在するが、二つの例はその性質をよく表現している。

スコットランドのダンディーでは、コティングリーの妖精についての講演会が企画され、会場は満員になった。講演が終わり質疑応答と聴衆からの意見を聞く段階になったところで、最前列に座っていた紳士が即座に立ち上がると、やや攻撃的な口調でこう言った。「私が会いたいのは『私は自分の目で見たことがあるので、そのような生き物が存在することを知っている』と言える人だが、そのような人物には会ったことがない」。私が返事をする前に、会場の後ろの方に立っていた女性（意志が強く、感じの良い顔をしていた）「そちらの方は、私の方を見てくれますか」と呼びかけた。観客のほとんどがそうすると、彼女はこう言った。「ええ、私は彼らをたくさん見てきました。妖精たちは、今夜見せられた絵と同じものではありませんが、とてもよく似ています。とにかく、私は彼らのことをよく知っているし、自分の目で見たこともあるし、そういう人は私の周囲には何人

もいます」。その後、私は彼女と話をして、そして彼女の住むキリークランキー・パスを訪れた。彼女の興味と誠意は疑う余地もなく、彼女が話してくれた内容の詳細は、私がすでに収集した事実とよく似ていた。

ダブリンでは、ジョージ・ラッセル（アイルランドの詩人で、A．E．として知られている）を紹介されるという幸運に恵まれた。ある日の午後、私はA．E．と自然霊に関する非常に興味深い会話をした。A．E．はたくさんのことを話してくれたが、休暇で西海岸に行ったときにシルフに出会い、その後も毎年のように会っているという話をしてくれた。私たちは彼の書斎に座って話をしたが、その書斎の壁には等身大のシルフの絵が描かれていた。A．E．のこの体験は、とても異例のものだ。人間はシルフの元素となる大気を不用意に汚しているため、シルフは人間に敵意を持っていると言われている。だがA．E．はシルフの好意を勝ち取ったというわけだ。そのシルフの絵は五フィートほどの高さがあり、特に美しい風貌というわけではないが、人間大になったシルフの特徴をよく表している。

このような筋（あるいはより親密な関係を持つ筋）から得られた無視できない証拠から、私は自然霊の生活様式やその働きの詳細のいくつかを収集した。情報を探すにあたっては多くの場合、コティングリー渓谷で撮影した写真を公衆の場で共有するという私の役割が、自己紹介にあたって不利に働いたということをここに記しておこう。妖精を愛する人たちは、このテーマを公表することに対し、まず好意的な態度を示さない。実際、私の行為は不当な侵入行為かつ冒涜であるとして、穏やかならざる言葉で非難が表明されたこともしばしばあった。私が比較し、確認し、つなぎ合わせて、ここに記載することができた以下の詳細を得るにあたっては、必ず私自身の振る舞いに対し真摯な保証を行った後に、話を先に進めた。

自然霊の機能

自然霊という一般的な名称の下に、いくつかの種がグループ化されているが、なかでもノーム、ブラウニー、フェアリー（妖精）、ウンディーネはよく知られた種だ。これらの種は、分類上では、広大な階層のほぼ最下層に位置する。このレベルから段階的なステップを踏んで、気高き高みにまで上昇する進化する生命の階梯がある。全体のシステムは、動物や人間の王国におけるものとやや平行した、姉妹系統の進化を構成しているが、すべては物理的な物質ではなく、繊細な物質でできた身体を有している。この姉妹階層における多くの段階は人間のランクより下位にあるが、その一部は人間より上位にあり、いくつかは遥か上位にある。自然霊の生命はすべてのものの中で最も低いか、最も外縁部に位置しており、森林、牧草地、庭園など、実際には植物が生育するあらゆる場所で活動している。というのも彼らの仕事は太陽からもたらされる覚醒エネルギーと、物質として形を為すべき天然資源の間に、生体リンクを提供することだからだ。種子から植物が生長するということを我々は、暖かく湿った土壌に置かれたことによる「自然」な結果と考えがちだが、自然の造形者が役割を果たさなければこれは実現しない。オルガンの音楽が、風圧と作曲者による楽譜だけを組み合わせて作られるのではなく、オルガン奏者がそれらに対し生体リンクを与えねば生まれないように、土の成分を植物の構造に織り込んで変換するためには、自然の職人が介在しなければならないのである。

妖精の身体

妖精という精霊の一般的な活動体は、成長過程の支援に従事しているときに使用されるが、人間の形でもなければ、その他なんらかの具体的な形もしていない。そしてこれこそが、妖精とその親族に関して困惑させられてきた多くのことを説明してくれる。彼らは明確な形をしておらず、その活動体は明るい火花のような核を持つ、ややぼんやりとした、あるいは発行する、明るい色の雲としか表現できない。そのため、ゆらめく炎を明確な形を示す言葉で定義できないように、その活動体をそのような言葉で定義することもできない。彼らはこのような身体をもって働いており、その働く場所は植物の構造の中、つまり相互に浸透した状態にある。雲のような体は、磁場としての性質を持っているようだ。というのも細胞の成長や樹液の循環を助ける彼らの建設者としての働きは磁石によって鉄粉が動く様子にも似ており、その磁力は彼ら自身の生命エネルギーの流れによって供給される。自然霊には、地上で働くものもいれば、地下の根の中で働くものもいる。色を専門とし、花々の「着彩」を担当する者もいるようだが、彼ら自身の雲のような体を流れるように用いることで、着彩に必要となる絵筆とする。また植物の成長はもちろん、その植物の種類に適した必須の食料や化学成分の有無によっても左右される。人間の職人や芸術家と同じように、これらの存在の有無が仕事の成功を助けたり、その結果を制限したりする。貧弱な材料でも何とかなるが、最高の素材を使えば、最高の結果がより簡単に得られるのである。植物の整形や着彩における「突然変異」と呼ばれるものは、単に作業の不備の結果であることもあるが、しばしば人間が精神的に作り出した強い願望の形状に影響されたものであることを示す証拠がある。

これらの造形者の側に知的な管理や選択の痕跡はほとんどないが、彼らの仕事は完全に本能的なものであるようだ。彼らの意識レベルは若い動物や鳥、昆虫と同程度であり、アリやハチが驚くほどの目的意識を持って行動することに見られるのと同じ本能的な刺激に、極めて近似するなんらかの影響力に指揮される形で、彼らの労働は行われている。

人間形態

自然霊は無責任で、喜びに満ち、愉快で、悩みのない人生を送りつつ、仕事を熱心に楽しんでいると考えられることが多いが、彼らはときに仕事を離れて植物の外に出ることがある。言うなれば、瞬時に小柄な人間へとその姿を変えるのだ。その姿は必ずしも普通の視覚で見えるものではないが、かろうじて視認可能な状態になっていることもある。一瞬で別の姿をとり、すぐに消えてしまうこともある。人間の姿を維持している間は、おそらくは彼らが具体的で明確な姿を取っているがゆえに、我々は彼らがより楽しんでいるように感じる。しかしながら、その形態の内部には知覚できるような構造は存在しない。新たに作られた身体の中身は、通常の雲状の体を凝縮したものに過ぎない。人間の形態を取った自然霊は通常、スキップしたり、ダンスしたりして、その経験を心から楽しんでいることを示唆するような陽気さを見せ始める。そして邪魔されたり警戒されたりすると、その出現と同じくらい突然、拡散した磁気の雲に戻る。なぜほとんど常に人間の形を装うのかは、明らかではない。個人または集団の人間の思考が刺激かつ原因となっているのかもしれないが、これは憶測に過ぎない。

昆虫や動物など他の形態が選ばれることもあるが、新たな形態を生み出すというよりは近くにある形状を模倣することが多く、人間の形が最も魅力的であるのだと思われる。ひとつ確かなことは、自然霊の形状は、通常の雲のような活動体であろうと、人間の形をしていよう実在のものであり、したがって実測可能なものだということだ。

妖精の羽

解剖学的に言えば、妖精の体の特徴としてよく見られる羽が、腕と同時に見いだされることは考えにくい。しかし妖精には関節もなければ翅脈相もなく、また羽は飛ぶために使われるものでもない。羽がはっきりと現れているというのは、やはり人間の思考によるものかもしれない。人間が考える天使は、通常、翼と腕を持つものだ。一方で、自然霊の頭と肩からは、形の良い翼の代わりに、色のついた霧のような雲が流れていることがあり、これはレッド・インディアン＊の精巧な頭飾りを強く連想させる。複数の観察者がこの類似性について、「おそらくレッド・インディアンは、誰かが見たものを模倣したのだろう」と語っている。

食事、誕生、そして死

一見したところ、生きていくためには十分すぎるほどの大量の栄養が、連続したリズミカルな脈動によって、雲のような身体に直接吸収される。呼吸が最も近い喩えとなろう。

私たちが理解しているような意味における誕生も死もなく、ただ単に、精妙なる存在の状態から出現し、また戻るだけである。このプロセスは、徐々に進行する。

精妙な状態においては、より大きな一群があるように見え、そこから一般的な自然霊の雲のような身体が、私たちの身近にいる微小動物の分裂や芽生えに似た形で芽生えている――ただし出現のサイクルの終わりには、より大きな一群への融合や再構築が行われることも付け加えておく。

会話

土と水を主な領域としている下層の造形者の間には、言語は存在しないようだ。人間と自然霊とのコミュニケーションは、家畜を呼ぶのと同様に、音とジェスチャーを用いるしかない。実際、多くの自然霊と人間の関係性は、人間と子犬・子猫との関係と同じようなもので、音調言語といってもいいかもしれないが、それだけのものだ。

一般的な植物界と自然霊

もちろんだが、植物界の生命は、自然界にいる精霊の造形者の生命とは別のものだ。植物の生命は、植物界の多くの形態を介しながらゆっくりと分化し特殊化していくが、しかし、かろうじて意識的であるという範囲は越えない。つまり、物理的な形で存在していることを、漠然と認識しているに過ぎない。「神は鉱物の中で眠り、植物の中で夢を見て、動物の中で呼び覚まされ、人間の中で目覚める」という古い諺はこれを意味するが、この言葉は繰り返される価値がある。夢見る、眠るというのは、植物界の生命そのものを上手く説明した言葉だ。

一方、この夢見る生命が使う物質を作りまた手入れをする自然霊の職人たちは、目を覚まして非常に忙しく活動している。植物自体の生命と自然霊との関係は、船の乗客と、船を操る船長や乗組員との関係によく似ている。乗組員は労働者であり、乗客はただ運ばれているだけだ。同じように植物界の生命は、港から港へと運ばれる乗客のそれとほとんど変わらないくらい、活動的ではない。鉱物界から動物界への旅路にある植物の生命は、ただ運ばれているだけではなく、自然霊の造形者たちの活動によってある程度まで刺激され、育まれ、促進されているのではないかと推測す

(＊) 北米先住民を指す差別的表現だが、原文の時代背景を鑑み原文ママとします。

ることもできる。人間もまた、この植物界における教育に手を貸している。人間が植物界の生命と自然霊の両方に対して人間が与えた援助は、人間による選別と育成の技術によって生まれた、膨大な種類の洗練された花々や低木、樹木や果物といった形で観測できる。人間と自然の隠れた働き手の協力体制は、現在のところ人間の欲望によるところが大きいかもしれないが、このような協力関係が評価されれば、新しい花や果実の進化が成し遂げられるという形で、より多くの喜びをもたらすことだろう。

人間とディーバ(*)

以上のことから、農業や園芸の分野においては人間とディーバとの間に非常に多くの接点が生まれていることがわかるだろう。この関係は、人が新種の花や果物を作り出そうとするとき、ことに親密なものになるかもしれない。そのときには、おそらく無意識のうちに、双方がほとんど気づいていないにもかかわらず心のこもった協力関係が機能しているのだ。しかし、中にはこのことを直感的かつはっきりと認識している人もいる。そのような仕事を為すとき、人間は意志と願望の要素を提供し、ディーバが職人を提供するのだ。

これは公平な役割分担であり、どちらも相手の領域をあまり侵すことができないため、かなり厳格な分担ともなっている——品種や品質の大幅な増大および向上という面において、人間がいかにこの協力関係に貢献してきたかは、注目に値する。とはいえ「自然」であることが非常に高く評価されていることもあるため、ここで一つの小話を語ることを許されたい。ある家庭菜園で年配の男性が作業をしており、そこでは野菜が順調に育っていたが、そこに通りがかった教区牧師が、立ち止まって老人に話しかけた。「ああ、ウィリアム」と彼は言った。「神と人が手を携えて為すことは、実に素晴らしいものですね」。ウィリアムは特に感銘を受けず「どうでしょうね、牧師さん。神様が一人でやっている世界をお目にかけたいものですなあ!」と答えた。人間とディーバとの協力関係は、双方が経験を積むという点で、実に公平なものだ。試行錯誤を通し、人間は土壌の組成・湿度・温度に関して最良の条件を確保するために何が必要かについて、多くのことを学んでいる。これは非常に重要な貢献であるが、種子や挿し木、接ぎ木や発芽など、そこで生じる成長はすべて、ディーバの協力者が成した仕事である。

私がこれまでになんらかの手がかりを得ようと努力してきた多くの疑問の一つに、人間は自然霊の職人の性質に大きな影響を与えることができるのか、という問いがある。花を上手く育てられる人とそうでない人がいることを、我々はみな知っていると思う。詩人の言葉を借りれば「グラディス、彼女がただ種を押し込むと、あらまあ、驚くほど育つ」というタイプの人を、ほとんどの人が知っている。鉢や花瓶に生けた花を一週間以上も新鮮で幸せそうに保ってくれる親切な人もいれば、その半分の時間で花が枯れてしまう人もいる。これはなぜだろう?

その正しい答えは、人間の感情的な性質の中に正しく見いだせると、私は信じる。私が妖精を探求している間、自然霊を愛する人たちが花や低木や樹木のもつあらゆる側面に対し、静かな配慮と優しさを持っていることに何度も何度も気づかされた。心と心臓の奥底に座するこのような態度は、無意識のうちに使われていることも多いが、男性や女性が行使できる最も有力かつ効果的な影響力であるようだ。この影響力に対し、自然霊や一般的なディーバの世界が反応するのである。しかし、そのような思考や感情の態度は、思いついたその場で精神的に拡散させることはできない。その力の根源はとても深く、心のこもった感情的な誠意の暖かさの中で育まれている。人間の思考、人間の情熱、人間の怒り、人間の優しさや

(*) ディーバ:「輝けるもの」の意。西洋における天使。

愛情は、すべて広範囲に影響を及ぼす。なぜなら精妙なるエーテルの身体を有するディーバは、思考と感情が極めて現実的な力を持つ環境で生きているからである。

人間とディーバの間の明確な相互理解はまだまだ先のことかもしれない。だが私たちの感情や思考は、たとえそれが無意識に表現されているものであったとしても、私たちの周囲にいるディーバに影響を与え、我々にとって助けになることもあれば妨害にもなる反応を導くということを知っておく価値はある。

意識：垂直と水平

神話、伝説、民間伝承、そしてほとんどの宗教の聖典は、通常の物理的な視覚では見えない精妙な構造の体を持つ、別の秩序に従う生物に関する暗示であふれている。これらの存在には多くの名前が付けられている。すなわち、大天使、天使、マハーディーバとディーバ、ジン、デーモン、そしてより馴染み深い存在として、それぞれ火風水土の元素に関連付けられたサラマンダー、シルフ、ウンディーネ、ノーム。また自然霊という総称の下には、すでに述べたように、種子の発芽、樹木・低木・花々の成長と維持、つまるところ既にその分類が証明された植物界全体に関連する、膨大な数の霊が存在する。

「輝く者」を意味する「ディーバ」という言葉は、曖昧かつ適切であるため、私はこの進化する生命のもうひとつの広大なる流れを、ディーバ進化と呼ぶことにした。彼らの階級は、高位の領域と、純粋な精神から最も離れた領域(つまり明らかに最も低い領域)を、つなぐように構成されているようだ。得られた証拠の研究を踏まえた一般的な原則は、これが真実だと言えるそれなりの自信をもって、ここに提示できる。それは、ディーバ進化は垂直意識と呼ぶべきものを持っているということだ。つまりその無数の階梯は、最高位から物理的位階に至るまで、途切れることなく単一の全体として機能しているのである。一方これとは対照的に、人類は水平意識を持っていると言わねばならない。なぜなら人間は通常、自分よりも高い階梯や低い階梯の存在とは、意識的なつながりを持たないからだ。例えば動物界は、我々とは意識という点においてはっきりと異なりかつ分かたれており、その溝は克服不能とは言わないものの、非常に広い。同様な溝は、人間と人間より上位階級との間にも存在する。ただしこれもまた、意図的な努力によって橋を渡すことは可能だ。

人間の意識はこのようにディーバの意識と比較して水平方向に発達しているが、にもかかわらず人間に与えられた複合的な構造に力の恩恵をもって、ディーバが属するすべての領域と接触する能力を潜在的に有する。

上記のように、人類全体の意識は主に水平方向に働いているが、にもかかわらず個々の人間のレベルで見ると「垂直」意識がとてもよく現れる。人間の脳と手をつなぐのは、いくつもの連鎖からなる神経の鎖である。熟練した職人の手は脳から送られてくる命令に素早く反応するが、その命令は神経節や筋肉組織の長い梯子を越えていく。仮にいま、この職人が忙しそうに動かす手だけが見えたとしよう(つまり手首から上はまったく見えないとする)。この場合、指の整然とした建設的な動きは、本能的なものと呼ばれるだろう。つまり、手と指はそれ自体の中にある源から刺激を受けているとみなされるだろう。人間の場合は、脳から身体の末端まで明確につながった連鎖があり、その通信手段は有線システムと呼ぶことができる。ディーバの階梯においては、各階梯はそれぞれの階梯間で分割された、特定の専門化された仕事に関係する、専門家たちで構成されている。連絡を取るためのシステムとしては目に見える接続メカニズムを持たず、いわば無線システムで機能している。精神的な原型が存在する不可視の最高位から、物理的な物質が最も濃く存在する領域に至るまで、この秩序ある一群の労働者による通信システムは広がっているように見える。自然界における実体を持ちかつ細分化した生物が有する精巧なる細部は、ディーバ意識の下端にある活動的な「指」によって構築されているが、これらの指は、その巨大な全体の中に存在する自然霊が務めている。すべての存在は、ディーバの通信システムを通して受け取った正確なインパルスによって刺激され、導かれる。自然の生物が形作られるにあたって示される驚異的な技術について合理的な説明ができない場合、我々はそれを本能的なものだと言う。もし我々に「視力」があれば、デーヴァの数学的なジン(これは元型世界の階梯の、すぐ下だ)から、物理的な階梯に至るまで、成長を指示するインパルスが段階的に旅していく様子を知覚できるはずだ。その様子は、音楽家の脳から指へとインパルスが伝わるのに、とてもよく似ている。デーヴァの意識は、既に言及したようにそれぞれの階梯が専門的な仕事のみを持っているために、広く分散し、また、ゆるやかに結びついている。一方、音楽家の通信システムは、一つの人格の範囲内に緊密に詰まっている。非常に素晴らしいことに、人間はその構造としてディーバのすべての階梯に対応する要素を備えているので、現状においては潜在的ではあるが、人間とディーバの間で相互通信を行える可能性がある。

ディーバの階梯における垂直意識の例

垂直意識という原理が存在するという主張は、単なる推測や推論ではなく、ある程度までの直接的な観察に基づいている。最初、この観察は成熟しつつある背の高い花、ミカエルマスデイジーの群生から始まった。植物の中で働いている自然霊たちは小さな球状の脈動体で、それぞれが磁気活動の場となっていて、光の糸でそれぞれがより高い階梯の労働者につながっているのが見えた。少なくとも、そのような関係性があるように思われた。というのも、多くのそのような磁気の「糸」が互いに集まり、人間の手が複数の馬の手綱を取るように、一つの中心ないし結び目によって保持されていたからだ。また高位の労働者からは同様に光の線や糸が伸びて、さらに高い階梯で結合されていた。多くの類似した観察や実例が、物理面における労働者、つまり前述の例では植物界の自然霊が、ディーバの階梯におけるひとつ上のランクと微妙に結合されていることを裏付けている。また、この結びつきは最高位にまで続いているという合理的な推論も成り立つ。ディーバの階梯におけるこのような意識の連続性は、古くから伝わる放蕩息子とその兄の物語を彷彿とさせる。放蕩息子が一般的に考えられているように人間を表しているとすれば、兄はディーバの階梯を適切に表している。兄は父の家を離れたことがなく、「子よ、あなたはいつも私と一緒にいるし、またわたしのものは全部あなたのものだ」(ルカによる福音書、十五章)という父の指示に従うこともやめなかった。例えばシルフのように、ある種のディーバの階梯が人間に対して抱いている憤りは、この物語にも当てはまる。

本能

自然霊は鉱物界、植物界、動物界、人間界(それぞれの界ごとに仕事がある)における物質的な身体を作り上げ維持しているが、この自然霊の働きは「本能」という非常に不適切な言葉が一般的に用いられることで、不明瞭なものとなっている。本能が持つ非常に多くの不可解な問題については、ここまでになされた説明がもたらす光の下、合理的な説明が可能だ。観察記録に基づくと、いわゆる本能的な行動をもたらす根源となるものがディーバの階層の中に見出されるのは、確実かと思われる。生まれたばかりの昆虫や鳥や動物が、程度の差こそあれ自分自身の面倒を見れるという素晴らしい能力や、子孫のために必要な安全な隠れ家や巣を提供する際にしばしば見られる親の驚くべき、しかし明らかに訓練されていない技術の秘密は、ディーバによって与えられる指示にある。本能とは、その不可解な表現のすべてにおいて、我々の姉妹たる進化する生命の流れであるディーバの階梯における隠された存在の表出なのだということを受け入れるならば、少なくとも理解可能なものとなる。

ディーバの競争

多くの動植物が自己防衛のために採用している偽装や擬態、つまり他者と競うことになる技術のことを考えると、さらに視野が広がる。しかし、このような中間階梯のディーバの間での対立や競争は、彼らが担当する者の間で起こる争いによってその存在が示されているように思えるが、それは単に彼らが特別な世話をしている者たちを助けたいという切迫した内的欲求によるものかもしれない。自然の物理世界においてこんなにも豊富に生み出された生命は、明らかに、競争と不適格者の削除によって促進された、無限の実験と多くの試行錯誤の結果である。ディーバの階梯の中には「母なる自然」の建築家・造形者・職人がいて、全員が親密な共同関係で結ばれている。生命が浪費されることは、彼らにとってごく自然なことだ。芸術家が試しに描いたスケッチが素晴らしい絵画への道を切り開くのと同じように、多くのものが捨てられたり、破壊されたりしても、それらは無駄にはならない。

人間とディーバは相互補完する

人間とディーバという生命の進化の二つの流れは、多くの面で相反するものだが、極めて重大なレベルで、非常に素晴らしい相補関係にある。それぞれ水平方向と垂直方向の意識を持つこの二つの流れは、顕現にあたっての衣服の縦糸と横糸を構成していると考えてよい。ディーバは、神の法則を直接意識することを植え付けられている。古い言葉で言うと「父の意志を為すだけのために生きている」のだ。しかしそれぞれの階梯の「意識」は、自然の計画のうち現在その集団が従事している領域に厳密に限定されている。一方で人間は、個人の責任感を持ち、批判的に分析でき、裁量権と選択権を行使でき、自然界の非常に広い範囲を「水平」にコントロールすることができる。人類とディーバにとって、お互いをよりよく知ることが、直面し達成すべき課題である。現在、私たちはディーバの働きを知らないまま、よろめくように行ったり来たりしており、ディーバの側は人間の無知で粗野な侵入によってしばしば妨害されるのみならず、追い払われることすらある。

幸いなことに、変化の兆しはある。例えば、植物や動物の成長や生産を促進するための人工的なシステムをより安価なものにするという最近の動きや、長期的には最良の結果をもたらす自然の方法や自然のリズムを認識し尊重するという動きだ。農業とそれに関連する科学の分野では、これらすべてが次第にはっきりしつつある。医療の分野でも、目に見えない職人とは直接創造的な構造を作る存在であるという生命に対する認識が伴えば、革命的な変化が起こるだろう。

我々が自然法則と呼んでいるものは、実際には知的存在の巨大な階梯を通して有効に機能しており、我々が彼らと知的な協力を行うならば、我々の世界の進化における新たな、かつより高遠なサイクルの夜明けが始まるに違いない。

Midg No.1 カメラをめぐる物語
なぜ十代の少女たちは妖精の写真を撮影できたのか

●文＝徳岡正肇

コティングリー妖精事件を振り返ったとき、最初に気になるのは「なぜエルシーとフランシスは妖精の写真を撮影できたのか」という点——より厳密に言えば、なぜ二人はカメラを自由に使えたのかという点だ。これについては様々な資料が「エルシーの父親であるライト氏が、親戚が遺したカメラを娘に貸した」ことを伝えているが、十代の子供に（しかも父親が隣に張り付いているのではなく、自由に使って良いという条件で）カメラを貸せるほど、問題のカメラはライト氏にとって「壊されたとしても許容できる」ものであり得たのだろうか？

最初の妖精の撮影に使われたカメラは「Midg No.1」だ。一九〇五年四月二八日発行の「The Amateur Photographer」誌にはこのカメラの広告が掲載されており、そこには「2ポンド2シリング」という価格が表示されていた。

一九〇五年の2ポンド2シリングを現代の日本円に換算すると概ね4万円程度となるが、これだけではこのカメラの価値を正しく評価できたとは言い難い。というのも当時のイギリスは貧富の差が著しく、一九〇五年段階では未だ一般的な最低賃金の概念すらなかったからだ。イギリス政府が公開しているアーカイブによれば「イギリス国内では富が非常に偏って分配されており、国民の九分の一が、国民所得の半分を保有していた」という。

果たしてライト家の年収がいかほどであったかを推定するのは難しいが、ライト家の父親の仕事が「地方の小さな館における労働者のマネージャー」という管理職であったこと、一九一〇～一九一一年における平均的なマネージャー（男性）の年収が264ポンド8シリングであること（「Victorian year books」より）を考えると、2ポンド2シリングは年収の0・7％程度と推定できる。二〇二〇年イギリスにおける管理職の平均年収が約4万ポンド（≒612万円）であることを踏まえれば、問題のカメラはライト家にとって「現代でいえば年収600万円の家庭における4万円程度」（612万円の0・7％≒4万2千円）の価値だったと推定できる。

ブッチャー社製 Midg No.1

妖精事件が華やかりし時代、カメラはすでにフィルムの時代に入っており、一九〇〇年にはコダック社が1ドルのカメラを発売している（もっとも現像代は百枚で10ドルと高額だったが）。Midgは乾板を用いるカメラだが、乾板も低価格化競争は熾烈だった。エルシーの父親が娘にカメラを貸し、乾板を一枚プレゼントしたというのは、ライト家にとってみれば「子供のちょっとした背伸び」に付き合う程度だったと考えられる。

現代はあらゆる人間が（スマートフォンという形で）カメラを持つ時代であり、そういう時代なればこその新たな課題が発生しているが、妖精の写真が撮影された時代にはその萌芽がすでに見られるのである。

左眼で見えた世界

◎石神茉莉

「ナイトランド・クォータリー」や「小説すばる」で、端正な文章をもって怪異と幻想を綴り続ける幻想短編の名手、石神茉莉がコティングリー妖精事件をテーマに紡ぎ出したのは、どこでもないイギリスのどこでもない田舎で現代の少女が出会う妖精の国の物語。二〇一九年に上梓した短編集『青い琥珀と無限の迷宮』（アトリエサード）で描かれた数々の怪異譚とも地続きにあるように思えます。

当たり前に妖精たちがそこにいる事こそがコティングリー妖精写真の意味なのかもしれません。少女の眼とカメラ、双方のレンズ越しに当たり前に見た妖精郷の物語は、少女だけが知る現実におきたこと。ここに描かれているのは、どこにでもいるフランシス・グリフィスの物語でもあるのです。（深）

目玉を掴まれてぐりっと抜き取られた。

眼球は残っていたから、錯覚だとは思うけれど、尖った爪が私の目玉に食い込んで掴みだされるのをはっきりと見た。感触も覚えている。

その後、左眼の視力はなくなってしまった。お母さんは随分慌てて私を病院に連れていってくれたけれど、原因は不明ということになった。私も妖精に目玉を取られたとは言えないし、黙っていた。

不自由といえば、不自由。片方しか見えないから、バランスがとりにくい。でもじきに慣れた。右眼は元通りのブルーグレーで、左眼は時折金色っぽく光るようになった。見た目としては悪くない。綺麗。平凡だなあと思っていた自分の顔にアクセントがつく感じ。うちの猫に似ている。猫のフィオナはオッドアイなのだ。真っ白な毛並みに空色の目と金色の目。お揃いだ。

妖精に奪われたもの。

私の左眼と弟のジェイムズ。

両方とも取り返した方がいいものかどうか、分からなくなっている。実はこの左眼は結構便利なのだ。見えないはずの左眼で妖精たちの姿が見える。それに、連れて行かれたジェイムズの姿だって見えるようになった。やり方は私の目玉を抜いた妖精に教えてもらった。夜、月の方向を向いて右眼は閉じて左眼だけで遠くを見るようにする。そうすると妖精界にいる弟の姿が見える。ちょっと粗い映像のように見えるのだけど、様子はちゃんとわかる。ジェイムズはこっちにいるより幸せそうに見える。大切にされている。よく笑う。うんと小さいから、まだ赤ちゃんだから、家から離されたこと、お母さんがいなくなったことが理解できていないんだと思う。もともと人見知りしない子だし。

お母さんはジェイムズがいなくなったことに気が付いていないみたい。妖精の「まやかし」に騙されているから。痩せて小さい妖精のおじいさんがジェイムズの代わりに揺り籠で寝ている。右眼で見るとジェイムズに、左眼で見るとおじいさんに見える。ちなみに両目で見ると、二重写しになる。おじいさんメインでうっすらとジェイムズが見えるような。ものすごく変。でも、お母さんの目にはいつも通りのふっくらした赤ちゃんに見えているらしい。妖精のおじいさんはよく喚くけど、もともとジェイムズだって結構喚いたりはしていたから、あまり違いは分からない。ミルクもよく飲む。今は何とかこれでいいのかもしれないけれど、これからどうなるんだろうと心配。普通の赤ちゃんだったら、育っていつか学校に行くでしょう。私みたいに。

このおじいさんが学校に行くの？　まやかしはずっと続けられるもの？　先生やお友達も騙されるの？　このおじいさんみたいな妖精とピクニック行ったり、ボールゲームしたりできるもの？

困っている理由はもうひとつある。これは絶対に秘密なのだけど、ジェイムズが取り替えっ子になったのは、多分私のせいだ。弟なんかいらないってついつい口に出して言っちゃうこと、あるでしょう。私は十一歳だから、大人には程遠いけど産まれて一年も経たないジェイムズよりははるかに大きい。だから、何だか弟の保護者みたいな役がまわってくることがよくある。私は悪くないのに、私が悪いみたいに言われたり。だから時々、疲れていたり自分のことが忙しかったりすると弟のことが面倒になる。それ自体はよくあることなんだと思う。絶対、私だけじゃない。でも、ついうっかり嘆いたのを、妖精に聞かれたのは運がなかった。お庭の私の花壇に何かいる、というのは以前から分かっていた。姿をはっきり見た訳じゃないけど、どうもハニーサックルが好きみたい。いつもそこにいる。その何かに「いらないなら、もらうよ」って言われた。くすくすって笑う声も聞こえた。

しまった、と思ったけど遅かった。口から出た言葉は決して戻せないんだ。

ジェイムズは連れ去られた。

夕方、高い窓からまるで梯子のように金色の綺麗な光が斜めに差し込んでいた。そこを滑り降りてきた「何か」が揺籠からジェイムズを抱え上げた。その時、まだ妖精の姿を見ることは出来なかったのだけど、何かがいることは分かった。私は慌てて咄嗟にそこにあったカメラを向けてシャッターを切った。何だろう。連れ去られたという証拠を残そうとしたのかもしれない。咄嗟にしてしまったことなので、分からない。驚いたような叫びとともに、何かに飛び掛かられ、目玉を取られた。

それからというもの、私はハニーサックルのところに来る妖精の姿もちゃんと見えるようになった。妖精は人間とは結構違う貌。この妖精は綺麗。髪は銀色で長く、目の色は時によって違う。空の色だったり、菫のような色だったり、闇のような色だったり。身長は私よりずっと低いけど、子供という訳ではないみたい。男性か女性かも分からない。そういう区別があるのかどうかも分からない。脚も人間と随分違う。軽やかに小鹿のように走る。蹄があるみたいに見える。ハニーサックルの蜜が好きらしい。柵に座って花を摘み、蜜をしゃぶっている。私の姿を見ると、にやっと笑った。私は肩を竦めて家に入ると妖精も一緒についてきた。引き出しから写真を出してみせる。妖精は目を丸くして写真に見入った。矯めつ眇めつしている。あなたの姿よ、と言うと、またにやっと笑った。怒ってはいないらしい。結構上手く撮れている。驚いたようにこちらを見ている妖精がはっきりと写っている。

「気に入った？　持っていく？」

と差し出すと、黙ってそれを戻してきた。そしてカメラを指さした。

「カメラが欲しいの？」

妖精は窓に腰かけてポーズをとった。

「写真、撮れってことね」

何枚か撮った。ハニーサックルの前でも撮った。インスタントカメラだから、すぐに写真は出てくる。画像が浮かび上がってくるのを待っては、一緒に眺めた。カメラ目線というのも何だか絵にならないので、ポーズを指定してみた。庭で遊んでいる妖精が偶然撮れたような感じにしたかった。すごくイイ感じだと思うけど、気に入らないのか、全部返してきた。せっかく頑張って撮ったのに。自分ではよく撮れたと思うのに。

「善き隣人さん」

私はその妖精をそう呼んでいた。お祖母さんから妖精のことは沢山聞いていて、善き人とか善き隣人とか呼ぶのが礼儀だと知っていたから。お祖母さんが生きていたら、弟を取り返す方法をもっと教えてもらえたのかもしれない。火に翳して脅かすとか、そんな方法もあるみたいだけど、お母さんや他の人にはジェイムズに見えているんだから、そんなことをしたら私が気が狂ったかと思われる。まあ、相手がおじいさん妖精でもそんなことしたら、可哀そうだし。妖精がたまげる程奇妙なことをすればいいという話もあったけど、あのおじいさんがちょっとやそっとで驚いてくれるとは思えない。もっと沢山お話を聞いておけばよかったとちょっと後悔している。まさかフェアリーテイルが現実に役に立つなんて思ってもみなかった。

お祖母さんのお話によると、妖精界から戻ってきた人は皆、妖精界を一生恋い慕い、しかし決して戻れないのだという。ジェイムズがそんなことになったら、可哀そうだ。だけど、このままではいけない。お母さんの腕の中に妖精のおじいさんがいるのを見ると泣きたくなるし、お父さんがおじいさんをあやすのを見るとものすごく変でうんざりする。このままではいけない、と思う。おじいさんだって、このままずっと赤子のふりをして滞在するとは思えない。飽きたらきっと、木切れか何かを身代わりに置いて去っていく。そうしたらジェイムズは「死んだこと」になってしまうんだ。木切れがジェイムズの代わりに葬られる。木切れを埋めたお墓の前で、皆が泣く。

それは駄目。絶対に駄目だ。

一日に一回、私は庭に出ていく。大抵は黄昏時。時間は決まっていない。何というか気配がするというのか、呼ばれているというのか、とにかくふと庭に出たくなる。そうするとそこに「善き隣人」がいるのだ。猫のフィオナはどうも、もともとの顔見知りみたい。私たちが逢っていると何処からともなく現れて、目顔で挨拶をする。妖精の方でも頷き返したり、何か合図のようなことをしたり。フィオナは満足そうに妖精に頬ずりをする。喉をごろごろと鳴らす。言葉なんか使うより、ずっと通じ合っているみたいで羨ましかった。フィオナのオッドアイは妖精が見える眼だったのだな。

猫は大抵可愛いけれど、フィオナの可愛らしさと気品は格別。やはり只者ではなかったんだなあ、と誇らしくなる。今に長靴をはきたい、とか言い出すかもしれない。

善き隣人さんのおもてなしとして、蜂蜜を冷たい水で薄めた飲み物を持っていく。ハニーサックルがもう散り始めたから、その代わりにとコッツウォルズ産の蜂蜜を買ってきた。上等なやつ。最初はそのまま木のスプーンにとって、差し出してみた。善き隣人は不思議そうな顔をして、口に含み、せき込んだ。

「あ、ごめんね。濃すぎるんだね」

そうだ。花から直接舐めるより、ずっと濃くて密だから驚いたんだ。私だって、蜂蜜そのまま舐めると喉がきゅん、とする。うわあ、濃い、甘い、と思う。

それでも目を丸くしてスプーンに残っている蜂蜜を舐めている。味は気に入ったらしい。

翌日からは蜂蜜水を作って持っていくようにした。こちらの方が飲みやすいみたい。他にも喜びそうなものを見繕ってもっていく。私も簡単なお菓子なら作れるから、お米の粉をミルクとお砂糖で煮て、ローズウォーターで香りをつけたライスプディングとか、果物やカスタードクリームたっぷりのトライフルとか。甘くて香りのいいものが好きみたい。お母さんが作ってくれた胡桃とレーズン入りのブラウニーやチーズ味のアイシングをかけたスパイシーなキャロットケーキとかも、ほんの少し「妖精の分け前」としてもらっていく。お茶だったら、冷ましたミルクティー。善き隣人さんは猫舌なのだ。

善き隣人さんと私は甘いものを食べたり飲んだりして、ただ並んで座っている。時々人間の言葉を口にするし、私の言っていることも理解しているみたいだけど、私たちはそんなに会話をすることはなかった。空を見たり、雲を見たり。草の葉や茎のようなもので作った笛を吹いていることもあった。とても綺麗な音。聴いたことない曲だ。メロディはとても不思議だけど心地いい。空とか空気とか樹々とかと、「自分」の境目が溶けてしまうみたい。空になった気持ち、樹になった気持ち、空気になった気持ち。とても素敵。

できれば私、妖精とお近づきになんかなりたくなかった。最初は本当に困ったなあと思っていた。お祖母さんもあまり関わらない方がいい、と言っていたから。例えば野生の動物のような、例えば突然荒れ狂う海のような、妖精というのはこちらの「理《ことわり》」や「事情」といったものが通じない。急に全く私には理解できない理由で怒り出して、今よりもっとまずい事態になることだって有り得る。同じ人間同士だって上手くいかない時はいかないんだもの。妖精は人間とは違う。似たところがいっぱいあるから、勘違いしやすいけど、違うんだって。お祖母さんはいつもそう言っていた。だから最初は何とか機嫌をとってジェイムズを返してもらえるよう交渉をしようと、それだけが目的だったんだけど。

でも、私、気が付かないうちに、善き隣人さんのこと、好きになっていた。一緒にいる時間が楽しくなっていた。自分でもかなり意外。

軽やかな足音、風のように駆けていく後ろ姿、靡く艶やかな銀色の美しい髪、いろいろな色彩を宿す大きな大きな目、蝶が羽を震わせるような長い睫毛の瞬き、そのしなやかな手と唇が奏でる素敵な音楽、森林の奥から漂うような心が落ち着く匂い。

人を好きになる気持ちとは、違う気もしたけど、とにかくできるだけ傍にいたい。逢えない時間にも写真を眺めたり、姿を思い出したりしていた。一日のうちで善き隣人さんのことを考えている時間が一番多いかもしれない。もし気まぐれに私の目の前からいなくなったりしたら、どうしようと思うと、たまらなく苦しくなる。だから「弟を返して」とはなかなか言い出せなかった。だってそれで機嫌を悪くしたら困るもの。ジェイムズを連れていってしまったのは、あの妖精なのだから。うっかりとしたことを言って責めていると思われて、嫌われてしまったらどうしよう。言い出さなければ、早くお願いしなければ、と思いつつ、ずっと先延ばしにしていた。

お母さんの顔を見る度、哀しくなる。ごめんなさい、ごめんなさい、と心の中で何度も謝っていた。あのおじいさん妖精を自分の子供だと思い込んでいるなんて、そんな可哀そうなことは他にはないと思う。お母さんも「何かおかしい」とは思っているみたいだった。それでジェイムズの具合が悪いのかも、と心配することがあっても、この子はジェイムズではないかもしれない、なんて普通は思いつきもしないだろうし。お医者に連れて行こうとすると、ジェイムズは驚く程耳障りな声をあげて、抵抗する。お母さんは時々一人で隠れて泣いている。私の左眼の視力も戻らないし、ジェイムズの様子もおかしい。

あと、とにかく妖精は教会には絶対行きたがらない。お母さんはジェイムズを連れてお祈りに行きたいのに、絶対連れては入れない。力の限り抵抗する。何しろ本当は赤子ではないのだから、本気で暴れだすと手が付けられない。

何とかしなきゃ。

何とかできるの、私だけなんだから。

「返して欲しい?」

冷たい蜂蜜水を飲んでいた善き隣人が突然ぽつりと呟いた。私の眼のことなのか、ジェイムズのことなのか分からないが、私は迷わず頷いた。

「引っ越すから」

「何処へ」

「そんな遠くないけど、ここではない場所」

「そう」

それ以上、言葉が出なかった。自分でも驚くほどショックを受けていた。「ここではない場所」に行ってしまったら、二度と逢えなくなってしまうのではないかもしれない。もう隣人ではなくなってしまうのだ。

突然後ろからしがみ付かれた。身長が低いから、小さな子供にしがみつかれたみたいなんだけど、力はとても強い。

「来る?」

私は息を呑んだ。

私の身体の前にまわされた鉤づめがあるようなあの手が、私の心臓を掴んでいた。胸の前でむき出しになった心臓が、妖精の手の中で狂ったように鼓動を打つ。これもまやかしなのだ、ということは分かる。でも私の心臓は手の冷たさに包まれ、その感触がしっかりと私を締め付けていた。苦しい。死ぬかもしれない、と思った。

怖かった。

そして私の返事。あれから百回は思い出しては後悔した言葉。そして、百回は「やはりこれで良かったんだ」と思い直した言葉。

「私はここに残る」

怒った?

私は身を固くする。善き隣人の気配は静かだった。特に手に力を込められたりもしていない。そのまま私の身体に腕をまわし、心臓を両手で包み込んでいた。

「ヒトは忘れる。ヒトは変わる」

善き隣人は呟くように言う。怒っている声ではない。暑い日に樹々の間から吹いてくる優しい風のような声だ。私の心臓は冷たさや恐ろしさよりも、哀しさと苦しさで痛んだ。善き隣人は静かに言葉を続ける。

「でも、私は忘れない。この鼓動を聞けば、わかる。あなたがどんなに変わっても分かる。いつまでも、ずっと」

泣きそうになった。泣くのを我慢したら、変な声になった。変な声のまま、伝えたいことを一所懸命言葉にした。

「確かに私は変わる。これからの長い年月で変わっていく。でもあなたのことは忘れない。いつまでもずっと」

私の手を善き隣人の手に重ねた。その下で鼓動が続いている。心臓掴まれるなんて、そうそうある体験ではないから、忘れようがないともいえる。

「新月の夜、庭で」

善き隣人さんはそう呟いて、いきなり私から離れた。隣人さんの手が離れると、私の心臓は見えなくなっていた。きちんと肉と骨の下に収まって、きちんと鼓動が続いている。やはりまやかしだったのだ。良かった。

新月っていつだろうと調べたら、二日後だった。

新月の夜。庭は随分賑やかなことになっていた。

手押し車みたいなものにあれこれ荷物を積み込んで、様々な姿の妖精たちがひしめいていた。蝶のような羽が背中にある妖精もいた。絵本とそっくりだ、とちょっと嬉しくなる。善き隣人さんは無表情に手押し車に凭《もた》れている。私の姿を認めると、黙って後方にいる奇妙に大きな猫の群れを指さす。猫、なのにその大きいことといったら。大きめの犬くらいはある。みんなその背に誰かをのせていた。ジェイムズも大猫の背中にまたがってにこにこしていた。猫は幼児をのせてびくともしない。弟に向かって手を伸ばそうとして、びっくりした。

ジェイムズが五人いる?

猫の背に乗っているのは、五人とも見た目はジェイムズで、皆、私を見てにこにこしている。また、まやかしだ。本当に見分けがつかない。

驚いている私を見て妖精たちは大喜びで、私たちを取り囲み、飛び跳ね、踊る。

これは、絶対間違えてはいけないところだ。

間違えたら、ジェイムズは戻ってこない。厭な感じの汗が流れた。妖精たちは面白がっている。私は泣きたくなった。返してくれるのかと思ったら、こんな悪ふざけをするなんて。でも涙をこらえて、歯を食いしばって、頑張って笑ってみせた。妖精たちの悪ふざけに嘆いてはいけない。一緒に面白がらなくては。全力でふざけなくては。

「えー、私の弟は何処かなあ。Eenymeenyminymoe!!《誰にしようかなあ》」

歌いながら、あちらこちら、と手を伸ばしてみせる。その度に妖精たちは笑う。どの子に手を伸ばしても、笑う。手を伸ばしながら、そっと妖精の反応を見ているんだけど、全然分からない。五人いるジェイムズも一緒になって笑う。「善き隣人」はと言えば、踊りには加わらずそっぽを向いている。こちらに視線をくれない。

ひどいよ。

もうどうしたらいいのか分からなかった。絶対間違ってしまいそうな気がする。間違って違う何かを連れて帰ってしまったら、と思うと手が竦む。

と、左端のジェイムズが乗っている猫、見覚えがある。

ゴールディじゃない？

去年うちで産まれた仔猫。フィオナが三匹産んだのだけれど、一番可愛い子が行方不明になっていた。光の中で毛並みが金色に輝いて見えたから、ゴールディっていう名前にした。本当に綺麗な子だった。ゴールディ、妖精界の子になっていたんだね。金色の毛並みも、オリーブグリーンの大きな目も品のある美しさも変わっていないけど、本当に大きくなったなあ。普通の猫としてはあり得ないくらい大きくなった。ジェイムズもこのままずっと妖精界にいたら、人間とは違う「何か」になってしまうのかもしれない。

ゴールディは私を見て、ニヤリとした。そして、声は出さず頭を軽く軽く反らして背中の子を示し、口の動きだけで「Him」と教えてくれた。

本当に？　と訊き返したかったのは我慢。ゴールディのことは信じてもいいような気がしたし、他に決め手はないし。うん、可愛がっていたゴールディになら、万が一騙されたって、諦めもつく。

「この子!!」

勢いよくジェイムズを抱き上げた。感心したとも落胆とも思えるような声があがった。ああ、正解だったんだ。

あとの四人のうち一人はずっと揺籠にいたあのおじいさんみたいな妖精で、もう一人は蛙によく似た妖精。キスしたら王子にでもなりそうな、ものすごく知恵のありそうな顔をしてすましている。あとはベリーがぎっしりと詰まった籠が猫の背中にくくりつけられている。最後は木切れだった。これって籤引きみたいなものだったのかな。何となく力が抜けて笑った。

ジェイムズも私を見上げて笑う。懐かしい匂いがした。重くなった。大きくなったね。おじいさんみたいな妖精は猫の背中から飛び降り、盛んに拍手している。おじいさんみたいに見えたけど、本当はおじいさんじゃないのかもしれない。とても身軽。手首に光るものをつけていた。私が失くしたと思っていたビーズのブレスレットだ。薄い青のガラスで、光にあてると紫色が変わるやつ、気に入っていたのに。あ、それから荷物の中に、お母さんがあまり使わなくてしまい込んでいた香水の瓶もある。そういえばあれって、ハニーサックルの香りだった。あとあの荷物のあちこちを止めている洗濯ばさみもうちのだ。随分、いろいろと持ち出していたんだなあ。

ジェイムズをウッドデッキに座らせ、用意していた蜂蜜の瓶と木のスプーンを「善き隣人」に渡した。

「水で薄めて飲むと美味しいよ」

善き隣人は頷いた。拗ねたような顔をしている。私に背を向けて、瓶とスプーンを荷物にしまう。割れないように柔らかいものに包んで、ちゃんと丁寧にしまっているみたい。良かった。再びジェイムズを抱き上げ、二人で見送りをする態勢になる。

また戻ってくる？　と訊きたかったけど、私もそれ以上何も言えなかった。善き隣人は蜂蜜の代わりに何やら機械を引っ張り出し、私に向けた。

あ、私のカメラ。

いつのまに。

私の真似をしているのか、ちゃんと構えてシャッターを切る。出てきた写真は確かめもせずに荷物に放り込んだ。不細工に写っていたら厭だな。目閉じたりしてないかな。自分はいつもしっかり写りを確認するくせに、私には確認させてくれないのか、と不満だったけど、そんなことを言っている時ではないと思ったから黙っていた。

カメラを返してきて、ついでのように何かを投げてよこした。

目玉だ。

私の目玉なの？　ガラスでできているように見えるし、随分傷んでいる。どうしたらいいのだろうと迷っていると、私の腕の中にいたジェイムズがそれを掴んで、無造作に私の左眼に押し込んだ。

痛っっ。

目に砂が入ったような痛み。ジェイムズを落とさないようにぎりぎり耐えて下におろし、そのまま目を押さえ、蹲《うずくま》った。

音楽が鳴り始めた。

笛と太鼓。笛は善き隣人がいつも吹いていたメロディとそっくりだ。覚えておきたいと思ったけど、痛くてそれどころではない。涙の中から一列になって去っていく姿が見えた。巨大な猫たち、善き隣人さんを始め、小鹿のような脚をした妖精たち、透き通る羽のある小さな人たち、蛙のような人たち、枯れ木にも似たおじいさんのような妖精たち、みんなみんな遠ざかっていく。とても楽しそう。そしてだんだんに薄く透き通っていくように思えた。

腫れた目でジェイムズを抱えて家に入ると、まるで待ち構えていたようにお母さんが駆け寄ってきた。

「ジェイムズ!!!」

すごい勢いで抱き取る。

「お帰り。よく帰ってきてくれたわね」

「知ってたの？」

私が小さく問うと、それには答えず片腕で私を引き寄せ、ジェイムズと一緒に抱きしめてくれた。

「ありがとう。ありがとうね。連れて帰ってきてくれたのね」

あ、そうか。

お母さんはお祖母さんの娘だから、妖精の話、取り替えっ子の話は聞いていたはず。取り換えられたこと、ちゃんと気が付いていたんだ。でも自分の目にはジェイムズに見えているんだから、火に翳して脅かしたりとかそんなことはできなかったんだと思う。

きょとんとしていたジェイムズが、お母さんにつられたように泣き出した。「MomMomMom」と叫び、お母さんにしがみついている。

その瞬間にジェイムズのスイッチが切り替わったみたいに見えた。妖精界から人間界に。妖精界にいた時のジェイムズはいつもふわふわと笑って、ただただ幸せそうにしていた。今はこんなに大泣きしていて、本当なら可哀そうだと思う場面なのかもしれないけど、でも、私はこれで良かったんだと思った。この子は人間だから。多少面倒でも、うるさくても、私たちの家族だから。

視力は眼の腫れが引くとともに、元に戻った。普通のものが、普通に見える。ジェイムズは何事もなかったように、笑ったり泣いたりぐずったりしつつ元気にしている。

あれから五年経って、弟はすくすくと成長している。ゴールディのように変形している様子もないし、特に妖精たちを慕って泣くこともない。記憶は少しは残っているのだろうか。よく分からない。とても音楽の好きな子に育っている。そのうちに善き隣人さんが吹いていた曲を聞かせてくれないかなと期待している。もう少し大きくなったら、フルートを習うように誘導するつもり。あのメロディはやっぱり笛がいいもの。

写真は劣化しないようにきちんとしたアルバムに貼った。妖精が本当にいるという証拠。でも、他人には見せていない。善き隣人さんの顔は随分はっきりと写っていて、これを見せてもいいかどうか、本人に訊いていないから。勝手に見せるのはどうかなって思う。それにあまりに綺麗に写っているから、逆に偽物みたいに見えてしまいそう。

妖精は難しい。暴かれるのは大嫌い。かといって存在を否定されるのはもっと嫌い。今は私の思い出のためだけに、写真は眠っている。お祖母さんのように私もちゃんと妖精のこと誰かに伝えていけるようにならなくては。うっかりと作法も知らずにかかわって困ったことにならないように。

ジェイムズには時折「妖精を信じる?」と問いかけている。ジェイムズは嬉しそうに笑って、「はあい」と頷き、ぱちんと拍手をする。ピーターパンの絵本の話だと思っているのかもしれない。もうじき、そんな問いかけも直にそぐわない年齢になっていくのだろうな。

あれから妖精たちを見てはいない。もしいるのなら、姿を見せてくれればいいのにと思う。今ならいろいろなお菓子、作れるようになったのに。アップルパイと、チェリーのクラフティが得意。お母さんや友達も褒めてくれる。ジェイムズも大喜びしてくれる。小さなお菓子を色とりどりに並べて、蜂蜜水やお茶を淹れて、庭でティーパーティーをしたいなあ。お茶は濃いめでミルクをたっぷり、ちゃんと猫舌用に冷ましてあげるのに。

庭にはハニーサックルの他にも妖精の好きそうな花を植えた。姿が見えなくても、もし来ていれば喜んでくれそうな花を。ブルーベル、サンザシ、ケマンソウ。花が咲くと、庭に出て目を閉じて風に耳をすませる。自分の鼓動を感じながら。

フィオナがすいっと寄ってきて、私の脚に頬ずりをする。そして、風に向かって目を細める。フィオナの綺麗なオッドアイが羨ましい。

フィオナ、貴女には何か見えているの? もし善き隣人さんが戻ってきたら、私は忘れていないよって伝えて。

ねえ、ジェイムズ。
妖精は存在するってこと、覚えていてね。たとえ、姿が見えなくても。

林美登利 人形作品集『Dream Child』より「時計姫」
人形：林美登利／写真：田中流

note◆本作の核の一つとなる「とりかえ子（チェンジリング）」は、もっとも古くもっとも広く知られる妖精の悪戯として知られる物語だ。キャサリン・ブリッグスの『イギリスの妖精』（筑摩書房）には、イギリスの中世の記録から現代まで、またスコットランドや、ウェールズ、アイルランドといったケルト人の地にもサクソン人の地にもあり、さらにはスカンディナヴィアでも妖精が人の子を取り替える話があることが指摘されている。ドイツでもグリム童話の「小人の靴屋第三話」に同様の物語が収録されているが、細部は異なっても妖精が人間の子供をさらって代わりにチェンジリングを置いていく骨組みは同じ。本作ではチェンジリングのヴァリエーションをクイズ仕立ての裁判に使うことで、更に地域性を排除して妖精郷の無国籍化を図っていることに注目しておきたい。
　またタイトルにもなっている妖精の世界を見ることができる左目は、取り替え子の物語に時折見られる「妖精の膏薬」＝「目に塗れば妖精の世界が見えるようになる薬」を、より異形に近づけた表現ではないか、ということも指摘しておこう。この膏薬は本来、盗まれた赤ん坊の目に塗られるべきものなのだから。（深）

プンクトゥムとしての妖精写真

●文＝大岡淳

1

妖精写真を初めて見た瞬間に感じたのは、なんとも形容しがたい不気味さであった。だが、この不気味さが何に由来しているのかと自問しても、容易に答えは得られない。不気味というなら心霊写真の方がよほど不気味ではないかという気もするが、いわゆる心霊写真とは、日常の中にいかにも怪異なイメージを侵入させることで恐怖心を煽るものであり、それだけに、多重露光なり錯覚なりトリックの種明かしを知ってしまえば、たちまち恐怖心は消滅し、さして記憶にも残らない。だが、妖精写真の不気味さとは、これとは全く質が異なる。妖精の絵を模写してピンで止めたという、誠に単純素朴なトリックを聞けば、そのとたんこれらの写真は他愛ない子供のいたずらにしか見えなくなる——かと思いきや、私には、その事の顛末を知ってなお、妖精写真につきまとう不気味さに変わりはない、と感じられるのである。まるで、この写真の何かが、私の心の奥底に傷痕《トラウマ》を残したかのようだ。いったいこの不気味さの根源は何なのか？

あらかじめ言っておくと、私は、妖精の実在を信じているわけではないから、五枚のうちの一枚、フランシスがフェイクではないと主張した「妖精たちの日光浴の繭」を根拠として、不気味さがなお残ると言いたいわけではない。むしろこの一枚は、大変よくできた作り物であり、むしろ芸術作品としての美しさを湛えており、どこにも不気味さはない。とすると、私が感じる不気味さの根拠は、エルシーあるいはフランシスが被写体として入り込んだ、フェイクであることが確定した四枚にこそ隠れていることになる。

荒俣宏は、妖精写真の不気味さを、こう説明している。

> コナン・ドイルが最後まで頑強にこの写真の真実性を信じこんだことには、一つのわけがあったのだ。それは、妖精が神智学者のいうエーテル空間に——絶対的静止空間に住む存在だという事実を、はしなくも写真が証明したからだった。もう一度、三枚のスナップを熟視してほしい。三枚が三枚とも、実に奇怪な特徴を共有していることにお気づきだろうか？　そうだ、共通点の一つは妖精がまるで凍りついたかのように（あるいはポーズを取るかのように）静止し、しかも明瞭に写しだされていること。そして第二に、エルシーとフランシスのほうが逆にブレを生じていること。まるで二人の少女は1/50秒の時間さえ静止できなかったかのように——。
> （『パラノイア創造史』ちくま文庫、五五〜五六頁）

撮影技術に伴い、写真上に現れた少女と妖精の質感の違いが不気味さを生んでおり、またこの質感の違いが、コナン・ドイルをはじめとする

心霊学者や神智学者たちに、妖精の実在を確信させたというわけだ。

ただ、これで妖精写真の不気味さの全てを言い尽くせたとは思えない。

2

ロラン・バルトは、写真論の名著『明るい部屋　写真についての覚書』（花輪光訳、みすず書房）の中で、我々が写真から受ける印象を、「ストゥディウム」と「プンクトゥム」の二要素に分解している。前者は、一般的な思い入れを指すラテン語に由来しており、この場合、写真を情報として捉える場合の一般的関心を指す。すなわち、我々は写真から、いつ・どこで・誰が・何を・なぜ・どのようにおこなったかという必然性を汲み取り、「政治的証言」や「歴史的画面」を読み取ろうとする。その解読は教養・文化に裏付けられたものとなる。これに対して後者は、写真の側から我々を刺し貫くように到来し、「ストゥディウム」をかき乱し、傷を残す、偶然的なものである。これをバルトは、刺し傷、小さな穴、小さな斑点、小さな裂け目を意味するラテン語に由来し「プンクトゥム」と呼んでいる。

では妖精写真から到来するプンクトゥムとは何だろうか？

改めて四枚の写真を凝視すると、私がとりわけプンクトゥムを感じるのは、最初に撮影された二枚の内の一枚、「フランシスと妖精たち」である。ここでのプンクトゥムは、カメラのやや上方（撮影者エルシーを見ているのだろうか？）に向けられたフランシスの視線であり、かすかな微笑であり、頭を支える右腕であり、それらから醸し出される、不可思議な気怠さである。彼女の目前では、四人（四匹？）の妖精が舞い踊っているが、この妖精たちの姿は大人、さもなくば大人に近い少女であり、明らかにフランシスよりは年上の女たちと見える。だが、その妖精たちの方が、無邪気な様子を示しており、当時九歳のフランシスの方が、落ち着いた構え——あるいは気怠さ——を見せている。このアンバランスはどうだろう！　荒俣宏が指摘する、人間の方にブレが生じているという特徴も、ここでは輪郭をぼかすことによって、フランシスの気怠さを際立たせる効果を発揮しているとすら言える。そして、これがおそらくこの写真をプンクトゥムたらしめる決定的な要素だが、人間と妖精の視線は、一切交わっていないのである。

つまり、人間と妖精は、ここではそれぞれ別世界を生きており、さして親和的なムードを醸し出してはいない。にもかかわらず、両者は近接している。ここには奇妙なリアリティがある。不気味さの理由も、ここに隠れているのではないだろうか？

ついでながら、他の三枚についても、やはり人間と妖精の視線は合っていない。そしてこれらにおいても、エルシーもしくはフランシスの方が大人びた表情をしており、妖精たちはと言えば、やはり体は大人なのに、子供っぽい様子を示すばかりである。印象深いのは「エルシーにヘア・ベルの花を差しだす妖精」を撮影した一枚で、ここでのプンクトゥムは、エルシーの固く結ばれた唇であり、カールして垂れ下がった髪であり、重そうな瞼であり、やや伏せられた視線である。視線は、妖精が差し出した花に向けられているが、さして感動を露《あらわ》にはしておらず、やはりむしろ気怠さを漂わせている。このアンニュイな表情の美しさは、妖艶と形容してもよいだろう。ビアズリーが絵に描いてもおかしくない妖艶さである。

3

バルトは、写真から時折発せられるプンクトゥムとは、単に写真の中に刻まれた偶然的な「細部」に尽きるものではなく、もっと根源的なものとして、「時間」というプンクトゥムがあると指摘する。写真が示すのは、過去（撮影時）に被写体が存在したという明らかさであり、それ以上でもそれ以下でもない。そして、そのように示された「時間」は、写真の対象の本質である《それは＝かつて＝あった》を悲痛なまでに強調する。

> この種のプンクトゥムは、報道写真の氾濫とその雑多な性格に覆い隠されて、多かれ少なかれ影がうすくなっているが、歴史的な写真の場合は、これが鮮やかに読み取れる。そこでは「時間」の圧縮がおこなわれ、それはすでに死んでしまった、と、それはこれから死ぬ、とが一つになっているのだ。村の上空を飛ぶ原始的な飛行機を見上げているこの二人の少女は（少女だった母と同じような服を着て、輪回しをして遊んでいて）、なんと生き生きしていることか！　少女たちの人生はまだこれからであるが、しかしまた、少女たちは（今日）もはや生きてはいない。つまり（過日）すでに死んでしまっているのである。究極的には、人間の肉体を思い浮かべてみるまでもなく、私はこの圧縮された「時間」の目まいを感ずる。（『明るい部屋』、一一九～一二〇頁）

つまり、写真があらわにするプンクトゥムとしての「時間」とは、言い換えれば、被写体の「死」を意味している。バルトにとって写真とは、「死」を露呈させるという一点で、原始的な演劇と共通するものなのだ。

妖精写真において「生き生き」としているのは、舞い踊り、飛び上がり、花を捧げる、クリアな輪郭を持った妖精たちだ。彼らは、永遠の生命を約束されているのかもしれない。そして彼らとは対照的に、曖昧な輪郭に包まれるフランシスとエルシーは、どこか大人びた気怠さを漂わせており、その美しい気怠さは、抗いようのない「死」に由来するものと解することができる（ピーター・ウィアー監督『ピクニックatハンギング・ロック』を想起してもよいだろう）。もちろんその気怠さは、撮影の事情により偶然に生じた気配であり、企まれたものではないだろう。しかしそれだけに、無邪気な妖精たちと居並ぶことで――妖精たちとは異なる質感を湛えたまま、妖精たちとは視線を合わせないことで――少女たちにつきまとう「死」の予感はいっそう印象深いものとなる。私がとりわけプンクトゥムを強く感じた「フランシスと妖精たち」において、フランシスの視線の先には、「死」の影が差しているのかもしれない。実際のところ少女ふたりは、老年になって妖精写真の偽造を告白し、相次いで一九八〇年代後半に逝去している。撮影からはおよそ七〇年が経過しており、ふたりとも長命だったことになるが、それでも今日の我々にとって、もはやこの写真が、バルトの言う「歴史的な写真」に属することは言うまでもない。少女たちの人生は始まったばかりだが、既に彼女らは死んでしまった――そう我々に気づかせる「時間」の酷薄さが、これらの写真が発するプンクトゥムの本質であり、妖精たちは、あえて言えばそのプンクトゥムを際立たせる副次的な要素に過ぎない。もしも少女たちもまた無邪気な表情で、妖精たちと和気藹々と戯れる姿を見せるばかりであれば、妖精写真の不気味さは消滅していただろうし、それこそ他愛ない子供のいたずらと受け取られ、真贋を争うことにもならなかったのではないか。コナン・ドイルは、少女たちが嘘をつき続けているとは信じられなかったようだが、彼のこだわりは、突き詰めれば妖精写真のプンクトゥム――死の予感――に、彼もまた刺し貫かれたことを示唆しているのかもしれない。

もう一葉の妖精写真

――コティングリー妖精写真とジョイスの『ユリシーズ』

●文＝下楠昌哉

（……暗い壁に、人影がゆっくりと現れる。十一歳の妖精の子ども、取り替え子、誘拐されて、一張羅のイートン・スーツを着て、ガラスの靴を履き、小さな銅の兜を被り、手には一冊の本を持っている。声を出さずに右から左に読み、微笑んで、ページに接吻をする。）

ブルーム

（雷に打たれたように、音もなく叫ぶ）ルーディ！

ルーディ

（ブルームの目の中を覗き込むけれども、見えてはいない。読み続け、接吻を続け、微笑み続ける。優しく素敵な藤色の顔をしている。スーツには、ダイヤモンドとルビーのボタンがついている。自由な左手にあるのは、菫色の飾り紐がついた細い象牙の杖。チョッキのポケットから、白い子羊が顔を覗かせている。）

（ジョイス『ユリシーズ』第十五挿話四九五六〜六七行目、拙訳）

ジェイムズ・ジョイスの『ユリシーズ』は一九二二年に、パリのシェイクスピア書店にその青い姿を現した。一九一八年から二〇年にかけて雑誌に連載され、その先鋭的な描写がアメリカの検閲にひっかかったことで、発売前から欧州文学界の注目を大いに集めていた。一九二二年は、イングランドの片田舎で少女二人が撮影した妖精写真に関するコナン・ドイルの書籍、『妖精の到来』が出版された年でもある。ドイルは妖精写真に関する論考を一九二〇年に雑誌『ストランド』で発表しており、『妖精の到来』の刊行は満を持してのものだった。これらの二書が世に問われるタイミングが同期しているのは偶然に過ぎないかもしれないが、現像液の中で浮かび上がる像のように、妖精か亡霊か判然としない何かが『ユリシーズ』に出現するのは、『妖精の到来』を受容しうるような当時の精神性を、ジョイスのテクストが共有しているからではないだろうか。本稿では、コティングリー妖精事件の顛末を

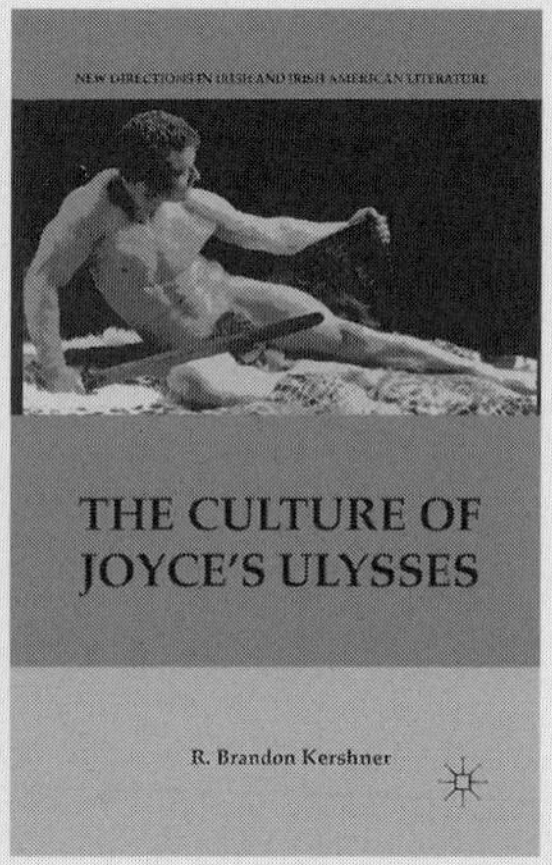

振り返りつつ、冒頭の引用をもう一葉の妖精写真として鑑賞することを試みてみたい。

＊

イングランド北部――北を訪れた者はまた北を訪れると今でも地元の人たちが言う、人情味溢れる地域だ――にある小さな村コティングリーが世の多くの人々に知られている理由は、一九一七年と一九二〇年にエルシー・ライトとフ

ランシス・グリフィスという二人の若き女性によって撮られた妖精の写真による。この妖精写真を世に知らしめるにあたって、シャーロック・ホームズの生みの親であるコナン・ドイルが重要な役割を果たしたのは間違いない。還暦を迎えんとするドイルは、当時高名の絶頂にあった。第一次大戦をきっかけに親族を失ったドイルは、死者との交信を可能とすると目されていた心霊主義のスポークスマン的な役割を担っていたが、彼がこの妖精写真に入れ込んだ理由が心霊主義擁護の一環であったことも、よく知られた事実である。

　ともすれば田舎の少女たちとドイルの話に収斂しがちなこのエピソードだが、先鋭的な歴史研究誌『ヒストリー・ワークショップ・ジャーナル』にアレックス・オーウェンが発表した論考は、この事件に関わる人々の諸相をかなり踏み込んで抉り出している。これらの妖精写真は、まだ写真が簡単に撮れるものではなかった時代に、アマ

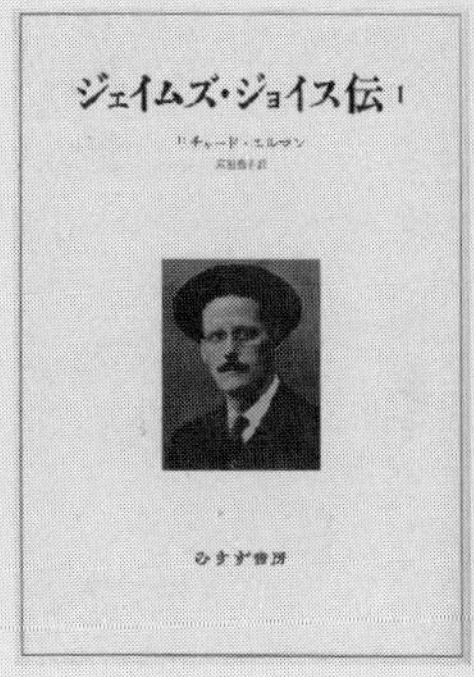

チュア写真家の娘が発想力豊かに作成した「家族写真」であったこと。（そのような写真が時代と地域を越えて半永久的に共有されるイコンとなった事実は、とても言祝ぎきれるものではない。）この写真を世に出したのは、当時心霊主義を主導していた神智学協会のエドワード・L・ガードナーであり、ドイルは個人ではなく神智学協会のメンバーとチームを組んで妖精写真を知らしめる活動に関わっていたこと。ミドルクラスの紳士たちが妖精写真に関わる講演や執筆活動で収益をあげてゆく一方で、労働者階級の娘たちである撮影者たちにはほとんど実入りがなかったこと。ドイルの主要な目的は心霊主義の擁護だったため、リアルタイムでも懐疑的な視線が注がれていた妖精写真の真贋を科学的に決着させるところまで、ドイルは試みなかったこと……。写真の真贋については一九八三年に当時の少女たちが一部の写真を除いてフェイクであることを認めて決着がついているが、それを差し引いても妖精写真に残っているアウラを削り落としてゆくような、手厳しい、それでいて的確な論をオーウェンは展開している。

　だが残光消えてこそ、見えなくなっていた何かが見えるものであろう。一例を挙げよう。『妖精の到来』は、新聞・雑誌の記事や手紙、論文の抜粋などをドイルのコメントで継ぎ合わせたパッチワークのような書籍である。一見未整理の情報の羅列のように見えるが、おそらくドイルはこのような形態がかえって客観性を増すことに気づいていたのだろう、とオーウェンは指摘する。同じような形式の小説で思い出されるのは、この世にいるはずのない吸血鬼をそれらしく描き出すために、日記や新聞記事、診療日誌などを組み合わせて物語を構築した、ブラム・ストーカーの『ドラキュラ』（一八九七）である。ドイルの祖先はアイルランド出身で――ドイルというのは典型的なアイルランド名前である――ストーカーもまたアイルランド出身である。ロンドンのライシウム劇場のマネージャーを務めていたストーカーがドイルの知己であったのは明白で、もう少しこの話に深入りしたい気もするが、ここまでにしておこう。とはいえ、一八八八年にアメリカで発売されて写真を一気に庶民のものとしたポータブル・カメラ、コダックをジョナサン・ハーカーが携えていたことは記しておきたい。

　ハーカーは、ドラキュラを撮ったか？

　本稿にとっては、妖精が神智学協会のメンバーにとって重要であったのは霊の実体化を傍証するものであったから、というオーウェンの指摘もまた重要だ。降霊会で霊媒の身体から生じるエクトプラズムは、霊に物理的な形を与えたり、その場に物理的な何らかの変化を生じさせると考

えられていた。科学的な計測が不可能でありながらも、この世と霊の世界が交わるときに生じる物質的な何か。二〇世紀初頭には、降霊術師のいかさまがいたるところで暴露されていたこともあって、エクトプラズムの存在にはすでに懐疑的な見解が広まっていた。古くからの伝承に裏打ちされた妖精の存在は、心霊主義者からすると、当時のそうした論調に対する反論になりえたのである。すなわち心霊主義の文脈においては、心霊と妖精は同じ、あるいは似たような物質で形成されていると考えられていたのである。

＊

冒頭の『ユリシーズ』の引用に戻るにあたり、そこに関わる基本的な情報を確認しておこう。『ユリシーズ』の舞台設定は、一九〇四年六月十六日のダブリンである。現代のオデュッセウスであるユダヤ移民の息子レオポルド・ブルームには、写真店(!)で働く娘ミリーがいる。一方、息子のルーディは生後十一日で亡くなった。おそらくはそれがきっかけで、ブルームと妻のモリーの間には長らく通常の性交渉がない。ブルームは寝取られ夫であり、その日知り合ったインテリの青年、スティーヴン・デダラスを、妻にふさわしい不倫相手として家に連れ帰ろうとする。スティーヴンは作者ジョイスの分身であり、オデュッセウスの息子テレマカスの生まれ変わりであり、ルーディの代理でもある。

『ユリシーズ』は十八の挿話に分かれており、引用部は第十五挿話「キルケ」からである。現実と幻想が入り混じる演劇の台本仕立ての挿話で、一九二〇年に執筆された。スティーヴンにお近づきになりたいブルームは、スティーヴンを追って娼館を訪れる。ところが、死んだ母親の幻に我を失ったスティーヴンは外に飛び出してゆく。当時のダブリンは大英帝国の支配下にあり、娼婦を連れた英国軍兵士二人に出くわしたスティーヴンはいらんことを口走り、兵士の一人にのされてしまう。混乱の中、なんとかその場をとりなしたブルームは、前後不覚となったスティーヴン——理想の霊媒である——を見つめながら深夜の街路にたたずむ。そこに登場するのが、ルーディの亡霊である。

男たちを獣に変える魔術を使うキルケの名を持つこの挿話では、登場人物たちは様々に変身し、数多の死者が顔を覗かせる。そのクライマックスで登場するルーディの姿には、それこそ無数のイメジャリーが多重写しされている。「取り替え子」の一語は、言うまでもなく強力だ。アイルランドの文脈が一気に顕在化する。

ただし、妖精と亡霊のアイルランドの民俗的な関係は少し微妙だ。ルーディには、洗礼を受けずに亡くなった子どものイメージが明らかに与えられている。宗教意識が強いこの時代のアイルランドで、たとえ生死危うい状態であってもルーディに洗礼が施されていなかったとは考えづらいが、『ユリシーズ』では登場人物について事細かな情報が与えられるにもかかわらず、ルーディの洗礼についての記述はない。少なくともテクスト内においては、ルーディは洗礼を受けていない。カトリック信仰において、洗礼を受けずに天国に行けない恐怖は絶大だ。アイルランドの田舎には、洗礼を受けられなかった子どもが亡霊になって帰ってくる民話が数多く残る。しかしながら、それらの霊が妖精の世界にさらわれた取り替え子と混同される話は、ほとんど見られないようだ。アイルランドの民俗的想像力においては、妖精は妖精、亡霊は亡霊なのだ。

ジョイスの作品を同時代の文化的諸文脈の中で読み解いたブランドン・カーシュナーは、この場面に三種の写真を重ね合わせてみせる。死んだ肉親のためのメモリアル・フォト、二〇世紀初頭に話題を席巻したウィリアム・ホープの心霊写真——前述のガードナーが、何らかの実体があるものが写真にうつるのだ、と心霊写真について力説している事実は重要だ——、コティングリーの妖精写真である。妖精写真とジョイスの接点について確固たる証拠はなく、カーシュナーの論も、ジョイスが見ていた可能性はあると言及するにとどまる。

　だが、ジョイスがコティングリーの妖精写真を知っていたかどうかは、もはや大した問題ではあるまい。亡霊も妖精も、科学では計測不可能な仕方でこの世と彼岸の間で「物質化」する、というのが二〇世紀初頭の心霊主義の考え方なのだ。ジョイスがその心霊主義の思考を共有していたならば、ルーディの亡霊が、亡霊であると同時に妖精であるのは何の不思議もない。

　ここで決着はつけまい。本稿の『ユリシーズ』の一場面に対する試みと同様に、『妖精の到来』を同時代の心霊と妖精をめぐる言説空間に正確に置き直してみること、そしてそのうえで、妖精写真とそれを語ったドイルの言葉が時代を越えて共有されるにいたった理由と過程を再考してみること。『妖精の到来』には、我々が読み継ぎ論じるべき何かが、まだまだ残されている。

参考文献

Doyle, Sir Arthur Conan. *The Coming of the Fairies*. Pavilion, 1997.（ドイル『妖精の到来』井村君江訳、アトリエサード、二〇二一年）

Ellmann, Richard. *James Joyce*. Rev. ed., Oxford UP, 1982.（エルマン『ジェイムズ・ジョイス伝』全二巻、宮田恭子訳、みすず書房、一九九六年）

Gibbons, Luke. *Joyce's Ghosts: Ireland, Modernism, and Memory*. The U of Chicago P, 2015.

Joyce, James. *Ulysses*. Random House, 1986.（ジョイス『ユリシーズ』全四巻、丸谷才一ほか訳、集英社文庫ヘリテーズシリーズ、二〇〇三年）

Kershner, R. Brandon. *The Culture of Joyce's* Ulysses. Palgrave Macmillan, 2010.

Owen, Alex. "'Borderland Forms': Arthur Conan Doyle, Albion's Daughters, and the Politics of the Cottingley Fairies." *History Workshop Journal*, no. 38, 1994, pp. 48-85. *JSTOR*, www.jstor.org/stable/4289319.

Shimokusu, Masaya. "'A White Lambkin Peeps out of his Waistcoat Pocket': Rudy and the Repressed Image of the Unbaptised Child in James Joyce's *Ulysses*." *Journal of Irish Studies*, vol. 33, 2018, pp. 122-31.

オッペンハイム『英国心霊主義の抬頭——ヴィクトリア・エドワード朝の社会精神史』和田芳久訳、工作舎、一九九二年

クーパー『コティングリー事件』井村君江訳、朝日新聞社、一九九九年

下楠昌哉『妖精のアイルランド——「取り替え子」の文学史』平凡社新書、二〇〇五年

ドイル『コナン・ドイル書簡集』ダニエル・スタシャワー他編、日暮雅通訳、東洋書林、二〇一二年

ブラム『幽霊を捕まえようとした科学者たち』鈴木恵訳、文春文庫、二〇一〇年

〈精霊語彙集〉縞模様の時間

◉高原英理

「ナイトランド・クォータリー」（NLQ）Vol.23, 25 に掲載されている連作〈精霊語彙集〉に属する新作が、『妖精が現れる！』にも登場します。「正四面体の華」（「群像」二〇一九年一二月号）、『歌人紫宮透の短くはるかな生涯』（立東舎、二〇一八）の系譜に連なる芸術家小説で、どこかトーマス・マンの『詐欺師フェーリクス・クルルの告白』を思わせるようなところもあり、芸術と「記録」をめぐる思弁という意味で、コティングリー妖精事件への「極東」からの応答ともいえるでしょう。

そもそも、高原氏の手になる——澁澤龍彦・中井英夫が選考委員だった——第一回幻想文学新人賞受賞作「少女のための鏖殺作法」は『幻視の文学１９８５』（幻想文学会出版局、一九八五）を除いて採録がされておらず、しかも別名義。幻の逸品となりつつあるのですが、それもまた「妖精文学」と呼べる作品でした。こうした経緯が、本作の成立に影響していないとも思えず、本作は「高原英理入門」としても恰好の逸品です。（晃）

小説には経験や修行や練習の成果といったものの生きる余地が大きいが、詩には、そうした要素によるところもありとはしながら、結局、仕方なく「才能」とでも言うしかない、その場一瞬、一期一会のような生成感が重要である。言葉の選び方や世界の捉え方によって受け取る者にそこで何かが初めて生まれる感懐を与えたとき、その詩はひとつの世界更新の歴史として記憶される。詩はそこに、詩の作者以外の誰にも見出すことの出来なかった、新しい時間を現出させたのである。

大蔦《おおつた》紀重《きじゅう》という詩人の言葉である。大蔦は詩人とされながら文章として発表したものは詩論ばかりで、詩集を持たずに二十四歳で亡くなった。

残された原稿は随分後になって一冊にまとめられたが、そこに詩は一篇もなかった。書き残した作品を優先する発想からするなら大蔦を詩人と呼ぶのは間違っている。しかし、大蔦を知る人は彼が常に発話の形で他者に自作の詩を聞かせ、それを書き残すこともなく、また聞き手が記録することも禁じたと伝える。

その言葉を信じるなら、大蔦がその詩論で語ったとおり、完全にライヴの詩人であり、彼が口にするそのときにしか彼の詩は成立していなかったことになる。

詩が私的言語であるとする詩人はいても大蔦ほど徹底して記録を排除した者はない。

だが大蔦は書くことを否定したのではない。彼が詩と認めた言葉以外の散文は注意深く保管されていたからである。いつでも一著を成すことのできるよう清書され整理されていた。その言葉が多くの詩人たちの心に届いたので現在も大蔦はたびたび引用され言及される詩論家として認識されている。

だが、では、彼の詩論の実践であるところの詩そのものを、その聞き手たちの記憶から再現できないものか、と、そうした意向を持つ詩人評論家編集者が幾度も聞き取りを重ねたが、これまでのところ、ごく一部を除いて思わしい成果はない。大蔦が亡くなったのは六十一年前、一九六〇年であり、その詩論が注目され、それによって大蔦自身の詩がどのようなものであったかを知ろうと望む人が現れたのは僅か五年前からである。気づかれるのが遅すぎたのだ。

大蔦の詩を直に聞き、それを記憶する人の多くは既に亡くなっている。ただその体験が眩惑的であったことだけが後の世代に語り告げられ、それによって大蔦が確かに詩人であったという言い伝えになった。とはいえ、僅かに憶えているという詩句を伝える高齢の人の言葉もあまり信用はできない。六十年以上前の記憶が正確とは思えないからである。

大蔦紀重の名は学生のおり一度聞いたことがあるが、ただ詩人にそういう名のひとがいたという以上のことではなかった。再びその名を耳にしたのは三十年後である。

大学卒業後、首尾よく入った中堅企業が昨年倒産し、失業保険と預金でかつかつ暮らしていた。結婚もしておらず既に家族もないのが不幸中の幸いで、低レベルの生活を維持すればあと数年はどうにかなるのと、いくらかは業界に知人はいるのとで、慌てず条件の良い再就職先を探すつもりでいたところ、梅雨が過ぎ七月が終わろうとする晴れた日、喪服のようなスーツを着た青年が訪ねてきて「ＩＥＣの志岐桐二《しきとうじ》」と名乗り、

「研《とぎ》先生からのご紹介で来ました」

と憶えのない名を告げた。

志岐もＩＥＣも、そこに示されたすべての名が初耳だった。

誰ですかトギ先生というのは、それとＩＥＣって？　と問うと、

「研史眼《しがん》先生は術者です。ＩＥＣはIerim Esraun Churchのことで私はそこの職員です」

と言われたが、まず「術者」とは何か。説明になっていない。Ierim Esraun Churchも意味不明だがChurchというからには宗教関係だろう。すると「術者」とは祈祷師か何かか。以前は確かに宗教団体とも仕事をしてはいたが、そこから自分が特定されたと知ると俄かに警戒心が増した。

「知らない人から紹介されたと言われても信用できません。ザイン企画は去年倒産してわたしはもう関係ありませんのでお引き取りください」

と答えると志岐は、

「知らない人のはずはありません。斎建《ときだて》さんは何度かハレビルで研先生にお会いになっておられます。そのおりは役名で里命《りめい》さんと呼んでおられたでしょう」

「それなら知ってる」

イベント企画を扱う仕事だったので会場はいくつも知っていた。銀座にあるハレビルはよく用いた。そこで定期的に研修会を開いていた凛正《りんしょう》会という神道系の新興宗教団体に、どうだろう、内部での言い方は知らないが、一般であれば「幹部」くらいにあたるらしい、里命と呼ばれている中年女性がいて、何度か顔を合わせた。新興宗教だがカルト臭はなく、里命も常識的な態度であったと記憶する。だが交渉係は別におり、里命とは挨拶する程度で名刺交換もなかったからそれが名でなく役職名だったことは知らなかった。

だったらよく耳にしたはずの呼び名を先に言え、と言いたかったが、なんとなくこの青年には、ものを伝える場合、本人にとっての正しい順序があって、常にそれを踏み外さないよう心掛けている様子が感じられた。そういう人は嘘をつかない。

居室に招き入れてテーブルを隔て座り、話だけは聞こうと応じた。まずは問う。

「どうして里命さんがわたしを？」

すると彼の予期する順序に適っていたのだろう、過たない明瞭な言葉で語り始めた。

現在ＩＥＣでは大蔦紀重という詩人の詩の記録を求めている。大蔦には詩集がないと言われていたが、最近、大蔦の朗唱を録音したカセットテープがあるという情報を得た。

そのカセットを持ち主から譲り受けてほしい。

研先生は以前研修会のおり知った斎建洋《よう》という人が録音テープ

の在り処を知っていると仰《おっしゃ》った。それであなたに依頼しに来た。大蔦紀重の詩の録音を手に入れIECに提供してほしい。費用は。

ここで口を挟んだ。

「テープの保管場所なんか知らないし、そういう録音があることも知らなかった」

「豫登《よとみ》美教授はご存知ですね」

「卒論指導教官だった」

「豫登美教授がテープの持ち主です」

「それなら先生のところに頼みに行けばいいじゃないか」

「行方不明です」

「それはまた……だが、どうしてわたしが先生の居場所を知っていると言うのか」

「あなたは大学在学中の二年間、豫登美教授の愛人だった」

そういうことまで知られているなら仕方ないが、といって何も疾しいことでもなく今更隠す気もない。まだまだ同性愛者が生きやすい世とは言えないが、ともあれ必要のさいは表明できる立場にいる。憂う家族もないし偽装結婚をしているわけでもない。その上、今は無職であって職場での立場も関係ない。

だが、だからといって、やはり録音テープの在り処など、自分が知るわけもない。

「短絡的だ。三年と四年のとき付き合っていた。だがそれだけで、特別に秘密を教えてもらったわけではない」

「いいえ。あなたは一九九一年の夏、教授と涼野《すずみの》へ行きました。そこで津輪弥木《つわやき》という宿に泊まった。その宿に滞在していた客から何か聞いた。これを聞いたのはあなただけです。ここまではわかりました。内容はわかりませんでした。そしてそのあなたが知った情報によってだけ豫登美教授の居場所を探すことができます」

ようやく呑み込めてきた。すなわち人探しであり、それは私しか手がかりを知らず、それで依頼しに来た。だがいったいここまで詳しく調べ上げることができるのはどういう手立てによるのか。しかも、そこまでわかっていて肝心の情報は得ていないという。アンバランスである。確かに耳にした話はあるが、ここでそれを相手に教えることは避けた。

「何か聞いた気はするが、しかし随分前のことだし、正確とは思えない。それで先生を見つけ出すことができるかどうか、まるであてにならない」

「了解しています。ともかく探していただけますか」

「報酬による」

「前金として二百万。これはもし先生が見つからなくても返却の必要はありません。先生の所在が確認でき、テープを譲り受けてもらえたら成功報酬として一千万お渡しします。なお振り込みではなく、そのまま手渡しします」

「あなたたちの団体は宗教法人か？　大したものだな。……そうだ」

訊くべきことはまだある。

「どうしてそこまでして大蔦紀重の詩を求める？」

「私たちが聖典とする文書の中に、大蔦紀重の残した詩句と一致する部分があると言う人がいました。聖典は大蔦の死より後に書かれています。私たちは記録された言葉を重んじます。教主の言葉が、先行する詩人の言葉を用いて書かれたのだとすると、私たちはその原典を知らねばなりません」

　もうひとつ尋ねてみた。

「依頼を引き受けてそのまま何もしなくても二百万もらえることにならないか？」

「あなたの行動は逐一報告されます。私たちの持つ情報ネットワークはあなたのごまかしを見逃しません」

　厭な展開になってきたと思ったが、これはすなわち引き受けようが引き受けまいが監視は続くということで、すると受諾以外に選択肢はない。気分はよくないが上手《うわて》の相手に無駄な抵抗はしないことにして、金を得られるのであればよしとした。

「了解した。引き受ける。まず前金をもらおう」

　志岐は鞄から茶封筒を出しテーブルに置いた。中をあらためると確かに二百万ある。

「必要経費は？」

「後で請求してください。支払います」

　翌日もよく晴れた。木々巣《きぎす》という地を目指した。

　私鉄庄郷《しょうごう》線急行で目的地へは二時間近くかかるが、幸い、よく空いている。指定席にゆっくりと腰かけて、このたびは、やや面倒とはいえ丁度良いアルバイトではないかと考えながら、やはり不審は募る。

　数度挨拶しただけの里命さんという人がこれだけ自分に詳しい理由はどうだ。

　だがそれは里命さんを起点に考えるからわからないのだと気づいて、逆に、豫登美先生の記憶から辿った。

　一九九一年夏、三十年前だ。当時、豫登美信彦《のぶひこ》教授は五十三歳である。社会学部長であった。バルト、フーコー、レヴィ＝ストロース。こういうところに詳しかった。当時はそれらの学者・文学者らの思潮を構造主義・ポスト構造主義と呼び、またデリダ、ラカン、アルチュセール、ドゥルーズ、ガタリといった学者とともに「ポストモダン」の思想家と呼んだ。それはそれなりに学問的価値があったのだろうが、最近は語られることが減った。

　自分はフーコーの牢獄に関する論文を翻訳で読んで適当な卒論を提出した。

　豫登美教授は若く見えた。また「ニューアカデミズム」の学者として多くのメディアに顔も名も出ることの多かった教授には当時特有の輝きが感じられた。「高級な学者なのにポップ」と言われた。それはすなわち本来普通人の近寄ることもできない知の牙城に住む人が敢えて一般大衆の前にまで降りて来たからこその尊ばれ方である。常に落ち着いた声音、知的・リベラルそしてブルジョワの高級さが学生には憧れられた。既に自身の性指向を自覚していた中でそうした極上エリートから誘われれば一も二もなかった。誇らしかった。

　そう感じる男子学生は多く、豫登美教授の周囲にはいつも複数の青年がいた。自分が唯一でないことが残念であった。

　であれば、ひと夏だけとはいえ、数日の独占を許されたことは喜ばしかった。

「避暑に行かないか？」そう言われて、涼野高原にある津輪弥木亭に滞在した。そこで教授は例年、ただ一人の学生と過ごすという。その年は私が選ばれたのだった。

津輪弥木亭はかつて名のある文人が多く夏を過ごした宿である。当時も作家の飛鳥井寿郎《あすかいじゅろう》が同宿にいた。二十一歳で芥川賞受賞の後、数年前に谷崎賞、川端賞を続けて受賞し、読売文学賞、文部省芸術祭賞も得、いずれはノーベル文学賞受賞かと言われていた人だ。豫登美教授は飛鳥井氏とも親しかった。そして飛鳥井氏もまたわれわれと同じセクシュアリティの人であった。

広壮豪華な和建築の宿で数寄《すき》を凝らしたもてなしは忘れがたい。教授はそこで常らしい優雅さとともに他で見せないあけすけな態度を示した。だがそれらは自身生涯の勲章とするのみで敢えて語るには及ばない。

滞在最後の日、たまたま広間に一人いたとき、飛鳥井氏が近づいてきてこう言った。

「きみは豫登美君より強いね」

「どういうことですか？」

「おそらく豫登美君は離れてゆく。だがきみには受け取るべきものを受け取る資格がある。もし思い当たることがあれば行きなさい。木々巣の祥明寺《しょうみょうじ》で名を告げればいい」

「はい」と、わけわからないまま、ただ答えた。

飛鳥井氏は、

「よい文学のために」

と言って部屋へ戻っていった。このことを豫登美教授には話さなかった。

理由は知れないが、避暑地から戻った後、豫登美教授は必要以上には私にかかわらなくなった。卒論指導が滞りなく進み、論文が受理され、卒業が決定した後は目立って教授から避けられるようになった。

しばらくの濃厚な関係の結果、相性が悪いと判断されたのだなと思い、胸が痛くはあったが仕方のないことと思い決めた。就職先も教授からの推薦であったから恨む理由はない。よほど感謝して当然のことなのだ。だが、夏以来、事務的な必要のさい以外には一切の個人的連絡が絶えたのが無念であった。

私と交代するように教授から寵愛され始めた一年下の中松という好青年を憎みもした。

とはいえこれは自分に対してだけのことではない。毎年、新しい青年を見出しては避暑地に誘っていたという豫登美教授という人がそもそも冷淡なハンターだったのだと思うことになった。中松も来年には棄てられる。そう考えれば憎さも薄れた。

自然、社会人となって後はこちらからの連絡は控えたし、教授からの便りもないまま、マスメディアに登場する様子をときおり見かける以外ほぼ無関係となって今に至る。二〇〇〇年代になってからは豫登美信彦の名が学術・芸術雑誌に見出されることがなくなった。著作も一九九八年以後はない。身体を壊し長い療養を続けておられるという話を一度、どこかで聞いた。

自分の方はというと、二〇一八年春には生涯をともに誓い合った恋人がいたし、仕事も悪くはなかった。だがその年、彼が事故で亡くなり、次いで勤め先が倒産し、一挙に生きることを果敢《はか》なむ日々が来た。

だが思うまい。

今は大蔦紀重の記録を、しかし、豫登美教授からその名を聞いたのは本当に一度だけだ。

「大蔦紀重という詩人は徹底して音声だけの詩人だった。印刷された詩集はない。だから私自身が耳と身体で聴き体験した記憶が大蔦という詩人のすべてだ。それは再現できない」

ソシュールにかかわる記号論の講義中にふと挟まれた余談のようなものだった。

その大蔦の発話を、教授は録音までして所有していたのだろうか。だがその行為は、直接の体験だけが大蔦という詩人のすべてであるという教授の見解に背くものではないのか。

いやそれよりもっと現実的な問題がある。

志岐は「カセットテープ」と言った。一般にカセットテープと呼ばれるコンパクトカセットが発明されたのは一九六二年である。一九六〇年に亡くなった大蔦の言葉がカセットテープに録音されたはずはない。

いや、オリジナルはオープンリールだったが後に利便性を考え、カセットに録音しなおされた、とか、そもそもカセットテープというのが間違いで正しくはオープンリールである、とか、そうしたことは考えられる。だが、複数の理由からどうも嘘くさい。

実際にはそんなものはないと思う。

これも大蔦紀重という秘教的な詩人にまつわる伝説のひとつではないか。

であれば、それが事実ではなかったと、ある程度の信憑性のある情報を持ち帰ればそれでこの仕事は終わりである。一千万は逃すが、二百万円分のアルバイトだ。既に受け取っている。悪い話ではない。

そう考えが落ち着いて窓外遠くにうかがわれる山の青を眺め始めたところで、そろそろ木々巣駅が近かった。

飛鳥井氏の言葉は何だったのだろうか、確かに聞いたことだが、今ではもう確認できない。飛鳥井寿郎は一九九三年、薬物によって自殺した。

享年五十五。理由は今も知れない。ノーベル文学賞にノミネートされたと言われながら受賞を逃し、そういったことが三年続いた後だった。といってノーベル賞が取れなかったことを自殺の理由とするのはあまりに馬鹿馬鹿しい。

私が知る飛鳥井氏は津輪弥木の宿で二言三言言葉を交わしたその時だけなので、内情などわからない。作品は順調に発表され文壇の評価は高く、孤独な青年たちの優雅な都市生活を詩的に描くその小説は一九八〇年代から若者に人気が高かった。早い頃からカミングアウトしていて、恥じることなく男性の恋人と暮していた。相手との不和は伝えられていない。健康に問題ありともされていない。どこかに深刻な隠蔽があるのかも知れないが、外部から見る限り順風満帆、絶頂と言ってもよかった。

ただひとつだけ、ある女優が十年ほど後になって、雑誌のインタビューに答えてこんなことを伝えていた。

「飛鳥井さんとは親が親しかったので何度かお屋敷に招かれました。
あるとき、海の見えるベランダで、飛鳥井さんはわたしにこん
なことをおっしゃった。
『おじさんは綺麗なものを全部見てしまった。だから死ぬんだよ』
自殺なさったのはその一か月後です」
その言葉がいくらか飛鳥井の作風に似合っていたのでその後も
しばしば語られることになったが、本気にはできない。ある本来
の理由があって自死を決意したが、たまたま知人の幼い娘を相手
に戯れを語って聞かせただけだろうと思う。あるいは死後の伝説
化を意識していたか。

静かに列車は停止し、左脇に木々巣駅のプラットホームがあっ
た。降車の後、改札を出て駅前に立つと最初にハンバーガー店の
字の赤色が見えた。高い駅ビルのたぐいはない。正面には広場と
いうほどもない、いくらかの広さを擁した丸い領域が庭石のよう
な石で規則正しく囲い込まれ中央から棕櫚の大きな葉を茂らせて
いた。

向かい側にはハンバーガー店の他、青いマークのコンビニエン
スストアとクリーニング店、ドラッグストアが並んでいた。予め
確かめたところではここから西、眼前のアスファルト道路を、乗っ
て来た列車の向きで言うなら先頭側へ、今立つ自分の右手側へ進
み、よほど行って一箇所曲がれば祥明寺に辿り着く。

道路はしばらく鉄道沿いに続き、やがて線路の脇を離れて山の
方へ向かった。正面となった山に盛り上がる目の積んだ緑が重
かった。

顔を上げれば雲の白が鮮やかで、青空の斑《まだら》が光っている。
老年近い男女何人かとすれ違った。

左側には民家に混じってときおりスナックやスーパーマーケッ
トとその駐車場といったものがある。少し行けば右手には日に輝
く畑が出始めた。夥しい雑草に領された空き地らしいところも
あって、自動車が三台捨ててあった。

ふと左に「氷」とかかった看板があるのがわかった。
そこを過ぎるとほぼ民家でどれも青みのある瓦にテレビアンテ
ナが立っている。

狭い川が見え、堤にはいくつのも木立が並んでいた。小さな橋
をわたると左右に田が広がった。

右手遠くにぽつりと、おとぎの国のような三角屋根に小さい赤
青の旗を揺らす保育園があった。

山からか、木立からか、わんわんと蝉の声が強まってきた。
舗装は変わらないがここからは田舎道と言ってよかった。両側
にコンクリートで固めた溝があり、覗けば泥色の浅い水底にザリ
ガニらしいものがいくつかいた。両脇から、あまり真っ直ぐなも
ののない幾条もの農道が蜘蛛の巣のように広がっていた。

大きくうねった道を過ぎると、そろそろ山の右側斜面に大きな
堂の屋根と門が見え始めている。

もう一度空を仰ぐと雲の領域が減っていて、日の激しさととも
に空の青みが身に刺さる。無辺の地にいる蟻のような心地を得た
後、いくらか心を鎮めながら山脇を目指した。

道路が山を迂回して続くのが認められたあたりで右に山道が出、そちらは舗装路でない。

坂が始まり、両側から大きな樹の枝葉が迫った。太い幹には白と淡い緑や青や、ときに毒々しい黄色の苔がはびこっている。わさわさと緑の髪のような地衣類を生《お》わせているものもある。路傍にはほとんど花弁の落ちた草花が突き立っている。それらを眼の端に置きながら歩幅を大きく動かしてゆくが、道の凹凸にやや歩みが滞る。

頭上の空が左右の大木たちの枝に一部遮られ、いくらか湿度のある翳りができている。

道の起伏に日の当たるところでは激しく明るみ、木蔭にあるところは涼しげにゆらぎ、その木蔭のひとつに入って少し足を休めた。蝉の声はいやさらに耳を圧する。夏の草木の匂いが満ちている。憩《いこ》うているすぐそばの枝に大きな蜘蛛の巣があった。

もういくらか身を励まして、遂に祥明寺と書かれた瓦屋根付きの門の前に辿り着くと、一旦背を丸め、そして反らし、大きく息をして左右に開かれた大扉を過ぎた。

正面に本堂、右に鐘、左に堂から続く屋根があり、足元の四角い敷石が苔の中、本堂まで真っ直ぐに導いている。

暗灰色の瓦屋根が左右に羽ばたくような本堂の前、数段の石段を上がり、続く木の段の先、開かれ、奥の暗い中に多々蝋燭の灯って見える前で訪《おとな》いを告げると、ほどなく仏殿を巡る左の回廊の奥から黒衣を着た若く背の高い僧が出て来て「お名を頂戴します」と言った。

「斎建洋」と答えると「どうぞ」と正面から本殿に招き入れられた。

靴を置き、段を上がって青年僧の後に続いた。香の漂い、至るところ蝋燭の火に金の仏具の光る中、座す大きな仏像を右目に、脇の回廊を通って裏まで回り、奥にある八畳ほどの間に案内された。

「承っています」と言い、座した僧は深く低頭して、緑に金模様の紋縁《もんべり》の畳の上に濃紫の座布団をすすめた。

「茶をお持ちします」と言って若僧は障子の向こうに去った。

正面にある床の間には、何列にもわたって規則正しく書かれた経文の中の特定箇所だけ文字を空白にして、離れて眺めると白抜きの部分が「南無阿弥陀仏」と読める、大きな掛軸がかかっていた。経文は阿弥陀経だろうと思うがよくは知らない。軸の前に白い花が活けてある。

しばらくすると若僧が冷茶を運んできた。ここまでの汗の分、ありがたかった。

「住職がお会いします。しばらくお待ちください」と言って、またも若僧は立った。

障子を通して来る明かりのほかに光源のないほの暗い中にぽつんと残された。

戸の外から届く蝉の声は変わらず耳に満ちている。それが何か告げ知らせようとしている無数の群集の声のような気になった。

そのまま寝入るように意識を薄れさせていると時間も不明になり、どれだけ待たされたのかさえなかったのか、脇から「住職がお待ちです」と声がした。

「恐縮ですが別室においでください」という言葉とともに、再び若僧に導かれて部屋を出、客間に行くかと思うと「段がありま す。お気をつけて」と言われ、回廊の奥の行き止まりのところから地下へ向かって始まる木の階段を降りた。

外の明るみから隔てられ、徐々に蝉の声も遠ざかっていった。ひんやりと薄暗い中、前に立つ僧の青々とした頭頂を見おろしながら、どこまでゆくのか、階段の終わらなさに驚いている。そして灯がない。進むほど暗さは増した。

地の底に。そんな言い方をしたくなるような道行を、ただ前方に歩む背高の影が、果たしてさいぜんの青年僧であるのか、何か知れないものであるのか、心許ない。

ようやくきざはしが尽きて、足の裏に頼りある平たさが続くころにはほぼ視界は閉ざされたように暗かった。見たところ特殊には見えなかった山寺にこんな深い地下蔵のような施設があるというのが信じ難かった。

「もう少々、お願いします」と前を行く僧の声が、いささかの気遣いを感じさせたのは思い過ごしだろうか。手灯りもなしに、広さもよくわからない板張りの地下回廊を進み、「ご注意」の声とともに一回、右直角に曲がると、もうそこは本当に真っ暗だった。

前方で、ごとごとと戸を動かす音がして、「どうぞお先へ」と青年の声があった。

戸の奥らしいところへ進み入ると、背後から「そちらに住職がおります」と再度同じ人の声が届くとともにまたごとごとと戸の音が聞こえた。閉じられたらしい。

やはり何も見えない。微かに何かの花のような沈んだ香りがあるが線香のそれではない。音もない。こんなもてなしは聞いたこともない。立ったままやや考えていると、

「もう少しお進みなさい。座布団が敷いてあります」

という低いしわがれた声が正面二メートル先あたりから響いた。なにがなし、焦げ茶色の声と感じた。

おずおずと歩を進め足先に座布団らしいものが触れたので乗って座り、

「ご住職でいらっしゃいますか」と問うと、

「はい。じょうせん、と申します」と答えがあった。「浄泉」と字を当ててみたが正しいかは知らない。

「あのう、どうしてここで?」とつい、何より先にさいぜんからの疑問をあらわにした。

「視覚を遮断して聴覚だけを受け取っていただくためです」

と言われたが、それで疑いは去らない。必要の意味がわからない。何を受け取るのか。

和尚は続け、

「しばらく、こうして声だけでやりとりをお願いします」

と言った。理由はわからないが、ともあれ受け入れてくれた上はこの寺の方法に従うことにした。

「このたびは」と一通り礼を告げ、その後、

「飛鳥井寿郎さんからお教えいただきました。私の師、豫登美信彦先生の消息はお分かりでしょうか」

と問うた。

「豫登美さんはお亡くなりになった」

と返答があり、

「当寺で菩提《ぼだい》を弔っております」と続いた。

あれだけの有名人が亡くなって新聞にも出ないというのが怪しいが、嘘でもなさそうなので思い深く一時、無言になった。

「飛鳥井さんもこの寺の持つ墓場に眠っておられます」

それだけ言って浄泉和尚もまた黙り、こちらの心の収まるのを待つ様子である。

何分か、闇に無音の状態を経て、思いきって尋ねた。

「IECというところから、こちらに大蔦紀重の詩を録音したテープがあると聞いてきたんですが、そういったものはご所蔵ですか」

カセットテープというのが信用できないのでこう言った。

「ありません」

と聞いて、やはり、という以外の感想はなかった。豫登美先生が亡くなっていたというのも、案外そういうこともありはしないかと考えていたものだし、そもそも大蔦紀重の声を記録したテープなど最初から疑わしいだけだった。不在が証明できないのが困るのだが、志岐が言うほどの、彼らの「情報ネットワーク」であるなら、自分が祥明寺を訪れたこともテープはなかった事実も了解されるはずだろう。そう思いたい。

これで役目は終わりだなと、いくらか気を緩めたとき、和尚が言った。

「せっかくおいでいただいたのだ。今少し、お話をお聞き願いましょうか。豫登美信彦さんのこと、それから飛鳥井寿郎さんのことなど」

何かは知れないが、ここで知ることの出来るだけは知っておきたいと思った。

「お願いします」

「その前にまず魂について少々申します。本来、仏教では『魂』というものの存在を認めません」

何を言い出すかと思えば、だが、言葉を挟むことは止めた。

「ですが、世界へのある根深い思い込みが意味を作り因果を作ります。魂によらず因果を引き起こすもとをわれわれは阿頼耶識《あらやしき》と呼びますが、それはよい。ここに、魂はあるという決めつけに囚われた人がいたとします」

いよいよ先がわからず、ただ聞く。

「しかもその人は魂の性質を、そうですね、言ってみれば肉食の動物のようなものと捉えていた」

こうして浄泉和尚は語った。

魂がある、ない、はすべて人の思惑のもたらした判断である。正統仏教では「ない」とするが、神道でもキリスト教でもその意味合いは異なれ、魂は「ある」としている。

そこに正誤を決めることはできない。だがあるにせよないにせよ、そうした起点から世界観の構築が始まる。仏教的思想でもそれは例外ではない。

「仏教も、実際には仏教という迷妄でしかありません。しかし、迷妄によりながらもそれすべてを迷妄と悟る瞬間が訪れるのであれば、そこに仏教の意味があります」

ここで間があり、ややあって続いた。

「豫登美さんも飛鳥井さんも、魂を信じる人だった。しかも」

声は抑揚に乏しく、やはり焦げ茶色に聞こえた。しかもそれは古び、干からび、木目の浮き出た板戸を思わせた。

「彼らは、魂に強弱があり、強い魂は弱い魂を食うと考えていた。それを彼らは『魂喰《たまく》い』と呼んだ」

するとそこで飛鳥井の言葉が想起される。

「あなたは、豫登美先生の魂を食う者と思われたのです」

いきなり血まみれの衣を被せられたようだった。

「そんな憶えはありません」

「あなたにはまるで知ったことではないのです。豫登美さんがそう思い込んでいただけです」

相変わらず視界は暗く、声は重い。その伝えてくることと言えば、「魂喰い」と、何やら、大声でもあげたい気がする。だが耐えた。この真っ暗な中で、さらに奈落の底の底へも、行ってみようと思った。

「飛鳥井さんが生前言っておられた。豫登美君は毎年、有望な青年を見つけてはその魂を食って良運を得た。青年たちは生命力を奪われ、一方、彼は学者の社会で成功し続けた。だがあるとき、自分の方が食われてしまった。それから彼は徐々に衰えていった」

また沈黙。考えさせようということなのか、意図は知れない。

和尚は呼吸を整え、また少し口調を緩めたようにして再び始めた。

「思い込みです。魂がある、どころか、魂が魂を食うなどと。だがそれを信じる欲深い者たちは、自身の望むところを得ようと、こうした呪術のようなことを考えるわけです」

「魂を食うなんて、どうやってですか」

「わたしが体験したことではないが、豫登美さんは、ともかく相手の近くにいることでそれができると考えていたようですね。特に何かしなくても、ごく身近に何日も暮らすことで、強い魂は弱い魂を少しずつ食い荒らしてゆくと」

「それでは、人との親密な関係がすべてそういう食い合いということなのですか」

「そのように、聞いています」

無残な世界が見えた。地獄とはそういうものだろうか。だが自分の知る構造主義哲学者、豫登美信彦教授がそんな「未開人」のような発想にとらわれていたとはとても思えない。

「豫登美さんはこの暗闇の中でわたしにそう語りました。自分は負けたのだと」

すると、飛鳥井寿郎も同じ考え方だったということは、いや、彼は確かに余人の及ばない成功者でそれを他人の魂を食い尽くして得た運のよさだと、言えば納得する人もあるかもしれないが、しかし、彼にはともに暮らす大切な人がおり、そして聞くところ、その人が衰えたとか死んだとかいう話はない。身近に長く暮らしていれば相手の魂を食い続け、それによって相手は命を削られてゆく、とそういう話であるなら、それは全然違う。

と、思ったが、ふと、こんなことが考えられてきた。

豫登美教授は、もともと冷酷な人で、他者から略奪することに躊躇いはなかった。だが、飛鳥井氏は、同居する愛人の魂を食い続けることに耐えられなかった。魂の食い合いは、おそらく自分では制御できない。

飛鳥井氏の自殺は、愛する人からそれ以上生命力を奪わないためでなかったか。

長らくその人は飛鳥井氏に魂の何かを食われ続けていた。そして遂に彼に生命の危険さえ見えてきたとき、飛鳥井氏は考えた。この人と別れて暮らせば彼は助かる。だがそれは自分にできない。しかしともにいれば彼が死ぬ。ならば自分が死ねば彼は助かる。

どうだろうか。そのパートナーの意向もわからないし、そもそもが今聞かされた、とても信じがたい話からの想像だ。

「揺れておられるな。嘘であっても聞いてしまっては平静でいられないことがあります」

和尚が言いかかる。あなたのせいで大いに揺れています。なんとかしてください、と言いたかった。だがそれは浄泉和尚のかまうところではないだろう。

「どうしてこういうことに」

と口に出た。

「視覚が閉ざされていると、何やら日頃の当たり前が稀有のことに感じられはしませんか」

答えはなく、こんな言葉がきた。

「近年は夜も街燈があって街中にいれば真の闇には浸れない。ですが、明るみの場と闇の場とで、双方伴いつつのこの世ではありませんか」

視覚障碍者であったら、とそういうこともふと考えたが、違う、どうも、ここで明暗というのは比喩で。

「時間をお考えなさい。それは明るみのところだけで進むように見えて、影のところを忘れてわれわれは暮らしている」

「影を思えとおっしゃいますか」

「わざわざお思いにならなくてよいのだが、影ありと、それだけ知ったならいくらかその生は違ってくるかも知れません」

「ええ。何かあるとはわかりました」

「もうひとつ、言い忘れておりましたが、豫登美、飛鳥井、おふたりの共通点はどちらも大蔦紀重が詩を語るのを聴いたことがあるということです」

「それは?」

「いえ、それだけです。そして」

言葉を強め、

「まだ、おわたしはしていませんでした」

この上、何を?

「おいでになったのは大蔦紀重の詩の件でしたね。録音はありませんが、この場限り、大蔦紀重の詩を聴くことはできます」

驚き、

「どうやって」

「ただここでお聴かせするだけです。ここでならいつでもどれだけでも可能です。なぜなら」

僅かの間の後、こう続いた。

「わたしが俗名・大蔦紀重だからです」

嘘である。今日最大の嘘だ。まずそう思った。そんな嘘をこの自分に聞かせてどうしたいのか。だが、ここで何か大きな断裂が生じたような心地を得た。奈落の底で。

「大蔦紀重は六十一年前に亡くなったと聞きました」

「六十一年前のことだからこそ、正確に知る人がいなければどうにでも言いくるめられましょう。わたしはこの世の明るみしか見ない習いに愛想が尽きて、ここに、この暗闇に、六十一年棲むことにしたのです。そのためにいくつか、世に自分が死んだと思わせるための仕掛けを施しました。著名でなかったので容易いことでした。

とはいえ」

また一呼吸あって、

「ここで大蔦の詩である、としてわたしから聞かされた言葉が、外の明るみの中で真正のものと考えうるとも言えません。なんの証拠もないのです。お聴きになりますか？」

全く今、暗がりの時間にいるのだな、と思った。「明るみの中では」無用の虚偽の、そもそも最初から目に見えない、無意味の時間がここにある。

ではいただこう。影の中でこそ聴く。豫登美教授と飛鳥井氏が、陽のあたる下で思うならただ馬鹿馬鹿しい、蒙昧《もうまい》な呪術的発想を育てたのは、定めて大蔦詩の経験あってのことだろうと、これも影の中でこそ埒《らち》もない憶測が進む。

憶測なのに確信している。あるいはまた、彼らのように八〇年代から九〇年代、洗練を極め知の高みに立って憧れられた文化人らの多くが、内心に邪教徒の発想を保っていたのではないのか、他者の魂を食って栄えようとしたのだと。そう信じていたのだと。知識人たちの輝かしい表側からは見えない謬見《びゅうけん》が影の時間で、いや決して魂喰いなど、そんなもの事実ありはしないでも、その愚昧《ぐまい》な思い込み、その愚の力あっての知的栄達であった、など。

光の下に戻った時、志岐青年に伝えるがいいだろう、自分は、魂喰いだと知った。

豫登美先生の魂を食ったのは自分である。これからも存分に他者の命を喰らって生きようと思う。など。明るみの中でそれが伝わるかは知らないが。そもそも自分が、光ある所に出てまでもそんな迷妄を保ち続けているかどうかも知らないが。

「お願いします」と答えた。

そして朗唱は始まった。

note◆バブル華やかなりし頃からのニューアカ・ブームの裏面史として、オウム真理教のような新興宗教が人々の心の隙間を埋め、また多数の幻想文学が人知れず読み継がれていました。これらを表層的に別個のものとして捉えず、内実においては連続しているのだと理解するというのが、ひょっとすると本作の試みなのかもしれません。もはや高原文学をひもとく愉しみのひとつとなった架空の（？）詩人が出てきますが、それがあながち虚構とも言い切れず、本当にあったかもしれないと思わせる筆力、虚構と現実の被膜が剥がされるスリルに本作の醍醐味はありましょう。（晃）

小さな者たち

—M氏の暗黒夜話—

最合のぼる　文・写真

M氏がその写真を初めて目にしたのは、十歳になるかならないかくらいの頃だった。心霊写真ばかりを集めた怪しげな本の、後ろの方のページに載っていたそうだ。なぜM氏がその写真集を持っていたのかは、よくわからない。怖がりなM氏が自分で買ったとは思えないし、両親が買い与えたとも考えにくい。その頃M氏の家では、近所の少し年上の子供いる家庭から読み終わった漫画や子供向けの推理小説などを譲り受けることがあったので、その古本が詰められた段ボール箱の中に紛れていたのかもしれない。とにかく他の恐ろしい心霊写真とは明らかに違うそのページに、M氏は強く惹かれたのだった。

そこは森の中だった。巻き毛も愛らしい外国人の少女の周囲に集うのは、背中に薄い羽を持つ手のひらほどの小さな者たちだ。軽やかに踊っているようでもあり、ひそひそと囁き合っているようでもある。

その姿は、当時のM氏お気に入りの物語だった『ピーター・パン』に登場する、ティンカー・ベルそのものだった。写真に一緒に収まる少女たちは、彼らの存在に驚く様子もなく、むしろ親しげに微笑み返している。M氏は思った——もし自分だったら、こんな風に彼らに接することができるだろうか。たぶん物凄く緊張して、もしかしたら逃げ出してしまうかもしれない。きっとこの女の子たちは、彼らと友だちなのだ。何てうらやましい。私も会いたい。会って、できれば友だちになりたい——と。

子供のM氏が、その存在を思い込むのには充分すぎる写真だった。何にせよ、少しだけ空想癖のあるM氏の中で、物語が現実になった瞬間だった。

私はネバーランドに行くこともなく、つまらない**大人**になりました。

宝箱に入れた**チョコレート**のおまけのカードも、いつの間にかなくしてしまいました

真夏の夜に、何度か刹那的な恋もしました。

しかし**悪戯好きな**パックに出会うことはありませんでした。

それでも感じる微かな気配

微かな気配

微かな気配

M氏は大人になっても、折に触れ小さな者たちの姿を探した。探していることは決して口外しない。そんなことを人に話してみたところで、馬鹿にされるか変人扱いされるだけだし、何より秘密にしておくことが彼らに対する礼儀のような気がしていた。M氏は、いつも一人で、ひっそりと行動した。

特にM氏が頻繁に出向いたのは自宅から車を三十分ほど走らせたところにある、大きな城址公園だった。緑に覆われた堀の跡があり、桜の古木や大きな楠木などが森のように生い茂っている。公園の奥まった場所には小さな池もあり、彼ら好みの場所に違いないと考えた。特に秋から冬にかけては、低い位置を通る太陽の日射しが梢の間から斜めに差し込み、大気中に漂う塵がきらきらと輝く。そんな時、切り株に生えた茸の上や堆積した落ち葉の隙間に彼らの姿が見えないものかと目を凝らした。しかし四季を通じて何度何年通っても、M氏が彼らの姿を目にすることは、終ぞなかった。

ほんの微かな

それは**突然** 訪れました。

そっと　そっと

そっと　そっと　そっと

気配はそっと近づく

そっと　そっと　そっと

そっと　そっと

ある晴れた日の、昼下がりのことです。
私は部屋の窓を開け放して微睡んでいました。
陽光の匂いと頬を撫でる風が心地良く、とても穏やかな気持ちでした。
ふと瞼の裏にチラチラと輝くものを感じたのです。
朧気に目を開けると、ベランダの欄干の上に野球ボールくらいの〝何か〟がいます。
それは、前屈みになってこちらの様子を伺っているようでした。
私が見ていることに気づくと、慌てて姿勢を正し、
被っていた帽子をひょいと持ち上げて、挨拶のような仕草をするではありませんか。
もしや思った次の瞬間、煙が風に絡めとられるように消えてしまいました。
私は、彼が何者かすぐに理解しました。
ようやく出会えた小さな者は、薄羽を持つ可憐な少女の姿ではなく、
黒っぽい背広を着た冴えない感じのおじさんでした。

あの時、私はたぶん彼らの粉を浴びたのでしょう。
それも少し**毒のある粉**を。
その粉は、今の稼業に少なからず影響しているように思います。
何しろ私が飛んで行くのは、いつも**闇の中**だからです。

最合のぼる／物語作家
タイポグラフィや写真などを駆使し、視覚に訴えかける物語世界を構築する。文章表現を発展させた活動も顕著で、朗読やアートワークも手がける。現在、五人の幻想系少女画家との暗黒メルヘン絵本シリーズ全五巻（アトリエサード刊）を連続刊行中。最新刊となる第四巻（須川まきこ／絵）は今秋刊行予定。トーキング・ヘッズ叢書にて「ダークサイド通信」シリーズ、「M氏の暗黒日記」シリーズを連載中である。

妖精地を巡る旅

●文＝川幡昭子／写真＝川幡幸男

フェアリー協会長の井村君江先生は、三十数年前に明星大学の英語英文学科で教鞭をとり、日本オスカー・ワイルド協会長をなさっていました。私が大学四年の時に「井村ゼミ」に入り、ワイルドのサロメに関する講義を受けて、大変お世話になった恩師です。先生の教授室ドアの刷りガラス部分にワイルド協会の文字がありました。このドアを開けることは、本の中にある夢の扉が開くのと同じでした。今は妖精にまつわる新しい発見の扉を開くフェアリー協会で楽しく学んでいます。

二〇一八年六月、百年目を迎えたコティングリー妖精事件の写真が撮られた妖精地、コティングリーの小川へおもむく旅が実現し、井村先生、フェアリー協会の友人方、息子を伴って訪問しました。紀行の写真は息子が担当しました。

1. ミュージアム

（ヴィクトリア＆アルバート博物館）

六月一五日（金）旅の最初に、装飾の殿堂といわれるヴィクトリア＆アルバート博物館を訪れました。通路のある一角に階段から天井、壁面まで装飾で埋め尽くされていた所があり、空白や隙の無い細密さに息をのみました。ワイルドの美を表現する文章が隙がなく極まっていて、むせかえる感覚と似ていました。階段装飾を目にした時、一九六〇年三島由紀夫が監督・演出した演劇「サロメ」の舞台背景にあったビアズリー階段がよぎり、一歩登るたびに劇世界に入っていく気分になりました。

ヴィクトリア＆アルバート博物館は芸術家にとって、ひらめきの宝箱ともいわれているそうです。ここを訪れていたワイルドは、球体

ビクトリア＆アルバート博物館

のクリスタルシャンデリアを見て何を思ったのでしょうか。日を変えて舞台衣装にリバティ・シルクをワイルド自ら求めた、とガイドブックにありましたので老舗百貨店リバティの生地売り場まで見に行きました。シルクはたいへん高価で、光沢と感触の滑らかさが素晴らしかったです。

ワイルドの栄光に輝いた日々は、ヴィクトリア&アルバート博物館と老舗百貨店リバティに追いました。影の日々を追ったのは、旅の最終日の深夜、タクシーの車窓から垣間見たレンガ造りのレディング監獄でした。井村先生はワイルドがご専門ですから、収監されて「獄中記」を書き上げた「C.3.3.」の場をすでに確認されたとのことでした。心のどこかにワイルドの足跡を追いながら、妖精地を巡りました。

2. キューガーデン

六月一八日(月)キューガーデンを訪れました。

憧れの温室、パームハウスを見るため、入場券売り場のヴィクトリアゲートを通ってしばらく行くと、細長い形をした温室が見えてきました。目の前に来ると想像していたより大きく、どっしりと感じました。乾燥した外気から一歩中に入ると、入り口ドア付近に置かれた機器から水蒸気が勢いよく流れ、室内はムッとする熱帯の温度と湿気に満ちていました。二階の展望通路へと、白いらせん階段を登ると、手すりは蒸気にさらされてか白いペンキの塗装面がはがれて、焦げ茶の鉄の地が大小に丸く出ていました。水に朽ちる白ペンキと、水に繁茂する土の植物が対照的でした。展望通路は手吹きガラス製の壁に接して、アーチ型の天井に近いので眼下に日が射し、視界が開けました。世界中から集められた珍しい熱帯植物が五大陸別に植栽された様子は、ハウスに敷かれたみずみずしい緑絨毯のようで、南国植物への憧れが花開いた世界でした。上ってきた階段の螺旋のイメージに、小さい頃近所で見つけたもじずりの、茎にくるくる巻いて

温室内の螺旋階段

連なる小花が重なりました。梅雨の湿った土に気まぐれに群生してくる野趣と、ラン科特有の高貴な紫一歩手前の濃いピンク色が、咲いている場所を教えたくない秘密にしておく野草でした。百人一首で河原左大臣が歌った「しのぶもぢずり」からも、秘するところに醍醐味のある花というのが伺えます。左大臣が宇治に構えた別荘の跡近くに建つ「源氏物語ミュージアム」へ盛夏に訪れた時、玄関先の植栽に紫式部が可憐な薄紫色の実をつけていました。その灰がかった薄紫色にはいつも、ワイルドのサロメ初版本の装丁を飾ったモーブ色を思い起こします。

めぐり逢いて 見しやそれともわかぬ間に 雲隠れにし 夜半の月かな の一首がサロメ劇を凝縮したもののように感じられるからです。

3．グリーン・ノウの庭

六月一九日（火）児童書「グリーン・ノウ物語」シリーズ（ルーシー・M・ボストン著）の舞台、ヘミングフォード・グレイの領主館を訪れました。

この領主館は、人が居住しているもの

アリウム花壇

バラ花壇

では英国最古の一つとされ、一二三〇年に創建された分厚い石造りの棟を含む二階建ての館です。火事にあった時も石造りの棟だけは焼け落ちず、今に至っています。二階の石造りの居間に入ると、壁には石の地がそのまま出ていて、石の蔵に入ったようにひんやりとしました。ダイアナさんのご説明によると、マグナ・カルタ憲章発布（一二一五年）当時、居住されていた方がこの間で憲章談議をされたにちがいない、とのことでした。

見学の最後にセレブレーション・ローズと呼ばれる特別な時にお客様へワインと共にふるまわれる、ボストン夫人が特にその香りを愛したバラを、ダイアナさんに頼んで見せていただきました。その香りは、憶えておこうと力むほど記憶の網をすり抜け、ほのかに甘い印象だけを残しました。

ヘミングフォード・グレイの領主館

イチイのトピアリー

白壁小窓

セレブレーション・ローズ

4. コティングリーの小川と丘

六月二〇日（水）百年前のコティングリー妖精事件の起きた現場、妖精写真の撮られた小川を訪ねました。今回の旅の大きな目的地です。コティングリー渓谷にある小川は、ロンドンのキングス・クロス駅から北方面に高速鉄道で約三時間ほどのシプレーが最寄り駅、ヨークシャー州ブラッドフォードにあります。東海道新幹線でいうと東京〜大阪間の距離感でした。

小川の入り口は、個人宅の庭を通った奥にあります。ご主人の許可を得て案内され、急な階段をおりた先に、大人ひとりが通れるほどの小路そばに小川は流れていました。ささやかな水音と、すぐ向かいの森斜面奥から聞こえる鳥のさえずりがこだまします。足元の石畳、すぐ脇の石壁に反響し、深い森の木々にざわめいて揺れる、いく筋もの木洩れ日の光に還っていきました。川面に揺れる清水から感じられたリラクゼーション効果に時を忘れて、百年前、エルシーとフランシスが自然と戯れる姿がすぐそこにあるようでした。

次に、井村先生がかつて訪れたことのある、小

石畳と石垣そばを流れる小川

石橋の上を行く

石塀

丘からの眺め

崩れた石塀近くの苔石

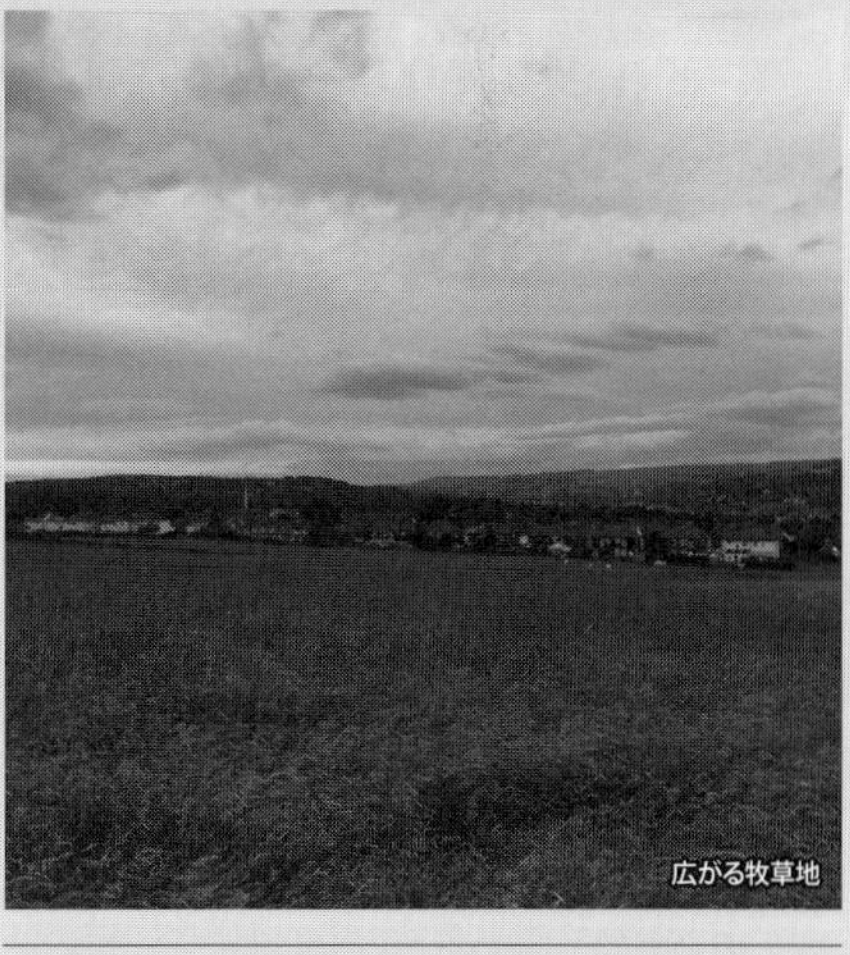
広がる牧草地

ケルトの石

川上流にある丘を目指しました。丘への入り口らしき木戸を見つけた辺りから景色が一変し、新興住宅地から馬が草を食む牧草地になりました。木戸を開けしばらく行くと古い石橋があり、橋の下を流れる川は、今し方やって来た下方へと流れていきました。橋を渡って坂道をのぼる左手川沿いに、平たい石を何枚も積み重ねた低い石塀があらわれ、丘の上全体の周囲をぐるりと地平線上に築かれているように見えました。遠目にもう一カ所木戸が見え、戸の向こうに小さく馬の姿がありました。地平線いっぱいに広がる牧草地に、六月の黄やピンク色の野花が一斉に咲いた丘の上の台地は、月夜には妖精たちの踊る天然の円形舞台となるでしょうし、妖精のすみかとされる円形石砦のようでした。

少し崩れた低い石塀のそばに、苔むした半円型の石がありました。息子に「ケルトの石だよ」と声をかけて見ました。苔石は、大昔から森と川と丘を見守ってきた地母神のようで、クリッとした頭のお地蔵さんの姿をして佇んでいました。ケルトの時代、丘は土地の広大さから、祭祀の場というよりは居住地としてあったように思われました。

5．リーズ大学 ブラザートン・コレクション

六月二一日(木) 百年前の英国コティングリー妖精事件の関連資料を収めたリーズ大学図書館「ブラザートン・コレクション」を閲覧するため、西ヨークシャーのリーズ市を訪れました。

ブラザートン・コレクションは、毛織物産業で成功したアダム・ブラザートン氏が蒐集した一七、一八世紀英文学の著名な作家や詩人の手書き資料など、想像力と創造性の洞察を行う上で貴重とされるものや、芸術、科学分野、言語の専門書を所蔵しています。

手続きを済ませると閲覧室に案内され、注意事項を受けました。メモに使用できる筆記用具は鉛筆のみで、インクの液だれを防ぐためボールペンや万年筆は不可とのことでした。指示に従い、カバンなどの荷物をロッカーに預けて入室すると、保管庫から数点の資料箱が出され、箱ごとに重さを計り記録されました。閲覧中に資料の紛失があればすぐに明らかになるようでした。返却時には再度計量し、記録値と照らし合わせ増減の無いことを確かめてから、退室となりました。

箱の中は、十数冊のファイルに仕切られており、妖精写真の試作の数々、コウモリや羽のついた小人の妖精イメージを起こしたイラスト、知人に宛てた肉筆メモなどがありました。エルシーとフランシスの妖精イメージの源泉に近づき、写真完成までの道筋をたどった密な時間となりました。試作写真とイラストを見ていくと、一枚の写真枠に、人と妖精が自然の中に調和して収まるよう、姿形が次第に整えられていく過程が伺えました。人が着る服装や帽子のデザイン画の数々からは、アイディアを出し合って工夫を重ねていく楽しさを感じました。妖精写真は楽しみの中から生まれたもので、いかに本物に見せてみなを驚かそうという野心よりも、純粋に遊び心からきているように思いました。

ブラザートンコレクション閲覧室前

6．シェイクスピアのグローブ座

六月二二日(金) サザーク地区にあるシェイクスピアのグローブ座を訪れ、この日最終の見学ツアー(一二時半から三〇分ほど)に谷津さんと息子の三人で参加しました。

希望する言語のガイド説明書が一枚配布されたので、日本語訳を手にして進みました。現役の俳優さんの、軽妙なセリフ口調を交えた劇場ならではのガイドぶりで、四百年前のシェイクスピア時代にあった劇場小屋を正確に再現するため、建材一つの検証から始まった完成物語を説明されました。案内は、「展示と見学館」の一階から始まり、世界中から集められた寄付者名鑑の壁を進みました。ひとりひとりの直筆サインが綴られた金色の表札が壁一面に張りめぐらされ、ここに設立の寄付をされた井村先生のサインがあるということで探しましたが、移動が早く見つかりませんでした。あらゆる言語のサイン綴りとその膨大な数から、シェイクスピアが国を越えて世界中の人々に愛され、影響を与えていると感じました。二階には豪華なレース飾りをつけたドレスが並ぶ衣装のコーナーや、劇中に演奏されたであろう古い時代の楽器を再現して、音を聴くコーナーなどを見ていきました。最後に「サム・ワナメイカーの芝居小屋」二階の観客席に移

り、正面の舞台を見ながら説明を受けました。
緩やかな円形カーブをえがいた二階席は、どこからでも目の前に舞台がよく見えました。舞台で最も目を引いたのは、張り出し屋根に描かれた「天体十二宮図」の象徴装飾、鮮やかな群青色の空に舞う十二宮星座たちの姿でした。

現舞台にはセリが設けられ、実際の作動はされませんでしたが、上層階の屋根裏の間から神や天使を演じる役者が降りたり、舞台下スペースの奈落から亡霊や魔物が上る演出がなされるようです。舞台左右に、「ヘラクレスの柱」とよばれる二本の支柱が両端を縁どるように立てられており、オーク(樫)の幹に茶褐色に白が混じる大理石の塗装がなされて、天界と地上を支える役目を担っているそうです。今回は舞台の見学と説明のみでしたので、セリに仕掛けられた天界十二宮、地上、地下界を貫く高低差を最大限に演出した劇の様子を観れなかったのが残念でした。

ワナメイカーのブロンズ像と

シェイクスピア戯曲にちなむ花の花壇

妖精地を巡る旅において、グローブ座の円形舞台は、「夏の夜の夢」や「テンペスト」に出てくる自然の精霊であるスピリットや妖精と人間が一つ舞台にのぼる〝人工の円形舞台〟に思えます。対して〝天然の円形舞台〟は妖精たちのすみかとされる円形石砦、コティングリーの丘です。自然の精霊と人間が同じ舞台上で演じられるという点では、日本古来にある狂言の、松の木の精を前にして草の台地で舞われる〝芝居の間〟にも通ずる気がします。四百年前の昔、ロンドンにあった円形の芝居小屋で、ロウソク光がゆらめく中、超自然の者たちとの交流劇を楽しむ人々の姿を想像すると、どこか直線的な境界線がゆらめいて、演ずる者と観る者の仕切りや時代の線引き、舞台の置かれた洋の東西の境界線までも消し去ってゆく気がします。

7. 英国占星術協会・会場

（ウォークフィールドパーク 領主館）

六月二三日(土)英国占星術協会主催の夕食会、グランドディナーに出席のため、レディングのウォークフィールド パーク領主館を訪れました。瀟洒な領主館には、広大な敷地内にゴルフ場を併設、宿泊施設、大宴会場を備えていました。二〇一八年は協会創立六〇周年、大会開催五〇回目を迎えたので式典会場となったようです。

今大会のテーマは「Diamonds in the sky」、六月二二日から二四日までの会期でした。星のモチーフを取り入れた服装で出席とのことで、白に輝く星のドレスに身を包んだ方などがいらして星の祭典に来たようでした。

井村先生方は大会の研究発表の部から出席され、私たちは夕食会から加わりました。研究の発表を終えた天文学や占星学の学識者の方々と、各国から集まった大勢の参加者が一同に会しての催しなので、大広間には八人掛け丸テーブルが所狭しと並び、前方に設けられたステージで司会者がマイクに立って乾杯の挨拶で始まりました。前列右端の丸テーブルに隣同士で研究発表されたメンバーと井村先生が着席されました。本学会にお招きいただいた鏡リュウジ氏が、「She is a legend……彼女は伝説の人で……」と

バルコニーの夕焼け

先生の紹介をされ、お二人は直ぐに研究内容の話に入られたご様子でした。すでに伝説のような足跡を残されている先生にぴったりのご紹介の言葉と思いました。

午後十時前、帰りの時間になって夕食会場を退出しバルコニーに出ると、地平線までなだらかに続くゴルフ天然芝の空に、夕焼けが始まっていました。夕焼けといっても、空全体がパステル調ピンクから深い紫へ刻々と変化する虹の女神のドレス色のようで、皆の目は離せませんでした。日本の空に焼けるだいだい色は日暮れの郷愁を誘いますが、ピンクから青みを強めて日の輝きを残す鮮やかな紫へと変わるのは、醒めてほしくない夢へ誘う白夜の地の黄昏、誰そ彼でした。一九六二年、兄妹デュオ、ニノ&エイプリルが「夢のディープ・パープル」を歌って世に出しましたが、歌詞の演出でなく、現実の空に紫を目の当たりにして仰天しました。

普段は意識もしない地球の自転速度で昼から夜へ移ろう中間色、深い紫の夢色(deep purple dream colour)の空は妖精地へ誘う色、巡ってきたどの地も夢の中にいるように印象づけ、旅の終わりを告げているようでした。

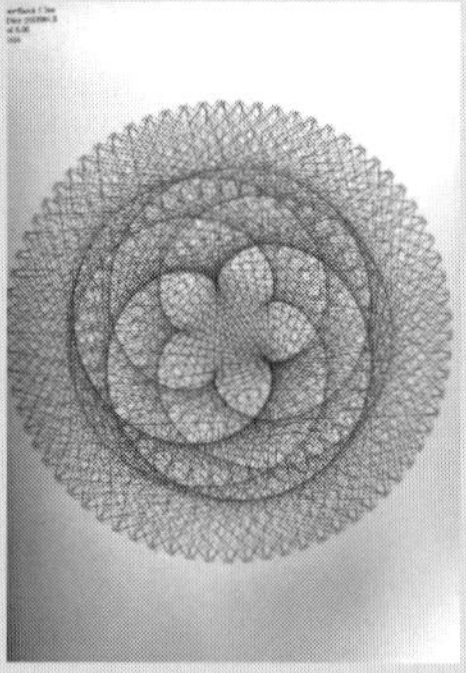

私たちはレディング駅へタクシーで向かいました。運転手さんに途中、ワイルドが「獄中記」を執筆したレディング監獄へ寄るように手配がなされました。着くと深夜で真っ暗になり、街路灯もない暗闇に目が慣れてくると、車のヘッドライトにぼーっと浮かぶ監獄の姿が見えてきました。塀の上から出ている単調な三角屋根と、茶色いレンガ壁の建物でした。車窓からそっと垣間見るだけで、獄中から苦悩が迫ってくるようでした。

ワイルドが服役した一八九五年より二年間に書かれた獄中記の原題はラテン語のDe Profundis「深い淵の底から」、旧約聖書からの引用で、かつて先生はワイルド研究のために許可を得て、執筆のC.3.3.の場を確認されたと車中で話されました。完全な様式美をふわりとまとったワイルド像は、獄中という影の日々に苦悩し、健康を損なっていったひとりの人間の実在を痛感することになりました。先生はまた、服役後、亡くなるまでの三年間に書き上げた最後の作品、「レディング監獄のバラード」の一節が刻まれた墓碑を確認するために、フランスのペール・ラシェーズ墓地へも赴かれたとのことです。著書「サロメ図象学」、サロメのさまざまな解釈の項に、〝ワイルドは、幼くして死んだアイソラの髪の毛を、死の床に至るまでずっとしのばせ持っていた。永遠に純粋な妹の姿は、象徴として、ここでサロメに重なるのである〟とあり、注釈には『ワイルドの実の孫であるマーリン・ホランドと話しているうちに、私にはサロメの映像と妹アイソラの映像とが重なってきたのである』とありました。ワイルドの書いたサロメ像の背景には金髪の妹、アイソラがいるように感じました。初版本の装丁色はモーブといわれる灰がかった紫で、仏語から英訳したアルフレッド・ダグラスの金髪に映えるのでワイルドが選んだとされています。モーブ色をした本の表紙は、ワイルドにとって、醒めてほしくない夢を開く扉だったのではないでしょうか。

フェアリー協会入会のご案内

妖精を愛し、興味をお持ちの方は、ぜひフェアリー協会にお集まりください。

フェアリー協会は、平成6年11月24日に、
それまでの「妖精の会/Fairy Research Foundation～妖精とその仲間達の集い」を改め、
「フェアリー協会/Fairy Society」として再出発、
芝公園にて記念行事「妖精クラッシックとバレエの夕べ」を開催しました。
会長に井村君江、名誉顧問に水木しげる・荒俣宏・天野喜孝・濱野成秋・新美康明・守安功・
鏡リュウジ・和泉節子・福田富一・鎌田東二の諸氏が就任。
会報『妖精の輪～Fairy Ring』を刊行しています。

◎フェアリー協会

<会 長> 井村君江

<副会長> 井上光夫、吉田孝一

<名誉顧問> 故・水木しげる(漫画家)、天野喜孝(画家・イラストレーター)、荒俣宏(博物学者・妖怪評論家)、
和泉節子(狂言プロデューサー・和泉宗家)、鏡リュウジ(心理占星術研究家・翻訳家)、
鎌田東二(哲学者・宗教学者)、新美康明(牧神画廊代表、箱根ドールハウス美術館館長)、
濱野成秋(ポストモダン作家・日本ペンクラブ会員)、福田富一(栃木県知事)、
守安功(アイルランド音楽演奏家)

<顧 問> 上野通子(参議院議員)、大貫隆久(宇都宮東ライオンズクラブ会長)、
戸田和子(創作人形作家、国際現代美術家協会(ima)常任理事)、
若月まり子(人形作家、創作家)、加藤尚子、関井宏一、仙石佐知子

◆入会金 1,000円

◆年会費
個人会員 3,000円
家族会員 5,000円
団体会員 10,000円

◆会費振込先
ゆうちょ銀行口座より：(記号)001301-(番号)779103
他銀行口座より:
ゆうちょ銀行 (店番)019/当座/(口座番号)0779103

◆入会ご希望の方は、上記会費をお振込みのうえ、
①お名前 ②郵便番号 ③ご住所 ④電話番号
⑤自己紹介や入会の動機(妖精or井村繋がり)などを下記までメール下さい。
吉田孝一(事務局) happyk814@topaz.ocn.ne.jp
(メールの題名を【フェアリー協会】と明記お願いします)

フェアリー協会(事務局)：宇都宮市昭和1-9-4 井村君江方

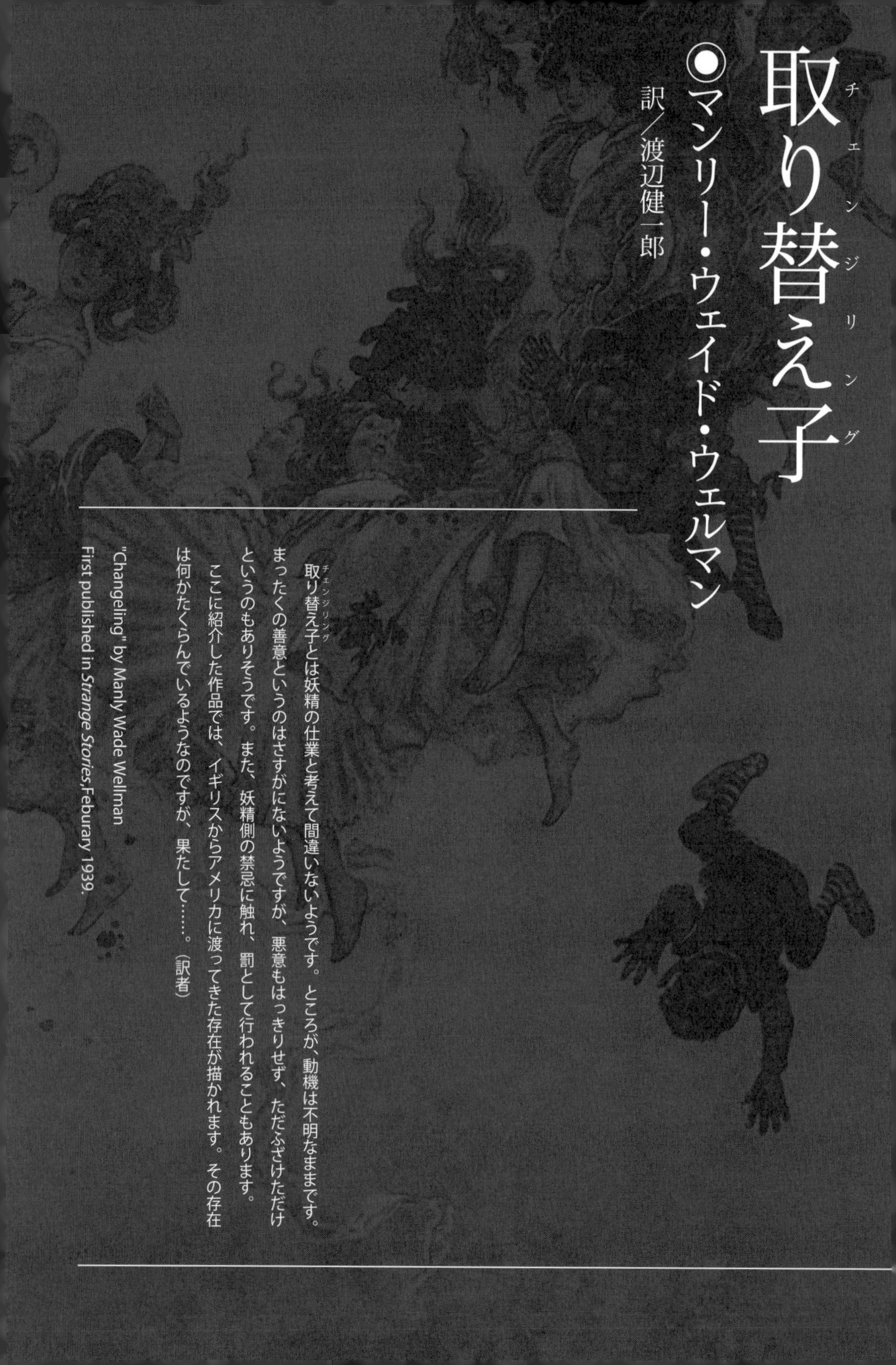

取り替え子《チェンジリング》

◉マンリー・ウェイド・ウェルマン
訳／渡辺健一郎

取り替え子《チェンジリング》とは妖精の仕業と考えて間違いないようです。ところが、動機は不明なままです。まったくの善意というのはさすがにないようですが、悪意もはっきりせず、ただふざけただけというのもありそうです。また、妖精側の禁忌に触れ、罰として行われることもあります。

ここに紹介した作品では、イギリスからアメリカに渡ってきた存在が描かれます。その存在は何かたくらんでいるようなのですが、果たして……。（訳者）

"Changeling" by Manly Wade Wellman
First published in *Strange Stories*,Feburary 1939.

ワウケタの町で起きた一連の死は、きちんと解明されていないままだ。当時も、現在も、町の住人は理性的に話そうとしても、言葉が出てこないのだ。新聞は常よりもつかみどころがなかった。渦中にいた当事者で、今日《こんにち》唯一の生き残りは、記憶がはっきりしなかった。

彼は年寄りというわけではない。デヴィッド・ゴールは当年三六歳である。しかし、教授職にあった父親に連れられ、ダーウィッド・エヴァンスの許《もと》を訪れたときには、まだ八歳。当然ながら、その記憶は奇抜なキルトさながらに、色鮮やかな部分とぼんやりした部分が入り混じっていた。

ワウケタで子供の受ける印象は、その夏、どの中西部の寒村で受ける印象とも変わりはなかったろう――埃っぽい乾燥した空気、眠たげな馬に壊れた箱車を牽かせるオーヴァーオールの農夫たち、風がひとつも動かない中、太陽が頭上に燃えている。

真鍮の装飾がついたゴール教授の自動車は、メインストリートで停まったとき、すぐさま、あたりの穀《ごく》つぶし連中の注目を惹きつけるだけの目新しさはあった。集まった顔は人懐こそうにみえた。ゴール教授がダーウィッド・エヴァンスの家への路を訊くまでは、だったが。これには誰もが眉をひそめた。

自分と父親に向けられた態度が明らかに豹変したことで、いきなり当惑したのをデヴィッドは記憶している。一団の中でも年かさの男が、厭らしい咳払いをして話し始めた。

「次の角を右だ。その通りを突き当りまで進むんだ。そうすりゃ、やっこさんの花畑が見えてくるだろうよ」またもや咳払いをして、髭に埋もれた唇から、黄色い煙草の汁を器用に吐き出した。「やつに会いたいなんざ、何が目的だい?」

「ありがとう」とだけ教授は答えた。重たげなハンドルを握る教授の目はキラキラと輝き、手入れされた髭の下の口は、ぐっと結ばれていた。真鍮製の飾りのついた怪物めいた自動車が、うなりをあげて目を覚ますと、だれもが退いた。ゴール教授は教えられた角を曲がった。

放たれた敵意が追いすがってくる感触にデヴィッドは怯えた。色の褪せ、塗料の剥げた家並と、荒れたいくつかの庭のあいだを車は走りぬけた。

「お父さん、あそこのドアに黒いリボンがかかってる」と、少年は言った。「向こうの家にもだ」

「そうした家じゃ、人が死んでるんだ」父親が教えた。

人の死が現実味をもったものとして、まだ理解できないデヴィッドは、ひるむよりは好奇心を覚えた。「たくさん死んでるの?」

「大勢な」父親が答えた。進むにつれ、ほかの家にも、クレープ地を結んだ喪章がかかっているのが見えた。

「みんな、なんで死んだのかなあ?」デヴィッドの次の質問だった。

「そいつを調べに行くんだ」と、教授。

通りの突き当りで、教授は車を停めた。今まで見てきた、ひねこびて荒れた芝とは大違いの、明るい緑の芝生と華やかな花壇が広がっていた。他の庭とは、驚くほど対照的だった。ゴール教授は、心地の良い、みずみずしいほどの花卉《かき》を鋭く見つめていた。その青い目は中に建つ煉瓦《れんが》造りの小屋を捉えるや、冷ややかなものに変わった。教授は細く褐色の手を息子の肩に置いた。

「デヴィッド」優しい口調だった。「おまえを連れてきたのは、助けてほしいからなんだ」

少年は父親が匂わせたものに、その場でおののいた。「ええ、お父さん」

「おまえを危ないことに巻き込むつもりはないが、世の中を救えるときに、まともな人間なら危険を避けたりはしない、そうだろう」

「はい。お父さん」

「よし、気をつけろよ」穏やかな声は熱を帯びた。「この家には、夫婦と女の子がひとりいる。多分、女の子と一緒に遊ぶように言われるはずだ」

「えー、いやだー!」デヴィッドは抗議の声をあげた。女の子と遊ぶのに女々しさを感じる年ごろにさしかかっていたのだ。

「そうしてくれると助かる」強い口調の教授。「いいか、わしには気になっていることがあるんだ——古い書物の中で、なにを疑うべきか、その手がかりは見つけた——が、確信はない。行儀良くしてろよ。女の子とは喧嘩するんじゃない。とはいっても、見極めがつかないうちは、相手の寄こすものをそのまま受け取るのもだめだ。なかでも、食べ物には口をつけてはいけない。そして、何か恐ろしい思いをしたら、声をあげてわしを呼ぶんだ」

「女の子が怖いわけなんてないよ」デヴィッドは頑《かたく》なにいった。

父親は笑いながら、デヴィッドの首筋を愛おしそうに叩いた。ふたりは車を降り、花壇のあいだの敷石を縫って玄関ポーチに上がり込んだ。ゴール教授《プロフェッサー》はドアをノックした。

ふたりの前に顔を出したのは、丸々と太った男だった。身長は、やせた教授ほどもなかった。

背の低いのを補うためなのだろう、男はヒールの高い靴に、頑丈そうな鞣《なめし》革の靴を重ね履きしていて、それに気づいたとき、デヴィッドは、オヤと思って厭な感じがした。ピンクの月のような顔には、とびださんばかりの緑の目と、レンガめいた赤色《トーニーレッド》の豊かな口ひげがついていた。

「ほーい、おふたりさん」聞いたことのない、細切れのアクセントで、デヴィッドらは歓迎の言葉を受けた。「あんたが〈ゴール教授《パーフッソー》〉だなあな。手紙は受け取っておるよ。光栄《ホナード》じゃなあ」

ここではHの発音があった。(後述されるが、夫婦はデヴォンの出身。デヴォンの訛りは、ロンドン下町のコックニーに似て語頭音のHの消長がある)「入んなさい。息子さんの方も」

「ありがとう」デヴィッドの父親は言った。並んでいたデヴィッドの腕に触れて促すと、一緒に家に入った。

正面の居間はブラインドが降りていて、お蔭でひんやりと薄暗かった。華奢なテーブルには凝った装丁の書物が積まれ、部屋の奥の本棚には、さらに書物があった。炉棚には、天蓋状《ドーム》のガラスケースが置かれて、ケースの中には巧みに剥製にされた鳥が入っていた。デヴィッドはその逸品に触れたくてたまらなかったが、初めて訪れた家で、そうした特権めいた要求をしてはならないと教えられていた。

剥製を見つめているうち、後ろのドアから女性が入ってきて、太った男の横に立った。くっきりとした容貌の、やせた女性で、茶色い生地のハイカラーの服は、ひと昔前なら『実用的』と称された格好だ。唯一装飾品めいて、雰囲気を和らげているのは、膨らんだスカートにつけた象牙のバックルだか、ブローチだった――が、それはしっかり留められているにしても、装飾品ではなかった。小さな白い片手がしがみついているのだ――腕も、胴体も見えず、それでも生きていることがありありとわかる!

デヴィッドの胸の鼓動は駆け出し、思わず父親に身を寄せた。手の持ち主が、女性の後ろからするりと現れ、視野に入ってきたときには、スッと気持ちが落ち着くのを覚えた。

少女はデヴィッドと同い年か、もう少し大きい。手足はクモのようにひょろ長く、漆黒の髪と目をしていた。青白い顔は年齢不詳で、その真ん中には、赤く塗られたような菱形の唇。彼女の手は、まだしっかりと女のスカートを掴んでおり、もう一方の手は、自分の水玉のエプロンの端をつまんでいた。子供っぽい仕種には、大人の役者が小さな子供を演じているような、なんとも態《わざ》とらしいところがあった。娘は先ず教授を見た。それからデヴィッドの方を見て、教授に視線を戻した。視線には、不安めいたものが素早く現れては消えた。

デヴィッドが、太った男はミスター・ダーウィッド・エヴァンスだと理解したところで、エヴァンスはお互いの紹介を儀礼的に始めた。「カミさんだ、教授《パーフッソー》」大袈裟な身振りだった。「なあ、お前、ゴール教授は例の裁判のことを訊きにいらしたんだ」にやけた笑顔をデヴィッドに向けた。「これが、ゴール君」それから、男は言葉を切って、緑の目で誇らしげな視線を女の子に送り、「娘だ、教授《パーフッソー》」そして「行儀よくせんか、サラ」発音はセイラだった。娘は攻撃をかわすボクサーのように、いきなり体を上下させた。とっておきの愛嬌を見せるゴール教授をサラはまだ見つめていた。彼女に笑みはほとんどなかった。

ダーウィッド・エヴァンスが続けた。「裁判じゃ、セイラは注目を浴びましてな。花形《スター》証人ですよ、まあ、それ以上はなにもありゃしませんでしたがね」子供のくしゃくしゃな髪をたたいた。

「なんでそんなことに?」ゴール教授が訊ねた。

「最初から、関係していたんですよ」ミセス・エヴァンズが説明を買って出た。「亡くなった人は――誰もが――サラから花を受け取っていました。ベッドわきの花瓶に生けて、夜に亡くなったのだそうですよ」

夫人は細い肩を上げたが、肩をすくめたのか、震えたのか、デヴィッドには判然としなかった。

「当局は事故と思っていたんじゃろうなあ」夫の方が言った「証明はできんかったが――

州の検事とかそのあたりは――毒のある花が混じっていたとか考えたんだろう。そいつが証明できればと、わしもこの娘を法廷に出したんじゃが。サラは能力のあることを証明してしまってな。賢い子だよ。わしが何か言うより先に、菓子を取り分けるみたいにしてなあ、まわりの花を種類ごとに分けてしまった」

「当然、娘さんは信用された」ゴールが話をまとめた。「子供の証言は単純で、隠し立てがないからね、大概は信用されるんだ。当然だろうな」ゴールはサラに笑いかけた。「花には気がついていたよ。この町で新鮮な花なんて、あそこにしかないだろう」

「さようじゃね」エヴァンスは頷き、サラの骨ばった顔を拳と掌で挟んで抱き寄せた。「暑さもひどいし、乾燥もしとる。セイラはここじゃ、朝と夜に花壇の世話をしておるんじゃ。苗木に、水やり、雑草抜き――庭師の守護聖人並みさね」デヴィッドは、少女が向けられた笑顔にひるんだ気がした。

「あんた、この子が魔法でも使ったと思ってるんだろう、みんな、そうさ。ともかく、裁判はそこで閉廷。お偉いさんは、警察より医者を呼んで解決しようとした」

「まだ、人死には続いているようですね」ゴールが言った。

「まさに、そのとおりさね」ミスター・エヴァンズは自分の考えに、ほとんど嬉しそうにいった。「あんまり同情はできないね。どんなつもりだろうと、みんな、わしを疑って嫌ったわけだし。セイラから花を受け取る人間も、もういないだろうよ」ミスター・エヴァンズは愛おしそうに娘の顔を見下ろした。「いい娘《こ》だから、デヴィッド君と遊びに行くんだ」

「ここがいい」彼女は軽く抗《あらが》った。ざわめくような声で、おとぎ話《フェアリー・テール》のハチが話したとすれば、さもありなんといった声だった。娘はゴール教授から目をそらさないままだった。

「こちらの、センセイとさしで話したいでな」ミスター・エヴァンスは娘を宥《なだ》めにかかった。「わしらの記事を書いてくれるんじゃ――州立大学の記録とか、なんだかんだになるとか」

サラの方は父親ほどには感心しておらず、歓迎もしていなかった。教授の目をとらえたデヴィッドは父の要請をかぎつけた。

「おいで、サラ」デヴィッドはすぐにこういうと、サラの手をとった。乾いた細い指は、陽に干された小枝の束を思わせた。サラは黙ったまま、彼が手を引くに任せ、ドアから出て、芝の上に降り立った。デヴィッドは掴んでいた手を放し、お互いに向きあった。

「さてと。何して遊ぶの?」サラが言った。

「女子の遊び? ままごとでもする?」デヴィッドとしては、気晴らしとしては軟弱に思えて考えるのも嫌だったが、父を助けるつもりでいた。

「ままごと?」娘はオウム返しにいった。「わたしには、小さな自分の家がちゃんとあるのよ」

相手に好意を持たない大人の口調に混ざる重苦しさが、彼女のデヴィッドに対する口調にもあった。むかつきはしたが、ここは関係を良好に保っておく手だ、デヴィッドはできるだけニコニコとしていた。

「こっちよ」娘は乾いた手を彼に握らせた。煉瓦《レンガ》小屋の角まで、デヴィッドを引っ張っていく。彼は花壇を見て、黙って目を丸くした。初めて目にする花々だったが、どこかしら肉感的なところは、南方のジャングルを描いた絵で見たものに似ていた。暗赤色《ブラッド・レッド》、藍青色《インディゴ・ブルー》、緑黄色《カナリー・イエロー》――鮮やかな色彩がデヴィッドの目を捉え、同時に灼《や》いた。麝香《じゃこう》めいた甘やかな芳香が立ち昇り、気がつけば、いくつもの芳香に陶然となっていた。

「この花は何というの?」デヴィッドが訊いても、サラは首を振るばかりだった。

「そんなの知らない」

「なら、君のお父さんに訊こう」彼は庭に背を向けた。サラはその腕にしがみついた。

「父も知らないでしょうね。さあ」

サラはデヴィッドを裏庭に引っ張って行った。

そこにも、草花や灌木がこんもりと茂っていた。

けれど、デヴィッドが今となってはっきり思い出せるのは、ツタ垣のようになった小さな小屋か四阿《あずまや》の光景である。ツタは染め上げたような、くっきりとした緑で、多くの固く、青白いツボミが、そこここに散らばっていた。

「この花は夜に咲くの」サラは言った。彼女がツタを脇にのけると、モグラ穴ほどの小さなドアが現れた。「どうぞ」それはサラが初めて見せた好意だった。

「きみのご両親には小さなドアだね」デヴィッドは自分が遊び場にしている裏庭の小屋を思い出した。父親もちょいちょいやって来ることがあり、つい先週も、鳥が卵を産むのをふたりで助けた。

「わかってるわ」娘はそれだけ答えて、中に入るのに腹ばいになった。そして、トカゲよろしくするりと入っていった。デヴィッドは彼女より小柄にもかかわらず入るために、悪戦苦闘しなければならなかった。

中は薄暗く、好奇心をそそられたが、居心地がいいとは言い難かった。例えば、床が涼しいのは芝に覆われているからだ——それでも、床は硬く感じられ、陽の光がない中では足許がどうなっているか不安だった。壁には、桃色の滑らかそうな材質が一面に拡がっていた。デヴィッドが触れると、天鵞絨《ビロード》並みの柔らかさに比べ、表面はざらついていて、いきなり桃の表面に触れたときの嫌な手触りがした。繊維か、成長した地衣類か区別はつかなかった。今でも、デヴィッドには区別がついていない。

サラは尻を落としてしゃがんでいた。子供の仕草だ。剥き出しで骨ばった両膝が突き上げられている様子は、コオロギの後脚に見えた。

「何か食べる？」サラが訊いてきた。

「お父さんには、お茶の前には何も食べるなと言われてるんだ」デヴィッドは断った。どこに食べ物があるんだと不思議だった。この秘密基地《プレイハウス》には、戸棚はおろか、なんの家具もなかった。見たところ、床も壁ものっぺりとして、仕舞場所の見当もつかない。

ちょうどそのとき、反対の角から、ため息とも呻《うめ》きともつかないものが聞こえた。

デヴィッドは猛然と立ち上がり、ドアにとびつこうとした。だが、サラは——サラは何の怯えも、驚きも示してはいなかった。彼女はしゃがんだまま方向を変え、立ち上がりもせず、部屋の奥へと向かった。後ろから見ていると、まさにカエル跳びといった按配で、二回ほど跳んだ。そこでサラは両手を使って地面を叩き、草の束を小さな暗い穴に押し戻した。

「これで大丈夫」サラはぼそりといった。

保証するような物言いは、デヴィッドへ向けられたものらしかった。デヴィッドは立ち上がって——天井は充分に高かった——サラの方へ一踏み出した。サラは、デヴィッドにさがるように合図すると、穴の上に屈みこんだ。ふたたび湧き上がるうめき声。それはいきなり言葉になった。

「オレたちはハラが減ったぞ」吐き出すような声だった。

黙って、デヴィドは微笑んでいた。少女は腹話術の芸を見せようとしているのだ。ヴォードヴィルの劇場で見たことのあるやつだ。デヴィッドがそう言おうとしたのを、サラは厳しい顔で制した。またもや、暗い穴から声が響いた。

「人が死んだときだけ、オレたちは増えるんだ」声は不満げに言い募った。「わかってるだろうな」

「でも、わたしは疑われているのよ」言い争いが始まりかけた。「誰も花を受け取らないし……」

「おまえと一緒の子供はどうだ？」見えない相手が割り込んだ。「急ぐんだ。おまえを人間の中に送り込んだのは――」

「黙って！」今度はサラがかぶせる番だった。「もう計画はあるんだから」

サラは空いた場所の奥へ芝を押しやり、デヴィッドの前に立った。デヴィッドはその顔が気に入らなかった。それに、片手を背中に回した様子も。

「誰と話をしていたの？」デヴィッドは訊いた。

サラは首を振って、「何の話だったかも、判らないでしょうね」話をそらした。「さあ、花が欲しい？」

背中に隠されていた手がいきなり現れた。そこには黄金の花があった。黄色でもなく、オレンジ色でもなく、現実の色ではなかった――金色なのだ。母親のブローチの色だ。それとも、去年のクリスマスに校長がくれた五ドル硬貨の色か、あるいは、どこかで見た、高価そうな天鵞絨《ビロード》のカーテンに付いた房飾りの色か。

花はよく開いていて、その中心はまさに心臓――暗く光沢があり、神秘的で、小さな夜の生き物の目さながら――だった。デヴィッドは用心をかなぐり捨てて、それに触れんばかりになった。手を引っ込めたのは、父親の警告を思い出したからだ。かわりによく見ようと身をかがめた。と、だしぬけに嫌悪感に襲われ、身を引いた。

「汗臭いな」デヴィッドは言った。「あの声のした穴から持ってきたやつだろう？」

「あなたにあげる」サラは花を押しつけてきた。ジャケットの胸のあたりに触れるくらい、デヴィッドの方に突き出してくる。デヴィッドがもう一度下がると、同時にサラが踏み出した。神秘的なものの圧倒的な恐怖がデヴィッドを捉えた。

「いらない」かすれた声で断ったデヴィッドは、次の瞬間、出口に向かって身を投げた。必死になって転げまわるうち、家から着てきた服は汚れ、シャツのボタンもひとつとんでいた。身を起こしたときには、太陽の光と暖かさがありがたく感じられた。サラはまたもや横に立っていた。秘密基地《プレイハウス》の壁から抜け出てきたとしか思えなかった。

「仕方ないわね」サラは、譲歩してやるといわんばかりの口調になった。金色の花に対するデヴィッドの恐怖を知ったうえで、蔑んでいるのだ。「向こうの花壇で摘んだ花をあげる、いいわね」ひどく嘲笑する調子だった。「それだったら、ボクちゃんは怖くなんかないよね」

サラは家の横手へ歩いていって、光輝くような植物におおわれた花壇に両手を入れた。秘密基地《プレイハウス》で襲われた恐怖で、まだあらゆる神経が過敏になっていたデヴィッドは、サラを足早に追い越した。玄関から回って父親を捜し、連れだしてくれと頼むつもりでいた。玄関ポーチに近い窓から漏れてくる声を聞くと、ほっとして歩速を落とした。

ゴール教授が丁重に訊いていた。「ミスター・エヴァンス、デヴォンシャーのご出身なんですね」

「うん、こっちへ渡って来たんだ」愛想のいい声がした。「そうだよ、かみさんはハメリカ先住民でね。彼女に連れてこられたんだよ、合衆国へ」

「娘さんは英国で生まれた?」ゴールが訊いた。

「そう、王の善き臣民というわけだ」ミスター・エヴァンスは得意気に言った。「ああ、一歳からは、こちらにいるがね」

「デヴォンシャーですか」ゴールは訊き返した。「面白い伝説があるところですね——小鬼に怪物、魔法の呪文」

デヴィッドは窓を通り過ぎた。もうすこしでポーチに入ろうというところで、サラがすぐ横に立って話し始めた。

「あの花が嫌なら、ほかにも素敵な花はあるわ。ほら!」

彼女が何を言っても、花束《ブーケ》がまともなものに思えなかった。デヴィッドは同じものを見た覚えがなかった。今から考えると、二、三種類は、厳選された温室にだけあるような、貴重で高価なランの花に違いなかった。なぜそんなものが、中西部の家の温室もない庭に存在するのか説明できなかった。ほかにも花があった——長くて白い百合のような花——デヴィッドにはその正体が全く不明だった。そして、緑の太い茎につぼみをみっつ付けた花——つぼみは小さいが膨れ上がって、紫、赤、黄色とどれも色が異なっていた。

デヴィッドが気づかされたこうした点は、どれをとっても贈り物を断る理由として充分だった。心底サラが怖かった。デヴィッドは探るように花束の奥深くを覗き込んだ。葉のあいだにほとんど隠れるように潜んでいる何かにすぐさま気づいた——金色に輝く何か。

「あの汗くさい花を寄こすつもりだろう!」デヴィッドは問い詰めた。

サラは顔を曇らせて、「持ってきなさいよ、バカ」すさまじい声でいって、花を持っていない方の手で、デヴィッドを掴まえた。今になっても、恥ずかしく思うのだが、デヴィッドは恐怖のあまり泣きじゃくり、サラを振りほどいた。彼は脇目も振らずに走り出した。玄関のポーチは高さがあったが、階段を一足飛びに駆け上がり、ノブを掴んで回し、ドアを開けた。

テーブルの周りに座っていたゴール教授とエヴァンス夫妻が、人の善さそうな笑みをデヴィッドに向けてきた。

「やあ、デヴィッド君」丸顔の家の主が声をかけてきた。「お茶に間に合ったね。すぐ用意ができるぞ」

「そうよ」と、ミス・エヴァンス。「今、持ってくるわ」

彼女は立ち上がると、長い茶色のスカートの重ったるい衣擦れとともに、すっと家の奥へ入っていった。

デヴィッドは部屋に入ると、黙って助けを求めて父親を見つめた。サラがついてきているのが判っていたから、父親には危機を了解した合図を返して欲しくなかった。サラの視線は焦げ付きそうで、さながら二本の焼け火箸の先端だった。

「ごきげんよう、ゴール教授」サラはデヴィッドの肩越しにいった。声にはまたもや小さいながら威嚇するようなハチの羽音が混じっていた。

ゴールは立ち上がって、サラを笑って見おろした。同時に差し出された手を、デヴィッドは嬉しくなって握りしめた。父親の手の磐石の感触は、デヴィッドに力と勇気を与えた。なんとか振り返り、サラを見つめた。

細い顔の口許と目のふちには、油断のならない、決然としたしわが刻まれていた。ゴールに渡すべく、花束が手に握られていた。

「デヴィッドったら、これに触るのを怖がって」と、サラは告げた。「わたしは平気なんだから、デヴィッドにだって害はないでしょう」

彼女の父親は陽気な声で面食らったように、「おや、まあ」と、笑った。

「これ、もってってよ」サラはゴール教授の前に立ちはだかった。

デヴィッドの父親はまだ微笑んでいた。「そうだな、ちょっと待ってくれよ」と、繕った。「すぐにお茶になる。お腹、空いたろう」

大きな真鍮製の盆を慎重に運びながら、ミセス・エヴァンスが部屋に入ってきた。盆には、ティー・ポット、湯気を立てているケトル、それに砂糖をかけたクッキーの皿が載っていた。

サラは顔をしかめた。「ねえ、わたしの花が嫌なんて言わせないわよ。ゴール教授」いやに挑発するような口調だった。ずっと年かさの人間の話し方で、もっとわけ知り顔で、質が悪そうだった。

サラがまるで上出来のジョークを言ったかのように、ゴールは陽気に笑った。「なら、きみは」今度はゴールが返した。「お茶が嫌いなんだ、だろう?」

デヴィッドをさがらせもせず、ゴールは空いている方の手を素早く振り回した。ミセス・エヴァンスの盆から、湯でいっぱいのケトルをつかみ取る。同時に、そのままの動作で、サラの思い詰めた顔に熱湯をぶっかけた。

サラは泣き叫んだ――飛翔中に叩き落されたコウモリと変わらない。だしぬけに、湯気とも煙ともつかないものが空中に満ちた。デヴィッドは刺激臭と腐敗臭の混じったものを感じた。蒸気はすぐに消え去った――現れたときと同じく、だしぬけに。

理解しがたい不意打ちの光景に、ミセス・エヴァンスはあんぐりと口を開け、足に根が生えたように立ち尽くしていた。手に持った盆がカタカタと震えた。彼女の傍らで、夫は椅子から立ち上がり、さらに跳び上がらんばかりに膝を曲げ、唾をとばして喚いていた。教授とデヴィッドは手を握ったままだった。ところが、サラは消えていた。

花を渡そうとサラが立っていた場所には、丸々とした桃色の肌の子供が、赤ん坊のように素裸で屈み込んでいた。彼女はゆっくりと立ち上がった。年は、およそデヴィッドと同じくらいか。ただ身長は幾分小さかった。顔つきは、ダーウイッド・エヴァンスと同じように、健康そうで屈託がなかった。髪の毛は父親の髭に似て、レンガめいた赤色だった。目も父親譲りの大きく丸い、緑の目をしていた。

はじめに口を訊いたのは、ダーウイッド・エヴァンスだった。「セイラはどうなちまったんだ」彼はうめいた。

ゴールは答えるというより、ひとり言のように呟いた。

「昔の本は正しかったんだ。あの連中は熱湯に耐えられない」

ゆっくりと気死から回復しつつあったミセス・エヴァンスは盆をテーブルに置こうとしていた。ゴールはそちらを向いた。

「わたしたちのサラは――」彼女が言いかけた。

「あなたがたのサラではありません」ゴールが訂正した。「本来の子供はこちらです。見てごらんなさい、納得がいくでしょう。彼女が生まれたときに、ほかの生き物がすり替わっていたのです。われわれの知らない、よこしまな力によって」教授は疲れたように深く息を吸って、「あれは取り替え子《チェンジリング》だったのです」

「取り替え子」エヴァンスが朦朧と言った「取り替え子」

教授は部屋の奥を顎で示した。

「向こうの本棚にあるのは辞典ではないですか？　そのコトバを辞典で引くんです。取り替え子とは、幼少期、こっそりと妖精《フェアリー》やエルフによって、ほかの赤ん坊にすり替えられた子供だと出ているはず。今回は、とんでもない悪意をもった存在によって、すり替えが行われただけの話です」

エヴァンスは、この日出会った、いちばんの驚異だとばかり、辞典をためつすがめつしていた。妻は、自分を見上げてくる小さな裸の少女に震える手を差し出した。

「おいで、デヴィッド」教授は息子を連れて、ドアから家の外へ出て行った。

家の周りでは草花の類がいやに、けれどはっきりと萎れていた。通り沿いの他所の庭と変わりがなかった。


note◆マンリー・ウェイド・ウェルマン（一九〇三―一九八三）は西アフリカ生まれ。幼少期にアメリカに渡り、さまざまな職を経て作家となった。

放浪のバラッド歌手ジョンが、魔除けの銀のギターを抱えて各地で妖怪と戦うシリーズが有名で、〈ファンタジー・アンド・サイエンスフィクション〉誌に断続的に掲載され、『悪魔なんかこわくない』としてまとめられた（原書の刊行は一九六三年。邦訳は一九八六年）。ほかにもジョン・サンストーンをはじめとして、オカルト探偵のシリーズがいくつかあり、またホラーのみならず、ミステリ、SFも手掛けており、多彩な作風の持ち主である。中にはウイアード・ウェスタンと言える作品もある。

一九七〇年代からは、これらのシリーズの長編を刊行し好評を博した。

本編は〈ストレンジ・ストーリーズ〉の一九三九年二月号に掲載された。イギリスからの妖怪の進攻を描いており興味深い。一方で、プロットの練り込みが甘い点がいくつもあって、冒頭の意味ありげな伏線が回収されていない。編集長よりは、ある人物の入浴習慣について、指摘をいただいた。

また、本文中のサラのスペルは Sarah、セイラは Sayrahで訛りを反映させるのに分けて記載した。（訳者）

フェアリー事件の傍らで

●絵・文＝軒端蒼一

コティングリーの森で妖精の写真が撮られた報がストランドマガジンに掲載された。執筆者はシャーロック・ホームズの生みの親であるコナン・ドイル。その頃の彼は、息子を戦場で失ったばかりであり、見えない世界に心の慰めを求めたのかもしれないが、次第にオカルトに傾倒してゆくドイルに対し、親しかった友人は次第に距離を置くようになってしまった。

彼に助力を乞い、共著を執筆しホームズの贋作まで書いたジェームズ・バリーもまたそんな一人だった。『ピーターパン』の世界にいる妖精も単なるフィクションと割り切り、端から妖精の存在など信じていない彼には、妖精に魅入られたドイルに貸す耳を持っていなかったのだろう。

グリムやアンデルセンのメルヘンを境に、妖精を題材として数々の物語が生まれた。ピノキオのブルーフェアリーだったり、トールキンのホビットだったりするのだが、バリーもご多分に漏れず、ネバーランドや妖精の粉などの設定を作り空想の世界を構築した。ティンカーベルはピクシーの姿を借りてはいるものの、それはイェイツ等が集めたウェールズやアイルランド、ケルトの伝承の中に息づく妖精ではないのである。方や妖精を伝承の中に見るドイルと、方や空想の中だけに描いたバリーのすれ違いは必然だったのではないだろうか。

『ピーターパン』の劇の中では、死にそうになったティンカーベルを救うため、観客に向けて「妖精を信じるか?」と問いかける場面がある。観客はネバーランドの夢を見ている子供たちとなり、拍手をする事でティンクを助けるのだが、そんな劇を見ていたドイルは何を思ったであろうか。原作の最後では、ティンクさえもピーターパンに忘れ去られ、ネバーランドからも姿を消している。妖精という存在を一番信じていなかったのは、バリーという作者本人だったのだ。

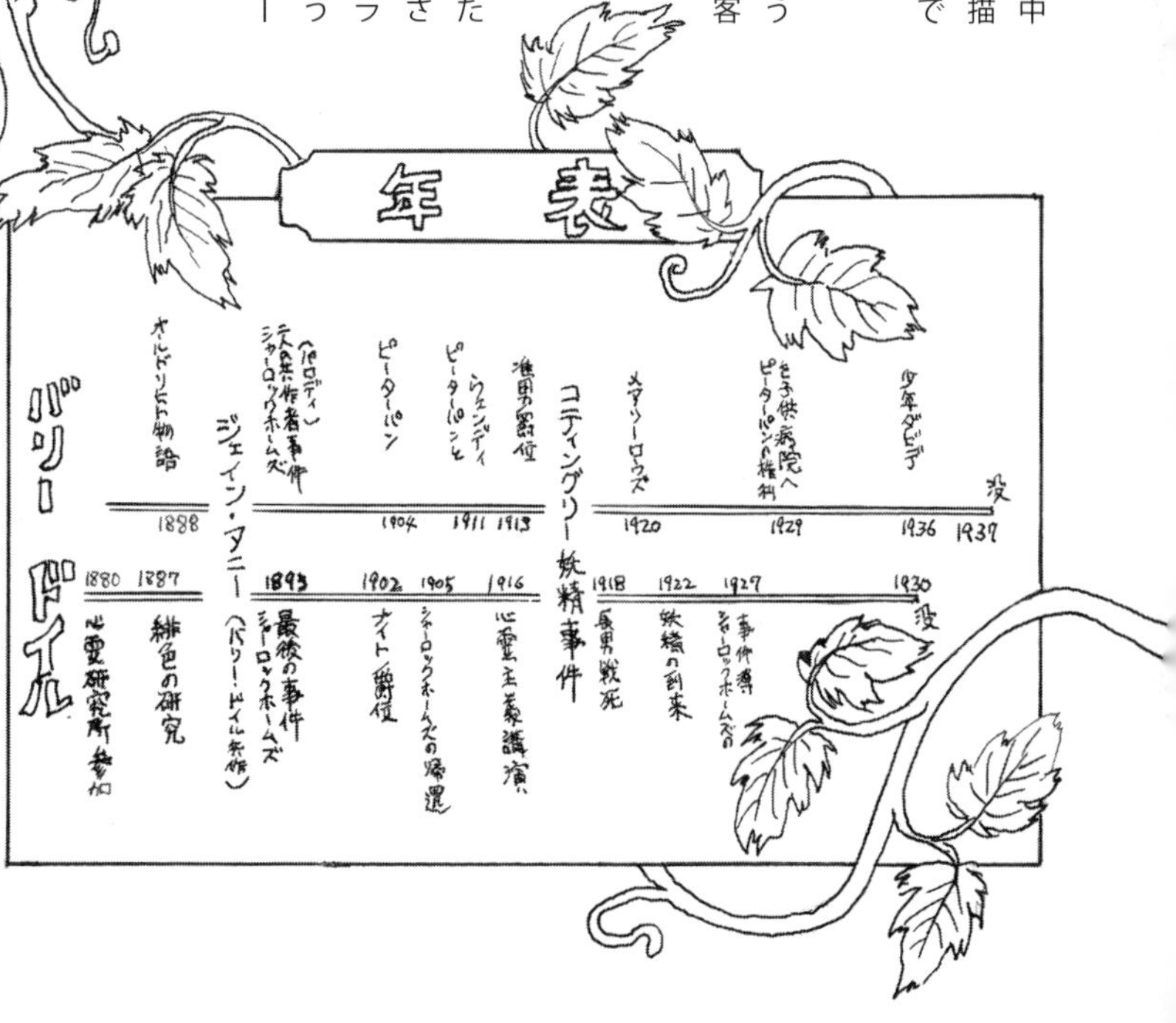

リーズ大学・ブラザートン図書館所蔵の資料について

●文＝富田実加子

二〇一七年イギリス駐在中、井村君江先生と矢田部健史氏に「コティングリー妖精事件」に関して調査の命を受け、リーズ大学まで赴いた。目的は、ブラザートン図書館内の Special Collections である。ここには、「コティングリー妖精事件」に関する貴重な資料や写真が保管されており、事前予約をすることで閲覧ができるのだ。

　身分証明の確認を済ませた後（こういう時にイギリス在住で良かったと思える）、立派な図書館内の二階の奥の小部屋が Special Collections。そこで受付を行い、手袋を受け取り、ひんやりとした小さな閲覧室まで案内される。ここでは私語はもちろん、許可のないカメラ撮影や携帯電話の使用も禁止。しばらく待っていると事前に予約をしていた資料が運ばれてきた。

　私がオーダーしたのは大きく分けて以下二点の資料。当日図書館の担当者には許可を取り、手元用に資料の写真を撮影してきたのだが、すべて著作権で保護されている観点から、出版物への利用は難しいとのこと。もちろん実際に目にするのが手っ取り早いとは思いつつ、画像使用の制限から、私の拙い文章でできる限り見てきたものをこちらでお伝えしたい。

1.一九二〇年の書簡

　エドワード・ガードナー、アーサー・コナン・ドイル、エルシー、フランシス、ポリー（エルシーの母）、アーサー（エルシーの父）など、「コティングリー妖精事件」に関わる人物たちの間でやり取りされた数々の書簡を閲覧した。事件の展開をそれぞれの手紙によって、まるで一つの物語を読んでいるかのように、臨場感を持って辿ることができる。

　特にガードナーによる手紙は最も多く保管されており、それらを読み進めることで、第二期にあたる一九二〇年に撮影された妖精写真に関して、ガードナーとドイルから少女たちに依頼、承諾、撮影完了に至るまでの過程を詳細に知ることができた。以下、時系列にて一連の流れをご紹介しよう。

・ガードナーは一九二〇年四月からポリーに対し、エルシーの撮影した妖精写真の著作権を早急に取得した方が良いとアドバイス。また、エルシーに再度妖精写真を撮影するよう依頼し始め、幾度となくポリーを通して、時にはエルシーに直接、交渉。

・ドイルの指示により、再度ポリーにあてて、エルシーの好むカメラを送るから彼女に妖精写真を撮影してもらいたいと依頼。

・ガードナーは八月に、エルシーの希望した 'Cameo' camera と六枚のフレームが入った小包を送付済み、別送で六ダースの乾板も提供する予定と伝える。他の好きなものを撮影しても構わないので、妖精写真の撮影に取り組んでほしいと依頼。

・ガードナーはドイルにあてて、「エルシーはこの 'Cameo' camera のプレゼントを相当気に入っており、大喜びしたそうだ」と報告。

・八月二十六日に少女たちが新たな妖精写真の撮影に成功。

・当時メルボルンに滞在していたドイルに

対し、「私が準備をしたカメラと乾板を使っているから偽装はありえない。間違いなく本物だ」と報告。

・エルシーとフランシスに対し、一枚目の妖精写真を受けてメディアも少女たちに注目をしていたため、「今回の二度目の妖精写真については公式に公開されるまで誰にも話さないこと。街で誰かに聞かれても何も話さないこと」と忠告。

その他、ガードナーがドイルの The Strand Magazine への妖精写真の記事寄稿の準備を進めている最中のアーサー（エルシーの父）との書簡も印象的であった。

・「記事の掲載に当たり、個人の特定を避けるためアーサーのことは『Mr. Carpenter』、エルシーのことは『Iris』、フランシスのことは『Alice』と仮名にて表現する」というドイルの意向を伝える。

・さらに、ドイルの厚意から、「記事の謝礼金として、ただ謙遜するだろうから名目上はエルシーの将来の結婚祝い金という位置づけで、百ポンド（現在の価値で約四千二百ポンド）を渡したい」と提案。

・しかし、この後アーサーは、「このお金を受け取れば写真が本物であると認めることになる」と返事し、謝礼金を辞退。

2. 一九七〇年代の記事・エルシーによる書簡

コレクションでは、「コティングリー妖精事件」を取り上げた記事がまとめられたファイルも所蔵している。一九七五年にはリーズ大学の民俗学研究の第一人者であったスチュアート・サンダーソン（Stewart Sanderson）や同大学研究者であったMrs.[a] レナ・ヤング（Lena Young）の調査によって、コティングリー妖精写真の偽装説が浮上し始めたようで、約五十年の時を経て再度「コティングリー妖精事件」への注目が集まったようだ。

一九七七年にエルシーからブラザートン図書館管理人にあてた手紙も残っていた。

「大人気探偵小説を執筆するコナン・ドイルがまさか自分たちの妖精写真を本気で信じてしまったことについて非常に残念に思いました。コティングリーの住人たちは当時ジョークとして受け止めていたのです。早く話さなくてはと思っていましたが、あのような状況下でなかなか言い出せませんでした。しかし、父も早く本当のことを言いなさいといつも忠告していたので、真実を告白しようと思いました。」

保管されている書簡はあまりにも膨大ですべてを読み切ることはできなかったが、一部を読み取るだけでも、これまで見ることのできなかった、それぞれの人物の当時のリアルな心情を知ることができた。一度目と二度目では少女たちの妖精写真の撮影に対する意欲や動機が異なっていたこと。少女たちの親（特にアーサー）はメディアの興奮に反し、冷静に事態をとらえており、事が大きくなることを望んでいなかったこと。そして、エルシーは少女の時代を過ぎた後も、自分たちの作り上げた「遊び」が世間を騒がせ騙し続けていることに対して良心の呵責に苛まれ、真実の告白をするか葛藤し続けていたことなど。

ちなみに、ブラザートン図書館のホームページによると、現在は図書館の工事の兼ね合いもあって、一部の資料はデジタル版にてリクエストできるらしい。もしかすると、今なら「コティングリー妖精事件」に関する資料も現地に赴かなくとも見られるのかもしれない。興味のある方は、ぜひ試してみてはいかがだろうか。

[a]「Mr.Carpenter」とピリオドが付いているため、ここでもピリオドを入れて表記を統一しました。

イギリス紀行

●文／写真＝谷津翠

二〇一八年六月、井村君江先生と一緒にイギリスに旅をした。正確に言えば、「一緒に」ではなく、現地で落ち合い何箇所かご一緒させていただいたのである。

私はライフワークで、シシリー・メアリー・バーカーが描いた「フラワー・フェアリーズ」の植物が咲く時季に、実際にその花が咲く場所を探しては、「フラワー・フェアリーズ」に関連した花の写真を撮っている。そんな私が、クロイドンに行く話を聞いたら、どんなに心惹かれるか、是が非でも行きたいとは思ってもその時はとても現実になるとは思えなかった。

最初の五日間は井村先生とは別行動、その間に訪れた中でも思い出深いのが、児童文学「グリーン・ノウ物語」シリーズのゆかりの地ヘミングフォード・グレイである。

ヘミングフォード・グレイは「グリーン・ノウ物語」シリーズの作者、ルーシー・M・ボストンの住んでいたイギリス最古のマナーハウス（荘園領主の邸宅）がある場所、現在はボストン夫人の義理の娘であるダイアナさんが住んでいて、訪れる人のためにマナーハウス内を案内してくれる。

まず、真っ先に目に飛び込んでくるのは、マナーハウスに続く径の両端に連なる、一風変わった形の、とても大きなトピアリー（刈り込みによる造形物）である。オールドローズの育種家としても有名なボストン夫人は、あるがままの自然を愛した人と聞いていて、このトピアリーはいささかそれに反しているようにも思うのだが、このトピアリーは間違いなく印象的な風景として私の記憶に残っている。これ以外のところでは、高く立ち上りたわわに満開の花をつけて咲き誇る野ばらも想像通り自然に溶け込み、何百種類ものの草花が風に優しく揺れていた。

マナーハウスに続く径のトピアリー

育種家だったボストン夫人が作ったバラがあるのかお聞きすると、これがボストン夫人の愛したバラだったと二つのバラを紹介してくださり、カップのようになったその花びらのなかにワインを入れて飲んでいたとおっしゃった。その花は、ほんのり甘く優しい香りがして、きっと、ボストン夫人がオールドローズを愛したのはその香りに魅せられてのことに違いない、と思った。

甘く優しい香りのバラ

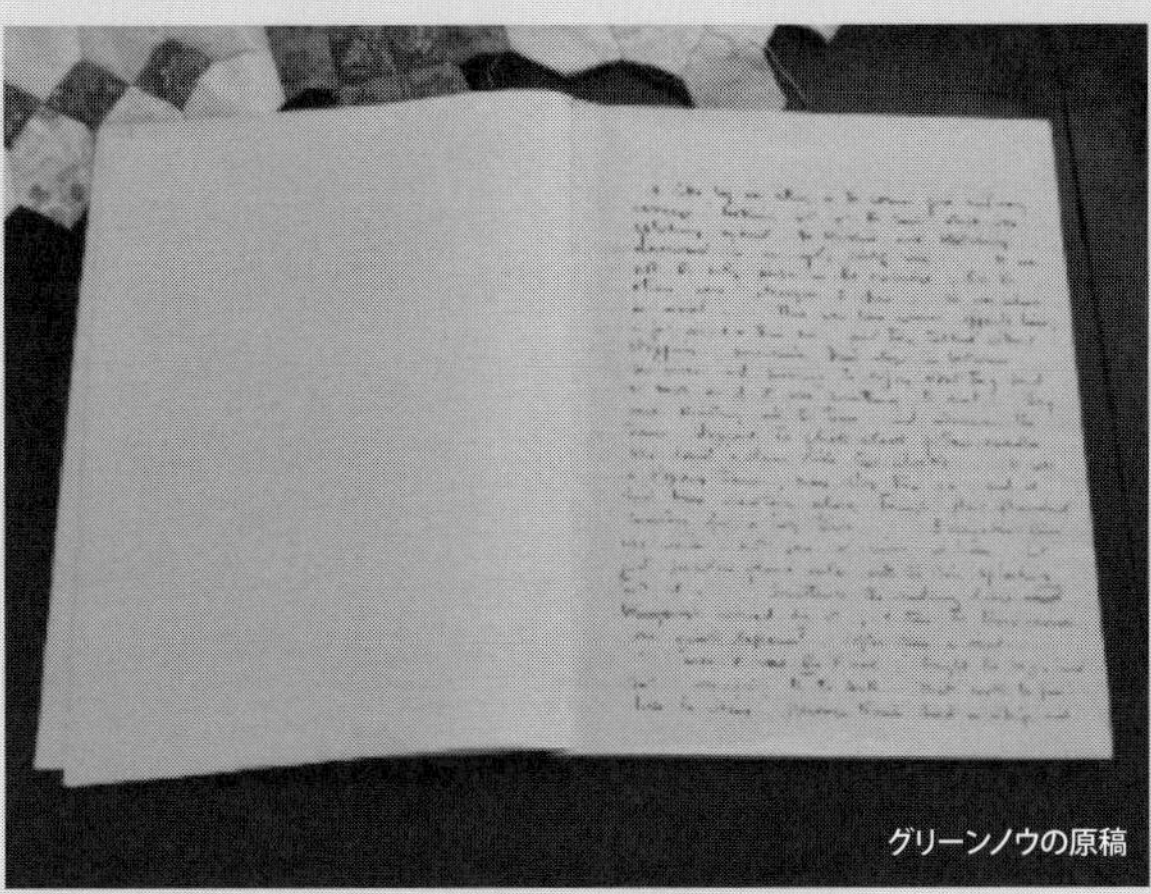
グリーンノウの原稿

マナーハウスが最初に目に飛び込んできたときの印象は、一二世紀のものと聞いていたのに思っていたよりずっと新しく感じた。しかし、その印象は中に入ると修正せざるを得ない。

むき出しのどっしりとした石造りの壁、次の部屋に続くくりぬかれたようなアーチ形の狭い入り口、石の階段、古い梁、これが修復しながら今なお人が住んでいると思うと歴史の重みを感じた。

「グリーン・ノウ物語」の挿絵はすべて息子のピーター・シェイカリー・ボストンによるものであるが、原稿を見ると、絵を描く部分を残して書いていた様子もわかった。そしてシリーズの表紙の原画も額装されて飾られていた。

大きな蓄音機で音楽を楽しむ

途中の大きな居間では、グラモフォンという昔の蓄音機で、たくさんあるというレコードの中から一枚を聞かせてもらった。ダイアナさんによれば一九二九年製で、チューバのような大きなラッパの先から聞えてくる音色は思いのほか大きくて、石造りの部屋中に心地よい音を漂わせた。たぶん、ここでは家族やお客様が集まり、この大きな蓄音機で音楽を楽しむ良い時間がたくさん持たれたことだろう。

そしてパッチワーク作家としても名高いボストン夫人のキルト作品も見せていただいた。

ベットカバーサイズのものをたくさん。ここを訪れる日本人は、このキルトを見に来る人も多いそうである。一冬一枚ずつ九〇歳を過ぎても作り続けてきた作品には、ルーシーズ・クリスマスと呼ばれるフクロウや葉っぱ、小鳥などヘミングフォードグレイの自然をモチーフにしたいくつものアップリケを繋ぎ合わせたものや、「グリーン・ノウ物語」の魔女を思い起こさせる作品など、パッチワークに詳しくない私にも大変楽しめるものだった。これほど細かくて大きな作品を何十枚も残したボストン婦人には尊敬の念を禁じえない。児童文学、庭造りも含め、まったく違うジャンルながらも丹念な仕事ぶりで、頭を使い手や身体を動かし、ものを創造することに全力を注いでいた感覚が近くに伝わってきた。

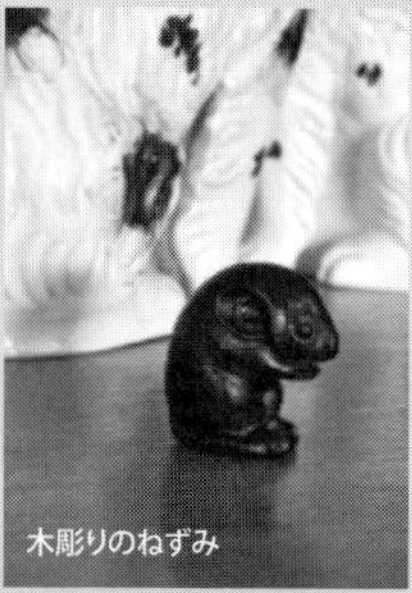
木彫りのねずみ

物語に登場した木馬

そして何より、感動したのが最後に上がった屋根裏の子ども部屋。
それはまさに「グリーン・ノウ物語」がそのままそこにあって、物語が物語でなくなっていた。
トーリーがおばあさまの家にやってきた時持ってきた木彫りのねずみも想像していた通りの大きさでそこに存在していたし、物語に出てくるあの木馬はこれだったのだ、と前からも後ろからも何度も回って全方向からじっくりと確かめた。そして、窓からトーリーたちも眺めたであろう景色に目をやった。
その後、解散になってから、私たちはお屋敷のすぐ裏に流れる小川のほとりを散歩した。

物語に登場した木馬

お屋敷の裏に流れる川

土手は低く、すぐ足下を流れる川を見て、「グリーン・ノウ物語」の冒頭で、主人公が初めておばあさまの家にやってきた日、雨で村中洪水となり、舟で迎えが来た場面にも納得がいった。

この辺りでは、本当にちょっと降ればこの川があふれ出すのであろう。

こんなふうにイギリスに着いて、井村先生とは別行動をしている途中、日本よりずっと先生と同行している石川さんから「クロイドン行きは中止にしても問題ありませんか?」とご連絡をいただいた。以前、先生がクロイドンを訪れたとき見ることのできたシシリーの原画などがクロイドンに行っても見られないことが判明し、現在保管されている出版社にも連絡をとって下さったが、私たちの滞在期間中には見ることが出来ないそうである。

もともと、イギリスに行くことを決めたのは、クロイドンに行く、という話がきっかけで始まったことだったのに、それを聞いても自分でも驚くほどに落胆の気持ちがなかった。それは、わたしにはクロイドンと匹敵するぐらい、いやそれ以上に楽しみにしていたコティングリー村に井村先生とご一緒することが決まっていたからである。

私たちは、キングスクロス駅で落ち合い、そこから二時間半の列車の旅でコティングリー村のあるシプレーという駅に降り立った。ホテルへのタクシーを待つ間、駅舎を見ていたが、あまり人の出入りもなく、閑散とした駅のように思えた。先生が、私が前に来た時には、妖精の村ということでお土産物を売るお店もあったのに、とおっしゃったが、今ではそんなことがあった場所だということも忘れられているようだった。

私たちはホテルに荷物を置くと、すぐに集合して出かけた。ホテルを出ると車の通りが激しい大きな幹線道路があり、そこを車椅子の先生といっしょにどきどきしながら渡った。そんな車の往来が激しい通りでも、道ばたにはデイジーやバターカップ、ヤロー(セイヨウノコギリソウ)など「フラワー・フェアリーズ」に登場する花々がすぐに見つかり、さすがイギリス、シシリーが次々と花の精を描きたくなるはずだと思い、皆に遅れをとらないよう前を気にしながらも辺りを見回した。すると今度は頭の上にたくさんのサクランボの実がなっていて、こちらもフラワーフェアリーズに出てくるサクランボの形によく似ていた。

　ほどなく行くと、WELCOME TO COTTINGLEYと刻まれた石碑が出迎えてくれ、やっとコティングリーにやってきたのだという実感がわく。ただし、フェアリーテイルの映画の印象が強い私にとって、コティングリーは自然あふれる森の中に存在するものだったので、時代が移れば景色が変わるのも、もはや致し方のないことと思わざるをえないのであるが、あと少しで二人の少女が住んでいた家に着くと言うのに、一向にベック（小川）が現れる気配もない道のりに、ほんの少しやるせなさを感じた。ただひとつ、少女の家の手前で、こちらに背を向ける形で塀に座って肩を並べておしゃべりに興じる地元の少女二人を見たときには、百年も前にここに居たエルシーとフランシスを思った。

　二人が住んでいたとされる家のベルを鳴らすと、約束をしていた現在のその家の主が出迎えてくれた。二人が遊んだベックは建物の裏にあると案内されて、私たちはバックヤードに回ると、家庭菜園をしている庭があり、その後ろに大きな樹木の広がる森があり、緑の光にあふれていた。先ほどまで歩いてきた表側の光景とはまるで別世界で、明らかに先ほどまでとは違う風が吹いていて、鳥のさえずりまでも聞こえてきた。私たちは、先生を上に残し、ベックに降りてみた。浅く水量が少なくなるところもあり一見静かな小川に見えたが、しっかり水がながれているところを見ると意外と流れは速かった。

二人の少女が遊んだベック

　家の方に別れを告げた後、私たちは、周りのものとは違う趣の不思議な木戸を発見し、押してみると開いたので中に進んだ。先ほど訪ねた家で、表側とバックヤード側でまるで違う空気を感じたのと同じように、その扉を境に、こちら側とあちら側、世界が分かれているようだった。

進むとアーチ形の橋が現れて、下を流れる川は先ほどのベックに続いているようだった。中に入ると片隅には野ばらの花が咲いている。数日前までキューガーデン（王立植物園）をはじめ多くの庭を巡ったが、ここには庭園のバラにはない凛としたたたずまいの美しさがあった。さらに進むとまた木の柵が現れ、その前にはどこまでも丘がひろがっている。ここにも一輪のジキタリスが、明らかに園芸種として育てられたものとは違う野の花としての自然なたたずまいで風に吹かれていた。今もあの木戸を開けてこちら側にやってくる人はいるのだろうか？

　あの扉を境にして、一瞬にして時空を飛び越え、目の前に広がる丘も流れる雲も吹く風も、そこに横たわる時間も何もかも、異次元の世界にやってきたような不思議な感覚にとらわれた。

　いったいこの石積みはどこまでつながっているのだろうと、柵を乗り越え丘を登って見ると、大きな円形になっているのがわかった。そして石のすぐ外側には新興住宅地が広がっているが、この円形の中だけは何一つ建物も無くただただ草原が続くばかりで、何かに守られている聖域のようであった。先生が、「これが皆さんにお見せしたかったケルトの遺跡よ」とおっしゃった。ストーンサークルというのはもっと小さく祀り事をするときなどに使うが、これはストーンウォールで、人が住んでいる地区なのだそうである。すぐ外側では家があんなにひしめいて建てられているのに、ここだけが手つかずのまま守られていることに驚きを覚え、やはりここは何かとても神聖な空気が流れているように思えてならなかった。私はツタの葉っぱとヤローを手帳にはさみ、ここで拾った小枝や苔をほんの少しのばせて持ち帰った。帰ってきてしまった今、あれは本当のことだったのか、物語の中の出来事のようにさえ感じる。その一方、不思議なことに今でもあの日、あの丘を登って身体に受けた風の心地よさや目の前に広がる風景はすぐそこにあるように感じられる不思議な体験をしたのだ。

ストーンウォール

コティングリーの丘

　次の日、私たちは、リーズ大学のブラザートン・コレクションにて、「コティングリー妖精事件」にまつわる資料を見せていただくことになっていた。

　時間はきっかり、一時間。大きな木のトレイにのせて運ばれてきた資料は、ひとつひとつ丁寧にゆっくり見ていては間に合わないほどの量で、先生は次々袋から出しては、熱心に見ながら研究に必要なことを片っ端から書き留めていらした。そして、私はというと、右から流れてくるその資料を同じように見せていただいた。中には書簡や写真、さまざまな資料があり、昨日私たちが写真を撮ったアーチ形の橋のたもとで二人が撮った写真もあって、まったく風景は変わっていなかった。また、どちらが描いたのであろうか、写真の周りに細い線で植物の絵や蝶が上手にデザインされたものがあり、普段から身の回りの自然をモチーフにたくさん絵を描くのが好きだったことがわかった。そうして次々、資料を見ていくうち、二人が妖精を本物らしく見せるために苦心し、工夫している様子がわがことのように伝わってきた。私も「フラワー・フェアリーズ」の写真を撮る時、ああでもないこうでもないと這いつくばって写真を撮っている。妖精を配置することによって、人の目線よりもっと小さきものの目線になってものを見ると、同じ景色や花も違った世界に見え、今まで見えていなかったものが見えてくる面白さ。妖精の縮尺を色々変えてみたり、はたと気づくと影を落とす方向も変わっているほどいつの間にか時間が経っていたことに気づき、光の量や角度にも敏感になる。資料を次々めくりながら見れば見るほど、同じように森に入って夢中になっている二人の姿がすぐそこに見える気がした。そして「エルシーもフランシスも私と同様、試行錯誤をしていたに違いない」と思うと、「この二人ってまるで私じゃない!? ひょっとしたら、百年前に少女たちがやっていたのと同じことを私はしているの!?」と、まるで自分がそこにいたかのような感覚に陥り、もうそうなると、時の隔たりなど忘れ、私の中で二人の姿があの森の中でリアルに動き出す、急に彼女たちを身近な存在に感じ、二人の少女と同じ感覚を共有できた想いがした。そうして二人は私の中で、いま、まさしくここに生きている人となった。そう思うと、前日に見たあのベックやケルトの丘もより生き生きと私に迫ってきた。

　二人がいつも遊んでいるという森の中で撮った妖精の写真が、アーサー・コナン・ドイルの知るところとなり、彼がそれを本物だとしたところから真偽をめぐって大論争を巻き起こした「コティングリー妖精事件」。きっと大人たちの思惑とはもっと別なところで、妖精を作り写真に撮ることは、二人にとっては本当に愉しみが多く、純粋に夢中になることだったにちがいないと思えた。

リーズ大学にて

　今回のイギリス旅行で、私にとってのメインイベントと思われるコティングリーへ行ってしまった後は、残りの日をのんびり過ごしていたのか、というと、全くそんなことはなく、この後も井村先生とグローブ座にご一緒し、英国占星術協会のパーティにも参加させていただく機会に恵まれ、盛りだくさんの充実した時間を過ごした。

　グローブ座を訪れた日も朝からめいっぱい行動した。滞在中にできるだけたくさん回りたいと思っていた私は、グローブ座見学のチケット売り場で約束をして、早々に朝食を済ませるとバーモンジーマーケットに出かけたのだ。

　建物の間の広場の一角にこじんまりとあるマーケットなので、短時間で見るにはぴったり。そして、お店の数は多くないのに食器から古本、アクセサリー、ちょっとした雑貨まで、可愛いものがたくさん揃っていて大満足。スタンドではなく建物の中に入っているお店には、素晴らしいアン

橋が架かった路地

ティークの銀食器や陶器のカップも並んでいたが、それなりにお値段がはるのと、この後まだ出かけることを思うと目の保養にとどめてあとにした。

　バスをどう乗り継ごうか地図を見ると、川沿いに進めばグローブ座まで一本道。距離を調べると三十分もあれば歩けそう。それならば、と川沿いに向かって歩いたのが大正解。この日をさらに充実したものにしてくれたのだ。まずは、川沿いに出なければと歩を進めていると、石畳の中に見たこともない不思議で格好いい一角に出る。建物と建物の間を見上げると頭上に何本もの橋が架かっている。歴史を感じる建造物とは裏腹に下に入っているお店はみなモダンで、おしゃれなパン屋さんからカフェ、洋服を売るお店と立ち寄りたいようなお店ばかりが並ぶ。あとで調べてみると、そこはシャッドテムズといい、十九世紀にはロンドン最大の倉庫街だったところを再開発した場所だった。

タワーブリッジ

　程なく、川岸に出るとそこにも、おしゃれなレストランが立ち並ぶ。そして、行く先に目をやるとなんと美しいタワーブリッジが現れた。土地勘もなく、当てずっぽうで歩いている私にとって今回の旅行でタワーブリッジが見られるとは思っていなかったので嬉しかった。

　さらに進むと、これまた魅力的なマーケットに出た。ちょうどもうすぐお昼時で大きいパエリア鍋でおいしそうに調理する臭いや、パンやお惣菜を売るマーケットはとても魅力的だったが、ちょうどその時、グローブ座の館内ツアーの順番がもう少しで回ってくるので急ぐようにと告げるメールが届いた。気になりながらも先を急ぎ、白い円形の建物がやっと見えたときは、時間ギリギリで心配させてしまった川幡さんに申し訳なく思った。

　そしてそのまま、グローブ座の見学が始まった。今日のグローブ座は、サム・ワナメーカーがシェイクスピア・グローブ財団を設立し後継者に協力を仰いだり、世界中の演劇を愛する人々に寄付を募って二十三年間にわたって尽力し、劇場の再建を目指した。その間、当時の劇場を正確に再現するよう考古学的発掘など研究が重ねられたが、ちょうどその頃、井村先生もご主人のジョン・ローラーさんとともにこのグローブ座の再建が実現するよう貢献され、他の方と一緒にどこかに名前が刻まれているはずだと川幡さんはおっしゃったが見つけられず、先に先生にお聞きしておかなかったことを後悔した。このような計画を立ち上げたのはイギリス本国から起こったものだとばかり思っていたので、今回、サム・ワナメーカーがアメリカ人だったということも初めて知り驚いた。

　展示物を見終わるといよいよ劇場に進み、私たちは木製のベンチの二階席に座って説明を聞いた。実際上演されるときは、下の立見席にも大勢の観客が入って上演されるようで、舞台が観客席にせり出ているので、その近さに俳優と観客の間に生まれる独特の空気感、一体感を想像した。できる限り、オリジナルに忠実に再現すべく建てられた劇場は、舞台両端の天井を支える大理石に見える柱も、当時のように巨大な二本のオークの木の幹に大理石に見えるよう塗装を施したもので、漆喰も当時の調合で混合され、屋根もヨシの藁を使った茅葺屋根と徹底にこだわって再現されていた。

見学が終わって、少し散策しましょうということになって歩き出すと、シェイクスピアの街らしく、高架下には最近描かれたのであろうか色鮮やかな現代アート風のシェイクスピアの壁画が現れる。

そうやって歩いていると、なんと午前中通りがかり思わず立ち寄りたい衝動にかられながら横目で通り過ぎたマーケットに再び出くわした。バラマーケットと呼ばれるそのマーケットは、イギリス国内最大規模のフードマーケットで歴史は千年ととても古く、もともとはロンドンの胃袋を支える卸売市場だったそうだ。午前中のテイクアウトの食べ物は終わってしまったようだが、大きなカンパーニュがたくさん積まれたパン屋さん、フランス産のチーズ、上からはおいしそうなソーセージやサラミがぶら下がり、フルーツや色とりどりのキノコが一盛りずつおしゃれにセンス良く並べられている。スパイスの量り売りや氷の上にはおいしそうなカキや名前のわからない貝類が並べられ、歩いているだけワクワクした。

バラマーケット

ロンドン最終日となる日は、先に英国占星術協会に出席されている井村先生と石川さんに合流し、私たちも会合のあとのパーティに参加させていただいた。コティングリーに出かけた時も感じたが、電車に乗って二、三〇分ほどもすればすぐ、先ほどまでの喧騒が嘘だったかのようにのどかな田舎町にやってきたかのような景色が現れる。

パーティには占星術に関係あるものを何か身に着けてくるようにとのことだったので、出発前に日本で買った星のイヤリングをつけて緊張しながら入口に向かったが、拍子抜けするほど簡単に受付を済ませることができ、先生たちと合流できた。学術的な集まりの後のパーティと聞いてもっと堅苦しいものを想像していたが、三日間の講義や研究会をすべて終えた後の参加者の交流の場のようで、フレンドリーで楽しいものであった。

ここで見た夕焼けは今までどこで見た夕焼けとも違う忘れられない美しい色、朱ではなくマゼンダ色をしたどこまでも優しくゆったりとした夕焼けで、イギリス最終日を飾るにふさわしい思い出の締めくくりとなった。今になって思い起こすと、あの旅は夢か現か、いくつかの偶然が織りなした、物語のような幸せな出来事だった。

井村先生のご著書の中に「人の一生は出会いとふれあいの連続です」という言葉がある。

私にとって、一生の中で井村先生に出会い経験していることは、自分でも予想もしていなかった素晴らしく恵まれた時間であると心より感謝している。

最終日を飾る夕焼け

ナイトランド・クォータリー増刊

妖精が現れる！ コティングリー事件から現代の妖精物語へ

編　者　　アトリエサード

プロジェクトマネージャー　岩田　恵
アートディレクション　鈴木　孝
チーフエディター　岡和田　晃
エディター　徳岡　正肇
望月　学英
矢田部健史
深泰　勉
待兼音二郎
じいや　小笠原　勝

協　力　　うつのみや妖精ミュージアム
井村君江
青弓社
レベル 亀井澄夫
浜野志保

発行日　2021年8月12日

発行人　鈴木孝

発　行　有限会社アトリエサード
東京都豊島区南大塚1-33-1
〒170-0005
TEL.03-6304-1638 FAX.03-3946-3778
http://www.a-third.com/
th@a-third.com
振替口座／00160-8-728019

発　売　株式会社書苑新社

印　刷　株式会社平河工業社

定　価　本体1800円＋税

ISBN978-4-88375-445-8 C0390 ¥1800E

■編集後記■

▼妖精は文学の本流であるという前提により、近現代の精神史を立体的に捉え直す1冊となりました。(晃)▼青弓社本から漏れた原稿が日の目を見ることになり感無量です。(矢)▼コロナ二年目は輪っかじゃなくて妖精の夏になりそう。(音)▼何故今、妖精写真が必要か考えてたらモルガン様来たw（深）▼インフルエンサーが取り上げたネタがバズるのは百年変わらずと。(も)▼火祭りの写真をよく撮る。炎の中には神も妖精も宿るよね。(じ)